VINCEN

# INSTINCT

**1**

**BLAST**

*À Théophile et Madeleine.*
*À tous ceux qui savent que la vie même*
*se cache dans les ouvrages de la Grande Bibliothèque,*
*et que la vérité peut se trouver*
*entre les lignes.*

Loi n° 49-956 du 16 juillet 1949
sur les publications destinées à la jeunesse : août 2014

© Éditions Nathan (Paris – France), 2011
© 2014, éditions Pocket Jeunesse, département d'Univers Poche,
pour la présente édition
ISBN 978-2-266-24530-2

*« Homo homini lupus. »*
(« L'homme est un loup pour l'homme. »)

Plaute, *Asinaria* (*La Comédie des ânes*), 212 av. J.-C.
(repris entre autres par Érasme, *Adagiorum Collectanea*,
François Rabelais, *Le Tiers Livre*, Thomas Hobbes, *De Cive*,
Sigmund Freud, *Malaise dans la civilisation*,
toutes occurrences signalées dans la Grande Bibliothèque,
étage de littérature générale, Institut de Lycanthropie,
Alpes françaises).

# PROLOGUE

# 01.

## LE RETOUR

Depuis qu'ils avaient quitté l'aéroport, dans la voiture de leurs parents, Tim écoutait Ben raconter. Et Benjamin Blackhills était intarissable. Le jeune homme donnait l'impression qu'il aurait pu parler toute une vie. Pourtant, il n'était parti que six mois, qu'il avait passés en Colombie-Britannique, à travailler sur un chantier de fouilles archéologiques du département des Études indiennes. Avec les membres de l'équipe, ils avaient collecté puis étudié les vestiges de deux «villages» dont on ignorait s'ils étaient les premières traces de la civilisation kwakiutl, ou s'il s'agissait d'antiques habitations nootkas. S'approchant du Pacifique, ils avaient ensuite fouillé le site d'un ancien campement de Salishs sur la côte.

Mais cela n'intéressait pas leurs parents. Leur mère était incapable de retenir ne serait-ce que le nom de chaque tribu indienne du Canada – elle disait: «vos Peaux-Rouges». Alors, puisqu'ils étaient tous les quatre dans la voiture pour des heures, Tim laissait ses parents poser ces questions triviales auxquelles ils avaient déjà eu vingt fois les réponses. Il lui suffisait quant à lui de tourner et retourner cette phrase que Ben lui avait dite les yeux brillants, aussitôt qu'il les avait retrouvés dans l'aérogare : « On avait raison... Tu ne peux pas imaginer comme on avait raison. »

Depuis quatre jours, à l'idée des retrouvailles, il ne dormait plus : et si Ben, en revenant, avait changé ? S'il n'ambitionnait plus de devenir avec son cadet « les frères Blackhills », chercheurs, archéologues, aventuriers du Grand Nord ? S'ils ne parvenaient plus à se comprendre ? Mais non, en deux phrases confirmant les centaines d'e-mails échangés, Ben lui avait dit que le rêve continuait, et qu'ils continuaient ensemble. La tension nerveuse était tombée d'un coup, la fatigue des nuits d'insomnie pesa soudain sur ses épaules, comme un manteau. Tim allait dormir, maintenant, pendant les deux heures de voiture qui restaient, laisser ses parents assommer de questions leur fils aîné. Puis ils se retrouveraient seuls, son frère et lui.

Il appuya la tête contre la vitre de la voiture, enregistra encore quelques secondes, inconsciemment, les informations : la bande blanche de sécurité qui défilait, sur la droite, le paysage de la banlieue de Seattle qui s'éloignait, les montagnes, à l'horizon...

Ses yeux se fermèrent.

—

Il entendit le cri dans son sommeil. Puis le crissement du dérapage et le déchirement de la tôle froissée. Était-il encore dans son rêve ? Quatre jours après, à l'hôpital, il ne se souviendrait que de ceci : il s'était endormi contre la vitre ; le hurlement de sa mère, suivi d'un fracas d'accident, l'avait réveillé.

Ensuite, ce serait le mur blanc. Un blanc complet de plusieurs minutes, de plusieurs heures ? Il n'en garderait aucun souvenir.

# 02.
## L'ODEUR DE LA MORT

Il releva la tête. Pas un bruit.

«Un accident, nous avons eu un accident», se répéta-t-il intérieurement, pour s'aider à comprendre ce qu'il se passait. Son nez saignait. Il avait le goût du sang dans la bouche. En dépit du noir profond, petit à petit, ses yeux s'accoutumaient. «Un accident…»

Il essaya de s'appuyer contre la portière, mais elle se trouvait plus loin, plus bas qu'il ne le pensait. Le siège de sa mère, devant lui, n'était pas non plus à sa place. Toute la voiture versait à droite, comme un bateau donne de la gîte sur tribord. Ils avaient dû tomber dans un fossé. À travers le pare-brise en miettes, il lui sembla apercevoir la route, à deux mètres au-dessus d'eux. Elle était bordée de conifères, de grands épicéas. L'accident était survenu alors qu'ils traversaient la forêt.

Maintenant, il voyait mieux, presque distinctement, malgré la nuit. Quelque chose devait éclairer, à l'extérieur, sur la route – les phares, eux, avaient cessé de fonctionner, détruits avec le capot de la voiture. En s'appuyant du bras contre la portière, il parvint à se redresser. Il avait mal, aux coudes, à toutes les articulations. À cause du choc. Il se sentait coincé dans l'habitacle, comme si la voiture était devenue trop exiguë pour lui. «Sans doute la structure a-t-elle été déformée...» pensa-t-il.

Les idées lui venaient avec difficulté, lentement. Comme lorsqu'on sort d'un sommeil artificiel, pour reprendre pied prudemment dans la vie.

Le silence, suspendu, se précisa. On entendait juste le bruit du vent, qui soufflait en traversant la voiture aux vitres brisées. D'étranges cliquetis métalliques s'y mêlaient, à intervalles réguliers – probablement des pièces du moteur battaient-elles, après avoir été arrachées dans le choc. Peut-être aussi quelque chose comme un goutte-à-goutte. Rien d'autre. Pas une voix humaine, pas une plainte. Rien. Un silence de tombeau.

«Pourquoi ne parlent-ils pas? Pourquoi Ben ne me dit-il pas que tout va bien?»

Son cerveau marchait au ralenti.

«Et les parents, pourquoi se taisent-ils, eux aussi?»

L'angoisse mit encore quelques secondes à s'insinuer dans son esprit engourdi. Mais ce fut alors comme si son sang s'arrêtait.

«Parlez, bon sang!» Il eut soudain envie de crier. «Parlez, dites-moi quelque chose!»

Il lui était impossible de formuler ces mots;

il *savait* que les paroles ne franchiraient pas sa gorge, stérile comme un désert glacé.

« Essaye. Dis quelque chose, Tim… »

Il entrouvrit les lèvres, les humecta. Dans ce simple mouvement, quelque chose le frappa de plein fouet. Une puissante sensation, ou plutôt une multitude ; des dizaines de nuances qui envahirent son nez et sa gorge, pénétrèrent dans son crâne. Des odeurs. Des centaines, des milliers de perceptions qui se mêlèrent, pourtant toutes distinctes. Celle du caoutchouc brûlé. Celle de la forêt qu'ils traversaient au moment de l'accident. Celle du vent qui entrait par le pare-brise éclaté, du goudron chaud, fumant, trempé de pluie, sur la route, de la mousse dans le sous-bois. Celle du sang…

D'autres odeurs encore, fragrances végétales, fluides mécaniques, sucs corporels, huileux, organiques. Il pouvait les reconnaître, les nommer. Mais parmi toutes, une s'imposait, écrasait les autres. Un effluve puissant, inquiétant, poisseux, qui planait dans l'habitacle de la voiture. L'odeur de la mort.

Tim se pencha vers la gauche. Il renifla Ben, longuement, prudemment, puis recula d'instinct. Son frère était mort.

Il vit le filet de sang qui coulait le long de l'oreille de Ben, sa nuque brisée dessinant un angle étrange, le menton reposant sur le haut de sa poitrine. Il ne respirait plus. Tim *sut* qu'il aurait perçu un souffle, qu'il aurait humé l'odeur de vie, même si son frère n'en avait conservé qu'une bribe.

Benjamin Blackhills était mort.

Il n'était nul besoin de le vérifier, de lui parler, d'essayer de le secouer pendant plusieurs minutes. Il enregistra l'information, calmement, comme si elle lui était étrangère; il la retourna dans sa tête pour s'en convaincre et la faire retentir. «Ben est mort.» Il aurait voulu se sentir horrifié.

Son cerveau, ses pensées étaient toujours anesthésiés. Il voulait réfléchir, se concentrer, pour trouver ce qu'il avait à faire.

«Regarde les parents, maintenant», se dit-il, en se forçant à tourner les yeux vers l'avant de la voiture. «Tu dois savoir, être sûr» – mais il connaissait déjà les réponses. La tête de son père était rejetée en arrière; ses yeux grands ouverts vers le plafond ne regardaient plus rien. La silhouette affaissée de sa mère était tassée contre la portière, comme un sac de chiffons.

Il se pencha vers eux, l'un après l'autre, malgré le sentiment de se mouvoir difficilement entre les sièges. Il les renifla, d'aussi près qu'il le put – ils étaient morts, eux aussi, ils avaient cette odeur fade et caractéristique.

Il ne les toucha pas.

Toute sa famille était défunte. Le sang continuait

de couler de son nez dans sa bouche. Il avait un goût âcre.

Parmi le bouquet qui avait envahi son nez et sa gorge, une odeur s'insinua soudain. Dangereuse, minérale, l'annonce d'un péril. Quelque chose qu'il ne put nommer d'emblée, mais qui lui revint au prix d'un effort de concentration, comme si ce savoir lui venait d'un cerveau archaïque : de l'essence. Elle coulait et se répandait quelque part dans la voiture.

Il devait sortir, vite.

« Maintenant, secoue-toi, Tim… » S'il l'avait pu, il se serait parlé ainsi à voix haute. Mais pas un mot ne sortait…

Il essaya de saisir la poignée de la portière, n'y parvint pas. Ses mains ne lui obéissaient pas, épaisses, inutilisables – avaient-elles triplé de volume ? Ou bien étaient-elles réduites à des moignons ? « Regarde… Non, ne regarde pas. » Tim se souvenait de l'ascension du Gilbert Peak, qu'il avait effectuée avec son frère l'année précédente. Le jour où il s'était fait une fracture ouverte du poignet. Ben avait dit : « Tu ne regardes pas, surtout, tant que tu n'es pas en mesure de te soigner. Regarder ne sert à rien, ça ne soulagera pas ta douleur. Et si tu t'évanouis, je ne pourrai pas te porter. » Ben, depuis le monde des morts, continuait de lui prodiguer ses conseils : sortir d'abord, rester en vie ; après, il ferait la liste des dégâts…

L'odeur de l'essence affolait maintenant ses narines, écœurante au-dessus de celle de la mort, puis une autre s'en mêla, la fumée. Quelque part, quelque chose s'était enflammé à l'avant, vers le capot, dans le moteur – et lorsque les flammes atteindraient le réservoir d'essence, situé à l'arrière, toute la voiture s'embraserait. Il allait brûler vif.

Tim donna un coup d'épaule dans la portière. Elle résista. Il grimaça. Son épaule était blessée, elle aussi – mais il n'avait pas le choix. Il asséna d'autres coups de boutoir. Toute la voiture déchiquetée, sa prison, sembla basculer, puis retomba sur ses pneus.

À ce moment, il entendit le bruit d'un véhicule qui s'approchait. Des secours ? Il vit apparaître à travers le pare-brise les deux lumières blanches, aveuglantes, des phares. Elles se rapprochèrent, s'arrêtèrent – Tim ne saurait jamais comment le conducteur avait deviné qu'une voiture venait de verser dans le fossé. Et, pour la première fois, il eut réellement peur. Parce que le salut, si proche, pouvait encore lui échapper.

Sa gorge se refusait toujours à crier. La fumée âcre envahissait l'habitacle. Il entendit une portière s'ouvrir, puis une autre. Les occupants de la voiture parlaient entre eux, il les entendait distinctement malgré la distance – criaient-ils ? Une femme dit à un homme qu'elle voyait de la fumée, que tout allait exploser.

— N'y va pas, je t'en prie !

— Si quelqu'un est vivant, il faut le sortir de là.

Des pas approchèrent prudemment sur le bitume. Ils hésitèrent au bord du talus.

« Crie, bon sang, appelle. » Tim devait être touché à la gorge, au larynx, quelque part : muet. Un nouveau coup d'épaule dans la portière lui fit presque perdre connaissance de douleur. Mais la portière commençait à céder.

L'homme descendait le talus, Tim sentit son odeur se rapprocher sous le vent. « Plus vite, plus vite… » Il secouait la carcasse de la voiture. Pourvu que l'homme le voie, qu'il comprenne. Finalement, après un dernier coup de bélier, la porte s'arracha dans un craquement métallique. Dans son élan, Tim, surpris, bascula dehors.

Il roula par terre un peu plus bas, au pied du talus. Il se retrouva à quatre pattes dans l'herbe trempée.

Pendant un dixième de seconde, ainsi, il respira l'air gorgé d'humidité, écouta les arbres intensément. Malgré la fumée, il perçut de nouveau l'odeur de la forêt, de la liberté. Il se sentit plein de gratitude, ce très bref instant. Il était sorti. Il était en vie.

Son sauveteur devait être de l'autre côté de la voiture, en train de descendre. Avait-il entendu le vacarme de la portière qui s'arrachait, sa chute ? Tim devait aider cet inconnu secourable à sortir sa famille, avant que les corps ne flambent…

Il contourna la voiture sans se relever, mit le pied sur une branche brisée. En l'entendant, son sauveteur tourna sa lampe torche vers lui. Il écarquilla les yeux, fit deux pas en arrière, en ouvrant la bouche… l'air épouvanté.

Que lui était-il arrivé ?

Tim se redressa sur ses jambes, réalisa qu'il dominait l'homme de la tête et des épaules – était-ce un nain ? Son bon Samaritain continuait de reculer, effrayé, en bredouillant « Nom de Dieu, nom de Dieu… ». Puis il lâcha la torche et essaya maladroitement d'escalader le talus, glissant, s'accrochant aux herbes trempées.

Tim sentait dans le vent l'odeur de peur, cette sueur rance et acide, sur son sauveteur. Il voulait l'entendre, lui parler, savoir ce qui…

— Hiiiiiii… Il vient vers toi.

La femme restée près de la voiture avait poussé un cri strident en voyant Tim se hisser en deux bonds derrière son mari. Elle le regardait, les mains devant la bouche.

Tim entendit alors un autre bruit, plus lointain, dans le sous-bois. Il releva son nez ensanglanté, perçut une odeur qu'il connaissait, à plusieurs kilomètres; une odeur musquée, sauvage, savoureuse... En deux autres bonds rapides, il fut sur la route, entre l'homme et la femme. Il se redressa un court instant sur ses jambes. Puis il se jeta à quatre pattes, fila entre eux pour traverser le ruban d'asphalte, et plongea vers la forêt profonde, d'où était venu l'écho de sa future proie.

# 03.
## LA RIVIÈRE

Il courait à travers les halliers. Il n'avait pas besoin de ralentir pour suivre l'odeur du sang sur les brisées de l'animal. Le daim était blessé, il perdait beaucoup de liquide vital. Tim savait que c'était un daim, il flairait son odeur, cette saveur si singulière; il l'avait toujours connue.

Il avait faim.

Il voulait mordre dans cette viande, la trace de l'animal blessé mettait ses nerfs à vif. Il voulait lui sauter dessus, lui briser le dos sous son poids, et sentir la vie sortir de cet animal, avant de le déchirer.

Manger, manger le daim.

Les branches giflaient son visage, les fourrés d'épineux l'écorchaient, il fermait les yeux pour les protéger. Il allait vite, malgré la douleur de ses membres, malgré ses articulations et son épaule blessées dans l'accident.

Courir. Tuer. Manger.

Il entendit le bruit de l'explosion, loin derrière lui – la voiture de ses parents avait dû prendre feu. L'homme avait-il pu sortir les siens ? Il n'eut qu'une brève pensée pour Benjamin Blackhills, pour John et Geneva Blackhills. Une pensée confuse, qu'il aurait voulue moins froide. Étranger à leur sort. C'était trop tard pour eux, de toute façon.

Il ne se demanda pas si son sauveteur avait été blessé dans l'explosion. Il n'y songea pas. Il ne pensait qu'à une chose : le daim – le trouver, le tuer, le dévorer.

—

Maintenant, il mangeait.

Il avait débusqué le grand mâle, blessé, qui grelottait d'agonie dans un fourré. Du sang coulait en abondance sur la patte postérieure gauche et sur la croupe paralysée de l'animal – sa blessure s'était aggravée dans sa fuite. Il avait suffi à Tim d'un coup de patte pour abattre le cervidé, déjà à moitié mort d'épuisement et de terreur, de résignation. Il avait mordu, plongé son museau dans la chair palpitante, savoureuse de sa proie.

Soudain, il releva la tête. Qu'était-il en train de faire ? Que lui arrivait-il ?

Il considéra ses pattes griffues, engagées dans la carcasse du daim. Ces poils gris-brun qui lui couvraient le corps. Ses membres sanglants, puissants, larges, des pattes taillées pour la mise à mort, comme cela avait toujours été le cas pour ceux de son espèce.

Son espèce…

Il appartenait à une espèce qu'ils connaissaient parfaitement, Ben et lui. Mais son cerveau semblait paralysé, incapable de retrouver le mot. Il faudrait qu'il demande à Ben. Mais Ben était…

Ben. Il était mort, il se souvenait, maintenant. Il l'avait reniflé dans la voiture.

Une étrange nausée le retourna. Le sang du daim poissait son visage. Il ne ressentait plus aucune faim, simplement un dégoût profond. Que faisait-il là, au fond de la forêt, à dévorer un cervidé blessé, alors que son frère et ses parents étaient morts?

L'instant d'après, la question lui parut stupide, la réponse évidente – il chassait, tuait, mangeait. C'était ce que lui commandait l'appel de la sauvagerie, la nature: la faim. Le motif le plus simple, le plus pur, le plus ancien qu'il connaisse. Manger. Chasser et tuer. C'était le rôle qui incombait depuis toujours à ceux de son espèce, l'évidence qui coulait dans ses veines. De nouveau, la question tourna: «Mon rôle, celui de mon espèce… Mais quelle espèce? Un mammifère, sûrement, un mammifère carnivore, à n'en pas douter. Quel mammifère suis-je? Regarde, Ben, mon frère, je mange la viande que j'ai chassée, je suis un carnivore… Ces extrémités griffues, ces longs ongles noirs, ces poils gris, tu les reconnaîtrais, toi, si tu étais là; tu me dirais mon nom.

«Où es-tu, Ben? J'ai besoin que tu m'aides…

«Quel est mon nom, celui de quelle espèce?»

Il se redressa sur ses pattes arrière. Il était immense, ainsi. Il voyait le bout de son museau, sorte de groin noir ou gris foncé sous la clarté lunaire. Ses pattes puissantes, des armes, capables d'abattre un élan de plus de deux mètres. Qu'arrivait-il? Qui était-il? «Mon nom est Tim, Ben. Tu es mon frère. Mon frère Ben.»

Il retomba sur ses pattes, lourdement.

«Mon cerveau… Pourquoi mon cerveau refuse-t-il de me fournir le nom de mon espèce? Que m'est-il arrivé, Ben? Pourquoi ne m'as-tu pas répondu dans la voiture? Tu étais mon frère, Ben, et maintenant, sans toi, je ne sais plus le nom de mon espèce.»

Il sut ce qu'il devait faire.

Il n'y avait plus qu'un salut. Courir dans la forêt. Trouver la rivière, là où elle coule en torrent, où il était venu autrefois pêcher; où il venait chaque année, quand les poissons remontaient. Frayaient-ils, cette nuit? Il lui sembla sentir leur odeur, cette pensée l'affolait, la chair des poissons… Rêvait-il? Chasser, tuer, manger. Était-ce simplement le fait de savoir qu'il devait trouver la rivière, ou flairait-il vraiment cette odeur?

Il ne se rappelait plus son nom, le nom de son espèce. «Qu'est-ce qu'il me reste, Ben?» Son flair, qui ne le trompait jamais.

Il redressa son museau, chercha dans l'air le parfum de la mousse trempée sur les rochers, celui des poissons. Il fouilla les effluves de l'obscurité, dans la nuit épaisse, pour s'orienter. Quittant le fourré, abandonnant la carcasse du daim aux charognards de la forêt, il replongea sous la futaie.

La cascade, indifférente à la nuit comme à sa présence, susurrait une rumeur toujours égale. Il avait su trouver la rivière, il ne savait plus pourquoi il la cherchait. Mais il aimait le bruit de la cascade.

Il était déjà venu pêcher ici, dix fois, avec Ben. Juste au-dessous de la cataracte, là où les poissons troublés par les tourbillons d'eau viennent chercher leur oxygène et reprennent leur souffle sous les cailloux du lit.

Tim s'allongea en aval de la chute, puis se frotta le dos sur une grande roche plate, presque au niveau de l'eau qui affleurait. Cette nuit, il n'y avait pas une truite, pas même un alevin, rien. Ce n'était pas la saison du frai. Il sentait l'air léger de juillet, une brise, la nuit était tiède malgré les premiers contreforts montagneux ; la pierre sur laquelle il s'était étendu avait conservé la chaleur du soleil qu'elle avait reçue tout le jour. Pourquoi devait-il venir à la rivière ? Pourquoi son instinct le lui avait-il dit ?

La lune, simple quartier, était montée pour sa course nocturne, dans un ciel piqueté de milliers d'étoiles, sous le drap laiteux de la Voie lactée. L'air était d'une pureté exceptionnelle, le bouquet des conifères, la résine, celui des feuilles pleines de chlorophylle, des fruits, l'enivrèrent. Adossé de tout son long sur le rocher, il guettait une pluie de météorites, courante en cette saison. Son dos racla contre la pierre, comme il savait le faire depuis ses origines, pour éliminer les parasites.

Ses origines. Son espèce. Il sut soudain pourquoi son cerveau lui avait commandé de chercher l'odeur de mousse fraîche et spongieuse, le bruit de la cascade. Ce n'était pas pour les poissons. C'était pour le miroir.

Il se retourna à moitié, se laissa rouler sur le ventre, puis se remit sur ses pattes. Il considéra quelques secondes l'extrémité de ces membres antérieurs, couverts de cinq griffes noires; les longs poils gris. Tout à l'heure, il s'était posé une question à leur propos. Laquelle? Dans la voiture, il avait eu peur d'avoir perdu ses... Le mot lui échappait... Ses mains?

Il n'avait pas de mains, il avait des pattes. Depuis les origines de son espèce. Des pattes griffues pour happer, pour abattre. Malgré ses contusions, ses muscles courbatus et l'impression qu'il avait eue, juste après l'accident, que tous ses os avaient été broyés dans un étau, il se sentait puissant, sûr de sa force. Il avait abattu le daim, la viande sanglante lui avait fait du bien. Chasser, tuer, manger. Pourquoi voulait-il connaître son espèce? Pourquoi avait-il pensé à des mains? Ses idées lui échappaient, sitôt formulées sous son crâne – ou quelqu'un les y instillait-il, pour les retirer l'instant d'après? Quelqu'un qu'il connaissait bien. Un autre lui-même.

«Ben?»

Son frère était mort, il le savait, il l'avait reniflé dans la voiture… Pourquoi continuait-il de lui parler?

Il fit quelques pas sur ses pattes, avec appréhension, comme s'il allait tomber. Il alla jusqu'au bord de la roche, au plus loin de la cascade, là où l'eau cessait d'être troublée par les remous et retrouvait une surface sombre dans la nuit, plate comme une… main. Il pencha sa grosse tête sur le miroir de l'eau.

Il vit une truffe familière, noire, mate, cernée de gris. Un gros crâne, où les yeux et les oreilles semblaient trop petits. Les yeux, surtout, deux petites billes noires, inexpressives, enfoncées des deux côtés du museau. Ses yeux. Sans qu'il y songe, il trempa deux fois sa langue dans la rivière, troublant son image un instant. Quand elle redevint d'huile, il sut.

«Ours grizzly, *Ursus arctos horribilis*… Ordre des *carnivora*, famille des *ursidae*.

«Un grizzly… Je suis un grizzly. Toi, Ben, tu l'aurais su, rien qu'en voyant une griffe, une empreinte. Ben. Mon frère Ben. Mon frère mort Benjamin Blackhills.»

Alors, il sentit quelque chose s'ouvrir dans son cerveau, comme la brume se déchire. Toujours penché sur l'eau, il revit en pensée le visage de Ben. Son frère. Un jeune homme de vingt et un ans. De l'espèce *Homo sapiens sapiens*. Comme lui, Tim, avait été autrefois un jeune homme de dix-sept ans. Il comprit ce qui le tourmentait, depuis plus d'une heure. Il avait été un jeune homme, et maintenant, il était un ours. Un grizzly, *Ursus arctos horribilis*…

Son crâne lui faisait mal.

Il se releva sur ses pattes postérieures, dressa le museau dans l'air de la nuit. Soudain, il sut que la douleur qui semblait bloquer son larynx depuis le choc, dans la voiture, venait de se libérer. Il entrouvrit ses babines noires, puis les ouvrit franchement, sur la rangée des crocs. Et il poussa le cri resté si longtemps dans sa gorge, un long cri dans la nuit. Un hurlement de grizzly.

«Je suis un ours, Ben… Je suis un grizzly… *Ursus arctos horribilis*… Tu entends? Tu m'entends?»

PREMIÈRE PARTIE

# LES INITIÉS

—

Timothy Blackhills

# 04.
## RÉMINISCENCES

— Je me suis réveillé, je ne sais combien de temps plus tard, sur le rocher que j'avais vu dans mon délire. À côté de la cascade. J'étais entièrement nu, blessé, le visage couvert du sang qui avait coulé de mon nez... Voilà tout ce dont je me souviens.

Tim leva les yeux vers le médecin. Il avait terminé son récit, et maintenant il attendait que l'homme lui explique : on lui avait dit que le docteur Moresby était un spécialiste des rêves et des délires – un psychiatre. Un homme qui soigne les fous.

Mais le docteur Moresby n'avait pas d'explication à donner :

— Sans doute est-ce le bruit de l'hélico qui t'a tiré de ton coma. Quand les secouristes t'ont survolé, deux fois, tu étais étendu sur une pierre le long de la rivière ; ils ont atterri un peu plus loin, et ils t'ont retrouvé debout, conscient.

— Comment avez-vous pensé à chercher si loin ? Vous avez retrouvé mes traces ?

— Pas les tiennes... Dès la première nuit, la police a recueilli le témoignage de l'homme qui a tenté de tirer tes parents de la voiture. Le lendemain matin, ils ont su que vous auriez dû être quatre. Comme les pompiers n'avaient trouvé que trois corps, et que le témoin avait vu un ours sur place, les policiers ont suivi sa piste. Ils craignaient que l'animal ne t'ait emporté.

Le psychiatre fit une pause.

— ... C'est apparemment ce qui s'est passé. Les sauveteurs ont retrouvé la carcasse du daim dont tu m'as parlé, puis ils ont perdu un peu plus loin la trace de l'ours. Mais ils ont continué de baliser la zone avec les hélicos. Jusqu'à ce qu'on te découvre, hier matin, près de la rivière.

— Hier? J'ai dormi une journée?

— Oui.

Le psychiatre consulta sa montre.

— En fait, tu as dormi trente-six heures de suite, à cause des calmants. Nous sommes le 6 juillet, il est 22 heures... Cela fait quatre jours que l'accident a eu lieu. Te souviens-tu d'autre chose?

Tim secoua la tête. L'homme le regardait, profondément concentré, guettant chacune de ses paroles. Mais Tim n'avait aucun souvenir plus cohérent que son rêve.

— Qu'est-ce que vous pensez de ce que je vous ai raconté, docteur? Je suis devenu fou?

— Fou, c'est un mot qui ne signifie rien... Tu

as subi un choc, Tim. Un choc très violent, lié à l'accident, à la mort de tes parents et de ton frère. Et ce choc a sans doute provoqué une amnésie momentanée, ce que nous appelons un *black-out*.

Le docteur Moresby prit un instant de réflexion, puis dit, délicatement :

— Ton black-out est sans doute dû au traumatisme, mais peut aussi avoir une cause neurologique. Nous allons vérifier si ton cerveau a subi des lésions, à la suite de l'accident. Le scanner n'a rien indiqué, mais demain, nous allons te faire subir une IRM.

— Mon cerveau est… touché ?

— N'imagine pas le pire, surtout. Pour l'instant, tu dois te reposer, Tim.

Le psychiatre se leva, se gratta le front avec son stylo, tout en regardant Tim pensivement. De toute évidence, il était désorienté. Il dit, cependant :

— L'accident a eu lieu il y a quatre jours. C'est beaucoup, mais aussi très peu. Dans l'immense majorité des cas, les souvenirs finissent par revenir. Avec le temps.

La façon dont le docteur Moresby détourna les yeux démentit ses paroles. Il quitta la pièce sur ce mensonge.

Trois minutes plus tard, deux infirmières entrèrent, lui donnèrent sa ration de comprimés, ajustèrent la perfusion. Elles parlaient doucement, leurs sourires étaient aimables, un peu contraints. Puis il se retrouva pour la première fois seul dans sa chambre – seul et parfaitement conscient.

Il faisait nuit, dehors. Tim scruta le tableau de chalets et de montagne, accroché sur le mur, en face de son lit, essayant de voir enfin net. Il était de retour parmi les vivants. Il avait traversé les quatre derniers jours dans un brouillard épais. Cela faisait plus d'une journée qu'il était là… Quant à ses souvenirs de la forêt, c'était un délire complet.

Il contemplait la peinture avec attention, fixant son regard.

Depuis son sauvetage, on l'avait abruti de calmants – il conservait une mémoire confuse de la dizaine de médecins et d'infirmières qui s'étaient penchés sur lui, dans l'hélicoptère, puis aux urgences de l'hôpital, et enfin dans cette chambre.

Ces gens l'avaient examiné, lavé, pansé, lui avaient parlé… Son corps avait été leur chose ; son esprit était ailleurs, dans une région mystérieuse, celle du délire et des voyages artificiels. Il ne se rappelait ni ce qu'ils lui avaient dit, ni même, très nettement, leurs visages. On lui avait fait passer une batterie d'examens. On avait recousu la plaie de son épaule, arrêté l'hémorragie nasale, peut-être opéré le nez cassé, il ne s'en souvenait plus. Pendant tout ce temps, les sédatifs avaient produit sur lui leur effet puissant, le rendant docile, sans questions ni angoisses, simplement obéissant aux infirmières entre deux sommeils profonds ; insensible à la douleur comme au deuil. Puis il avait dormi. Puis le docteur Moresby était venu.

Et maintenant, pour la première fois depuis l'accident, il avait le sentiment de voir enfin le monde autour de lui avec netteté. Le tableau accroché au mur. Sa chambre, sa situation. L'horreur.

Timothy Blackhills, légèrement blessé à l'épaule et au nez dans un accident de voiture mortel, mais peut-être grièvement touché au cerveau. Tim Blackhills orphelin, sans frère, sans famille, seul au monde désormais. Et fou, peut-être.

L'ampleur de la catastrophe lui apparut avec précision.

—

Au matin du 7 juillet, deux infirmières l'emmenèrent passer son deuxième scanner du cerveau, et une IRM. On lui injecta dans une veine du bras gauche de l'iode, qui produisit instantanément une gênante sensation de chaleur, sur son visage et dans la zone du bas-ventre – comme s'il s'était uriné dessus. Puis on l'allongea sur la machine monumentale. Le lit automatique coulissa pour l'emmener à l'intérieur du scanner. Il entendit une sorte de cylindre pivoter au-dessus de son crâne. On se serait cru dans un film de science-fiction, ou au centre d'entraînement de la Nasa, mais il songea plutôt à un sépulcre. Un tombeau ultramoderne, immaculé, dans lequel il entrait pour n'en sortir jamais. Il ressentit une impression d'étouffement, une montée de claustrophobie. De l'autre côté d'une vitre, deux médecins commentaient pour lui, au micro, ce qu'ils étaient en train de chercher.

Après une heure d'attente, le docteur Moresby vint lui donner les résultats de l'examen : son cerveau ne présentait aucune lésion.

Tim ne le crut pas. Toute la journée, des infirmières et deux médecins se succédèrent dans la chambre, pour changer ses pansements, observer l'évolution de ses blessures, constater qu'il récupérait. Tim cherchait dans leurs regards, leurs paroles, des preuves d'un diagnostic fatal. Connaissaient-ils la gravité de sa situation ? L'un d'entre eux allait-il lui dire, enfin, la vérité ? Vers l'heure du coucher du soleil, on frappa à la porte.

# 05.
## LE FLIC

L'homme qui entra portait un jean et un blouson de cuir, sans blouse blanche. Il tira une chaise, s'assit sans demander s'il pouvait s'installer, sortit un carnet dont la moitié des pages étaient déjà griffonnées. Tim ne fut donc guère surpris quand il se présenta : l'inspecteur Dennis Warren, bureau d'investigation de Missoula, DEA[1]. Un flic.

— Les médecins m'ont dit que tu pouvais me parler, mais qu'a priori tu souffrais d'une amnésie sur tout ce qui s'est passé durant cette nuit-là... Tu confirmes ?

Tim hocha la tête.

— J'ai lu ce que tu as déclaré aux sauveteurs dans l'hélico qui te ramenait, Tim... Un récit très étrange, le seul que tu as bien voulu répéter ici... Évidemment, ce que tu as vécu a considérablement transformé tes souvenirs... Et le choc, aussi... Mais malgré tout, je pense que tu peux m'aider à comprendre ce qui s'est passé voici cinq

---

1. *Drug Enforcement Administration*. L'agence fédérale de lutte contre le trafic de drogue, aux États-Unis.

jours. Tu veux bien que nous essayions de tirer certaines choses au clair ?

Tim dévisagea le policier. Quelque chose dans le ton de sa voix lui déplaisait. Sans attendre son assentiment, l'inspecteur Dennis Warren continuait, ouvrant son carnet à une nouvelle page qu'il avait dû préparer.

— En fait, j'ai de gros problèmes pour comprendre la façon dont les choses se sont passées pour toi dans cet accident... Tu dis que tu étais dans la voiture au moment de l'accident. Et que c'est l'ours qui t'en a sorti, ou quelque chose comme ça...

— Non, je dis que... je dis que...

Les phrases refusèrent de sortir. Tim ne pouvait plus prononcer ces mots, expliquer à ce flic qu'il se revoyait sortir tout seul, mais *comme un ours*. Finalement, il ne dit rien.

Dennis Warren se pencha sur son carnet.

— Bien... Mr Lowry, l'homme qui a essayé de sortir de la voiture le corps de tes parents, n'a vu personne, juste l'animal. Personne. Et il a vu le grizzly se dresser deux fois sur ses pattes de derrière, à quelques mètres de lui. Il est donc impossible que l'ours t'ait sorti de la voiture et t'ait tenu entre ses pattes à ce moment... Tu es d'accord ?

Tim approuva.

— Au moment où la voiture a commencé à brûler, après l'épisode de l'ours, Mr Lowry est redescendu dans le fossé, pour essayer d'intervenir. C'est là qu'il a vu que la portière arrière droite était ouverte. Ta portière, Tim... Il ignore si c'était le cas quand il est descendu la première fois, mais nous pouvons le supposer.

Le garçon hocha la tête, une nouvelle fois, plus lentement. Aux aguets. C'était logique, indiscutable. Pourquoi ressentait-il alors cette étrange appréhension? Warren tournait les pages de son carnet.

— Nous savons aussi que l'ours t'a emporté avec lui, puisque tu nous as parlé de lui, et du daim, qu'on a effectivement retrouvé...

Le flic referma le carnet et le dévisagea.

— Ce qui ne peut signifier qu'une chose: tu te trouvais déjà dans les fourrés, du côté gauche de la route, au moment où la voiture de Mr Lowry s'est arrêtée. Sinon, il t'aurait aperçu à un moment ou à un autre.

Tim approuva encore. Effectivement, c'était l'explication. Il avait traversé la route, il se trouvait côté gauche avant l'arrivée de la voiture, et c'est là que l'ours l'avait saisi, puis emporté...

— ... Donc, tu te trouvais déjà dans la forêt, l'ours t'a rejoint là-bas. Tu te trouvais même tout près, puisque ton récit de la rencontre sur la route entre l'ours et les Lowry a été confirmé par leur témoignage. Cela aussi a *vraiment* eu lieu.

Le flic le scrutait comme s'il cherchait à deviner quelque chose sur le visage de Tim.

— Tu es là, tout près, dans les fourrés, à deux pas de la route. Et tu te caches. Tu restes caché, alors qu'une voiture s'arrête et que ses passagers tentent de porter secours à tes parents... Tu ne te souviens pas pourquoi ?

Tim secoua la tête, toujours sans dire un mot.

— C'est vraiment étrange, parce qu'en général, même choqués, les blessés se manifestent auprès des secours.

La voix du flic s'était chargée d'insinuations.

— Ensuite, tu as donc été emporté par l'ours... Tu as sacrément de la chance qu'il t'ait préféré le daim... Et si on ajoute que tu es le seul survivant d'un accident où trois personnes sont mortes, et que tu t'en tires avec juste des égratignures, on peut même dire que tu as eu une sacrée foutue chance de veinard.

— J'ai la chance de quelqu'un qui se retrouve orphelin, blessé, et dont... dont le cerveau...

L'inspecteur le coupa, cinglant.

— Ton cerveau n'a rien. Absolument aucune lésion, aucune blessure. Rien qui pourrait expliquer une amnésie ou le récit que tu as tenté de faire avaler aux sauveteurs.

Cette fois, Tim fut obligé de croire l'information médicale. Il aurait dû se sentir reconnaissant.

Mais, manifestement, ce n'était pas une bonne nouvelle.

— Tu es indemne… Mais avec une chance pareille, j'espère que tu vas aussi retrouver la mémoire, Tim. La mémoire et l'envie de me parler. Parce que ça m'arrangerait bigrement, mon garçon.

Le flic se leva, regarda sa montre. Les médecins avaient dû lui laisser un temps limité.

— À bientôt, mon garçon… À très bientôt, sois-en certain.

Timothy Blackhills se retrouva seul, de nouveau, mais dans sa chambre planait comme un fantôme – une sourde hostilité qu'avait laissée derrière lui Dennis Warren en partant. Une menace. Son esprit encore engourdi nota enfin ce curieux détail : Dennis Warren, inspecteur fédéral de la DEA. Qu'est-ce que la drogue avait à voir avec un accident de la route ?

—

Le flic revint deux fois au cours des cinq jours suivants. Au début, ce furent les mêmes questions : comment Tim s'était-il trouvé de l'autre côté de la route, après l'accident ? Pourquoi s'était-il caché quand les Lowry avaient ralenti ? Avait-il quelque chose à dissimuler ? *Pourquoi avait-il agi exactement comme s'il souhaitait que la voiture flambe ?*

Mais, très vite, d'autres questions arrivèrent, sur un tout autre sujet : l'herbe. Les amphétamines. Tous ces produits qu'ils avaient « utilisés » plusieurs fois ces dernières années, avec Ben, la première pour les « visions de chaman », les secondes pour tenir le coup dans leurs raids en pleine nature. Usage stupéfiant, usage dopant. On avait retrouvé dans ses analyses sanguines, pendant les premiers soins, des traces d'amphétamines, et de marijuana aussi.

— Où te fournis-tu exactement, Tim ? C'est ton frère qui t'a rapporté un nouveau produit, une amphétamine toute nouvelle ? Explique-moi ça...

Tim ne répondit pas un mot. Il allait avoir besoin d'un avocat : l'herbe qu'il avait fumée pour déstresser avant le retour de Ben ; le speed qu'il avait gobé pour tenir le coup pendant ses insomnies. Une seule prise, quarante-huit heures avant l'accident, à cause de l'angoisse. Comment expliquer ça à un inspecteur des stups ?

— Tu peux te taire aussi longtemps que tu veux, Tim... Je reviendrai. Les médecins ne limiteront plus très longtemps la durée de mes visites. Et sois sûr d'une chose : je ne perds pas mon temps ici simplement pour faire tomber un petit fumeur d'herbe... Oh non, il s'agit de tout autre chose.

—

Au début de la troisième visite, Warren prit les choses différemment. Il semblait avoir oublié la came, il lui parla de sa famille. S'entendait-il bien avec ses parents, son frère? Était-il heureux de voir son frère aîné revenir?

— Explique-moi, Tim... Quelles étaient exactement tes relations avec ton frère Benjamin?

Le jeune homme avait eu le temps de réfléchir à cela, il résuma:

— Ben était tout pour moi. Mon passé, mon présent, mon futur... Depuis ma plus tendre enfance, tous mes souvenirs sont avec lui. Et nous envisagions de travailler ensemble, à l'avenir. Comme archéologues aux Études indiennes...

Une pause, sa voix baissa et trembla plus qu'il ne l'aurait souhaité.

— ... En fait, je n'avais jamais imaginé ma vie *sans* Ben.

— Même si lui était un étudiant brillant, et toi un élève médiocre? Tu n'as pas pensé que jamais tu ne pourrais réussir aussi bien que ton frère? Que tu n'aurais pas ta place, toi, dans un stage du professeur Rodger? Ça ne t'a pas effleuré, ces dernières semaines, l'idée que ton frère allait mener sa carrière sans toi?

— Non!

Il avait crié. La porte s'ouvrit, une infirmière entra. Warren eut un geste dédaigneux.

« Laissez-nous, tout va bien… » Quand ce fut fait, il dit d'une voix sourde :

— Et quand tu l'as compris, tu t'es senti jaloux, Tim ? Jaloux et trahi ? Cela t'a mis en colère, n'est-ce pas ?

— Il ne m'aurait pas lâché… J'étais tout, pour Ben aussi… Il en savait beaucoup plus que moi, mais sans moi il n'aurait jamais osé faire tout ce que nous avons fait… L'ascension du Mount Elbert, la traversée de Cascade Range, c'était moi.

— À dix-sept ans ? C'était toi le chef de cordée, vraiment ?

Tim hocha la tête, décidant de ne plus rien expliquer. Il sentait que chaque mot du flic distillait un acide, ce doute qui rongeait et allait entamer tout ce qui lui restait : les souvenirs heureux.

— … Ton frère te l'a dit, ou c'est toi qui le pensais ?

Ben avait dit une fois : « Tu es ma foi et mon courage, Tim, ma folie aussi… Tu as tout ce qui me manque pour que nous devenions des grands hommes. » Les frères Blackhills, aventuriers et scientifiques. Ce genre de confidences ne regardaient pas Dennis Warren.

Juste avant de partir, l'inspecteur lui demanda une chose ignoble :

— Dis-moi, Tim… T'est-il déjà arrivé, sous le

coup de la colère, de souhaiter que ton frère ou tes parents meurent?

Warren claqua la porte sans lui laisser le temps de répondre. Le garçon ressentit une violente envie de vomir.

—

— Vous pensez que c'est moi qui les ai tués?

Tim posa la question, d'emblée, à la quatrième visite de l'inspecteur. On était le 14 juillet.

— Vous pensez que c'est moi qui ai provoqué l'accident, et que je m'en suis sorti vivant à cause de ça? Que j'ai voulu laisser la voiture brûler pour faire disparaître quelque chose?

— Je n'ai pas dit cela, mon garçon.

— Non. Mais vous le pensez. Et vous l'avez sous-entendu plusieurs fois.

Sa voix avait déraillé, de colère, d'émotion.

— Et alors, tu en penses quoi, Tim? Tu y as réfléchi?

Dennis Warren le regardait, calmement. Il attendait que le fruit soit mûr. Était-ce maintenant?

— ... Tu n'en penses rien? Tu ne te souviens pas?

L'inspecteur eut un sourire qu'il essaya sans doute de rendre indulgent – qui fut narquois.

— ... Tu ne serais pas le premier à avoir fait une grosse bêtise, mon garçon, sous l'emprise de produits. Il suffit parfois d'une crise de délire brutale, et on commet des choses qu'on regrettera toute sa vie. Ou que le cerveau vous fera oublier...

Warren sortit de sa poche un sachet plastique, qui contenait deux petites pilules, étonnamment semblables à des comprimés de speed, n'était-ce leur couleur, orange vif.

— As-tu déjà vu ces comprimés, Tim ? Est-ce cela que tu as pris dans les heures qui ont précédé l'accident ?

Tim se taisait. L'inspecteur fédéral continuait de le regarder, aux aguets maintenant, tout en parlant comme on pose des pièges :

— Je te présente la *Tiger Eye*. Une toute nouvelle amphète de synthèse, qui agit sur les neurotransmetteurs du consommateur, pour libérer des décharges massives de dopamine et d'adrénaline... Un psychostimulant surpuissant, et expérimental, qui circule depuis deux mois dans deux ou trois villes des États-Unis, dont Seattle. Elle vient d'Europe. Effet de speed garanti, une ecstasy puissance dix.

La voix baissa, ménageant des effets de mauvais comédien :

— Effets indésirables : suragressivité, délires schizophréniques, black-out, meurtres...

Le flic sortait d'une pochette plastique des photos et des articles.

— Il y a déjà eu au moins trois accidents, Tim… En deux mois. Trois jeunes hommes qui, sous l'effet de ce speed conjugué à la colère, ont décompensé, et ont massacré leur famille ou leur fiancée.

Une pause, théâtrale. Le clou de la révélation allait venir.

— Les trois types ont raconté la même chose : pendant quelques minutes, ils se sont pris pour des prédateurs. Des grands fauves. Ils n'ont utilisé aucune arme, ils ont tué à mains nues, en utilisant leurs dents et leurs ongles. Une vraie boucherie. Tu veux voir les photos ?

Tim avala sa salive, secoua la tête. Warren le regardait avec une intensité impressionnante – *comme un chasseur fixe sa proie.*

— Ne te fie pas à la couleur du comprimé, Tim… La *Tiger Eye* existe peut-être en version customisée, blanche ou bleue… Nous l'ignorons, et l'herbe peut masquer ce produit dans le sang. Et je suis certain que tu en as consommé, peut-être à ton insu. Je veux le nom et l'adresse de ton fournisseur. Maintenant.

Tim continuait de regarder ailleurs, sans dire un mot. Paralysé par la stupeur, ce qu'il venait d'apprendre, et toutes les questions que cela posait. Warren le dévisageait toujours, comme s'il devinait ses pensées... Cela dura deux, trois minutes. Puis :

— Comme tu voudras.

Le fédéral se leva, l'air las, en regardant sa montre. Tim ne voulait pas le laisser partir comme ça. Il dit la seule chose qui lui venait à l'esprit, la seule qui contredisait la version du flic :

— Vous oubliez l'ours...

L'inspecteur s'arrêta, la main sur la poignée de la porte.

— L'ours ?

— Le grizzly... Il existe, je ne l'ai pas rêvé. Les Lowry en ont parlé, dans leur témoignage, vous me l'avez dit.

— Oui, Tim. L'ours existe. Mais je ne suis pas sûr qu'il soit responsable de l'accident, et de la mort de ta famille.

De nouveau, la voix se durcit.

— Je finirai par obtenir une exhumation des corps, et leur autopsie, mon garçon... Le procureur se fait tirer l'oreille mais, puisqu'il s'agit d'une enquête fédérale, il n'aura pas le choix.

La menace, maintenant, dans sa voix.

— Et je pense que je retrouverai les mêmes traces d'agression sur le corps de tes parents et de ton frère que dans les trois cas dont je viens de te parler. Des traces d'agression *humaine*. Sauf peut-être si les cadavres sont restés trop longtemps dans une voiture en feu. Dans ce cas, nous n'apprendrons pas grand-chose… Au revoir, Tim… À bientôt.

La porte s'ouvrit, se ferma. Le silence retomba dans la chambre. «Si les cadavres sont restés trop longtemps dans une voiture en feu»: c'était une accusation. Si seulement Tim avait pu les sortir avant l'incendie, si seulement… Une autre phrase du flic dansa dans sa mémoire: «On commet des choses qu'on regrettera toute sa vie, ou que le cerveau vous fera oublier…»

# 06.
## FOU ?

Il tournait autour de la voiture accidentée, dans la nuit. Il était un ours.

*Ursus arctos horribilis.*

Il reconnaissait la Ford de son père, elle n'était plus qu'une pauvre épave fumante, le capot éclaté, la tôle tordue. L'habitacle, en revanche, avait été préservé, un miracle. Les fenêtres, le pare-brise, intacts. On voyait à l'intérieur, comme dans un aquarium – on distinguait trois silhouettes sombres et immobiles, inanimées.

Tim accomplissait des cercles, le museau pointé vers les fenêtres closes, cherchant un moyen d'entrer. Il y avait des *proies* à l'intérieur. L'air se chargeait, lourd de vapeurs d'essence. L'incendie allait s'allumer. Cela ne l'empêchait pas de sentir l'odeur du sang – une odeur qui faisait affluer la bave dans sa gorge, sur ses babines.

Il devait tuer, manger.

Il effectua lourdement un nouveau tour de la voiture. Cette fois la portière arrière droite était ouverte. Sa portière. Il se dressa sur ses pattes arrière, glissa son énorme masse à l'intérieur, les pattes avant sur la banquette. Ses parents étaient déjà morts. Il ne les toucherait pas, les ours ne mangent pas de charognes. Il redressa la truffe : le jeune homme assis contre l'autre portière arrière respirait encore. Faiblement. Il vivait.

Il approcha sa grosse gueule mafflue du visage de Ben. Soudain, celui-ci ouvrit les yeux. Le regarda. Comprit.

Tim vit l'horreur dans les yeux de son frère. Ben gémit :

— Un ours… un ours dans la voiture… Au secours, Tim… Sors-moi de là…

La voix de Ben enfla, elle était devenue une supplication. Ben avait besoin de son frère, son seul salut…

— Au secours, Tim, il y a un ours, un *ursus*… *Ursus arctos horribilis*… UN GRIZZLY !

Mais Tim l'ours le considérait, sans même reculer une minute. D'un coup de langue, il lécha le sang sur le visage de son frère. Ce frère encore vivant. Cela avait le goût de la vie, de la viande.

Tuer, tuer et manger.

Il avança une patte, une seule, pleine de griffes ; ces griffes qu'il avait plongées déjà dans la chair et le sang du daim… Ces griffes qui pouvaient couper un homme en deux…

Il se réveilla en sursaut. Juste au moment où il allait frapper Ben, le tuer pour le manger.

—

Lors de la visite quotidienne du docteur Moresby, Tim posa brutalement la question qui le hantait depuis quinze heures :

— Docteur, est-il possible que je sois devenu fou dangereux, pendant quelques minutes, cette nuit-là ? Est-il possible que j'aie tué mes parents ou… mon frère ?

Le psychiatre releva la tête.

— Tu as eu de nouveaux souvenirs, Tim ? Des réminiscences qui te font penser que quelque chose comme cela aurait pu arriver ?

— Non !

Comme hier, Tim avait crié. De colère. De rage. D'impuissance.

— … Mais le flic qui vient me voir pense que cela a *dû* arriver ! Sous l'effet d'un nouveau speed… Est-ce que c'est vrai ? Est-ce que c'est *possible* ?

Moresby lui posa quelques questions à propos de l'herbe, des amphétamines qu'on avait retrouvées dans son sang : combien il en consommait, pour quel usage…

— Normalement, nous ne prenons du speed, Ben et moi, que lors des longues ascensions. Pour être vigilants pendant plus de dix heures, vous voyez… C'est un dopant habituel, chez les alpinistes. Et l'herbe, c'est pour des expériences chamaniques, c'est… compliqué. Mais là, j'étais nerveux, je ne parvenais plus à dormir et j'étais épuisé, alors j'ai... Quel con !

— Et tu dis que tu as pris un comprimé quarante-huit heures avant son retour ?

— Oui. Un comprimé d'amphète ordinaire, l'un des derniers que nous avions achetés avant son départ. Avec deux pétards.

— Je vois... Écoute, les études ont relevé quelques cas de délires schizophréniques consécutifs à l'usage des amphétamines. À cause de la dopamine. Mais cela survient dans les heures qui suivent la crise, pas deux jours après. Et rien ne nous indique pour l'instant que tu aies été la proie d'un délire schizophrénique ou meurtrier, Tim...

Tim écoutait comme si sa vie en dépendait. Il notait les nuances, les doutes. Le docteur Moresby n'excluait aucune hypothèse. En un sens, cela le rassura. Le psychiatre chercherait la vérité, *même si c'était la pire de toutes les vérités.*

— ... Alors, il est naturel que ce policier essaye de comprendre ce qui s'est passé, mais je ne tolérerai pas qu'il t'angoisse en ce moment avec ses hypothèses.

— Je ne vous demande pas de lui interdire la porte de ma chambre, docteur. Je vous demande de me dire si j'ai pu faire cela, et je lui demande, à lui, de me le prouver. Parce que si c'est le cas...

À ce moment, sans qu'il puisse s'en empêcher, les larmes lui montèrent aux yeux.

— … Si c'est le cas, je dois le savoir, docteur.

Ils refirent ensemble la liste de tous les souvenirs de Tim. Le psychiatre insista sur un point : le black-out dont souffrait Tim concernait les minutes ou les heures qui avaient suivi l'accident.

— Tu te souviens du cri et du bruit de la voiture qui tombe dans le fossé. Tu es dans ton sommeil, mais cela te réveille. Tu as donc encore des souvenirs du moment précis de l'accident. Ce qui signifie que si tu avais été la proie d'un délire, il se serait produit après la mort de tes parents.

— Sauf si mes parents et Ben ne sont pas morts dans l'accident. S'ils ont agonisé pendant un certain temps, dans la voiture. Peut-être même sont-ils morts parce que la voiture a brûlé ? Peut-être étaient-ils encore vivants au moment où elle a pris feu ?

— C'est possible, effectivement… Mais tu sais déjà une chose, Tim : tu n'es pas responsable de l'accident. Tu dormais au moment où il s'est produit.

Le docteur Moresby se leva, le regarda.

— Pour l'instant, je vais interdire les interrogatoires de cet enquêteur fédéral, Tim. Jusqu'à ce que le professeur McIntyre t'observe, qu'il établisse un diagnostic, et que nous sachions s'il peut faire quelque chose pour toi.

— Le professeur McIntyre ?

Le médecin lui expliqua : le professeur McIntyre était un psychiatre, lui aussi. Un spécialiste mondial des black-out comme celui dont Tim souffrait.

— Vous voulez dire que d'autres malades se sont déjà pris pour des ours, docteur ?

Il avait posé la question entre ironie et espoir, avec provocation.

— Je ne peux pas t'en dire plus, pour l'instant. Le professeur McIntyre m'a demandé de t'informer le moins possible, jusqu'à ce qu'il puisse parler avec toi de vive voix.

Tim sentit la colère le submerger. On le gardait dans l'ignorance. Délibérément.

— Et je le verrai quand, votre grand spécialiste ?

— Il dirige un institut de soins, en Europe. Je l'ai informé de ton cas avant-hier, mais il ne peut pas être ici avant deux jours.

Un spécialiste mondial allait faire plusieurs milliers de kilomètres pour l'examiner. Tim y voyait la preuve qu'il souffrait de quelque chose d'exceptionnel et de gravissime. Le genre de mal qui peut vous faire tuer toute votre famille ? La DEA le pensait. Et la faculté de médecine ?

# 07.
## LE PROFESSEUR

— Qu'est-ce que vous en dites ? Je suis dingue ?

L'étrange psychiatre esquissa un sourire, toucha ses lunettes. Il devait s'attendre à cette question.

Tim avait tout raconté, une nouvelle fois – le récit du black-out, le délire du grizzly. Le professeur McIntyre n'avait posé aucune question, n'avait demandé aucune précision, écoutant sans broncher ni prendre une note – avec un air formidablement intéressé. Mais il continuait de se taire.

— … Ou alors vous croyez que je veux vous cacher quelque chose ? C'est aussi l'avis du flic qui attend derrière la porte, depuis dix jours, et qui rêve de démontrer que j'ai tué toute ma famille.

— L'inspecteur Warren ? Oh, non, je ne partage pas ses soupçons à votre égard… Votre speed était beaucoup trop ancien, et ce que vous racontez ne ressemble nullement à une décompensation schizophrénique.

Tim sursauta doublement à cette réponse : le professeur lui avait répondu en français, la langue de sa mère, celle qu'ils parlaient à la maison ; et Tim comprit que le professeur McIntyre était au courant de tout… Son dossier, sa famille ; les amphétamines, les soupçons du flic, sa propre consommation; tout. Mais, manifestement, une enquête de police et des soupçons de meurtre valaient à peine qu'on s'y arrête.

— Alors si vous ne me soupçonnez pas, expliquez-moi… Je souffre d'une maladie particulière? Quelque chose de grave?

Le psychiatre le regarda dans les yeux.

— Non, Timothy. Vous n'êtes pas malade, et je ne vous crois pas fou. Vos sens n'ont pas davantage été altérés par la drogue, du moins pas au moment où cela s'est produit… Je vous trouve, au contraire, extraordinairement lucide. Les souvenirs que vous avez de la nuit de l'accident doivent certes vous dérouter, mais, à mes yeux, le fait que vous les ayez conservés en mémoire avec une telle exactitude est le plus stupéfiant.

Une pause. L'homme secoua la tête, commentant pour lui-même:

— … Tout à fait remarquable, surtout s'il s'agit d'une première…

Une pause. De nouveau, le psychiatre aux cheveux gris et aux yeux d'acier, perçants comme des armes, se concentrait sur lui.

— Avez-vous déjà connu un épisode de blackout, Timothy? Une période dont vous n'auriez conservé aucun souvenir, ou des souvenirs confus? Avez-vous déjà été un ours, Timothy?

Tim ouvrit la bouche, ne sachant quoi répondre… Qu'attendait l'étrange psychiatre ? Que voulait-il dire, quand il lui demandait s'il *avait été* un ours ? Il se concentra sur cette question, comme si sa vie en dépendait. Il voulait donner la réponse la plus exacte possible. S'accrocher aux moindres micro-amnésies, au moindre rêve, auparavant, où il aurait pu se voir en grizzly… Il voulait trouver quelque chose à dire, qui pourrait aiguiller le professeur McIntyre. C'était important.

Car cet homme pouvait trouver la solution, il le sentait.

Quand il était entré, Tim avait été surpris de voir pour la première fois un médecin sans blouse. Il portait des vêtements de tweed et de velours épais, plus confortables qu'urbains. Pas de carnet à souche, pas de dictaphone, pas de dossier. Aucun signe du savoir médical… Tim avait mis cela sur le compte du voyage depuis l'Europe. Puis le professeur McIntyre s'était assis et l'avait invité à raconter, encore. Tout au long du récit, le « miraculé » n'avait lu ni indulgence, ni amusement, ni pitié dans le regard de son thérapeute. Simplement un intérêt formidable. Chaque détail indiquait qu'il le considérait comme une personne digne de foi, et un égal. Le professeur McIntyre était le premier depuis dix jours qui ne le traitait pas comme un enfant ou un esprit malade – et pas davantage comme un suspect.

Et puis, il y avait ce visage, étroit, aigu, d'une intelligence tranchante mais amicale – qui semblait dire : « Je me mets à votre service, Timothy Blackhills. Je ne travaille pas contre vous, mais pour vous. » La voix, précise mais chaleureuse, disait la même chose. La personnalité de ce psychiatre inspirait l'envie de se confier, et il ne paraissait pas homme à en abuser.

Tim désirait que cet homme le croie et l'aide. Mais que lui dire ?

— Je vois…

Le professeur McIntyre venait de reprendre la parole, de la même voix très grave.

— La première chose que vous devez savoir, Timothy, c'est que vos souvenirs de la nuit de votre accident sont exacts. Exceptionnellement exacts. Et qu'il est très important pour nous que vous essayiez de les conserver aussi « intacts » que possible… Sans les transformer avec le temps, sans surtout les confondre avec les cauchemars que vous faites probablement depuis.

Tim tressaillit, mais le professeur McIntyre ne le regardait pas. Il avait pris ses lunettes, les essuyait avec un mouchoir. Était-ce par discrétion ?

— … Ces cauchemars n'ont pas d'intérêt pour nous. Il suffirait qu'on vous soupçonne de meurtre, par exemple, et vous allez rêver que vous avez tué vos parents. Ou votre frère.

Cette fois, le professeur McIntyre leva ses yeux d'un gris presque blanc vers lui, en souriant. Sans compassion. Tranquillement. Tim se sentit lu comme un livre. Il n'avait parlé à personne de son rêve… Il balbutia :

— J'ai rêvé que je tuais Ben, docteur… Que je le tuais, que je lui rompais le cou…

— Vous ne devez pas vous en vouloir pour la mort de votre frère, Timothy. Rien dans ce que vous m'avez raconté n'indique que vous ayez une responsabilité dans son décès ou dans celui de vos parents.

— Mais rien dans ce que je vous ai raconté ne peut être vrai, putain ! Demandez à l'inspecteur Warren…

Dans son geste vers la porte, Tim arracha le cathéter de la perfusion. Le psychiatre s'assit sur le bord du lit, entreprit de lui refixer l'appareillage sur le dos de la main, sans paraître s'alarmer de son explosion.

— Calmez-vous… Je vous l'ai dit, ce que vous avez vécu n'a rien à voir avec la consommation de *Tiger Eye*, si cette drogue existe. Et personne, pas même un inspecteur fédéral, ne vous fera de mal, tant que je serai ici.

Tim voulut le croire, plus que tout. Un allié ;

il en avait désespérément besoin. Il respira profondément.

— Je suis calme... Mais vous, vous...

— Je vous crois... Et je vous jure que je vais
tout faire pour répondre le plus honnêtement possible à vos questions.

— Je vous ai dit que je me suis réveillé après
l'accident, que je suis sorti de la voiture avec difficulté, comme si j'avais une stature d'ours. Que
j'ai suivi à l'odorat un daim blessé, que je me suis
jeté sur lui pour l'abattre et le dévorer. Que je me
suis vu dans une flaque et que j'étais... un ours.
Un putain d'ours!

Il sentit que des sanglots de colère montaient
dans sa voix et qu'il allait devoir s'interrompre.
Il ne voulait pas pleurer.

— ... Alors, si vous pouvez me démontrer que
ce que je dis est vraiment arrivé, vous êtes un...
un chaman, docteur.

Il avait dit cela par égard, pour ne pas dire un
fou. Le psychiatre répondit avec un sourire très
sérieux sur le visage:

— Certains Indiens de mes amis pensent que
je le suis, effectivement. Mais pour l'heure, vous
avez besoin d'une réponse scientifique, même difficile à croire.

L'homme ne perdait plus ce sourire mystérieux,
les yeux lumineux derrière les lunettes. Quand il

y songerait plus tard, Tim comprendrait qu'il y avait, sur son visage, l'expression de quelqu'un qui connaît une vérité profonde, insoupçonnée, et qui s'apprête à la livrer à un initié particulièrement méritant.

— Vous ne vous êtes pas pris pour un ours, Timothy. Je vous l'ai dit, je vous le répète : vos souvenirs sont exacts. Aussi incroyable que cela puisse paraître, vous avez été un ours pendant quelques heures.

Le garçon le regarda, bouche bée.

— Et je ne parle pas seulement de vos pensées, de vos souvenirs, ou même de votre âme, Timothy. Je suis en train de vous dire que vous vous êtes vraiment métamorphosé en ours, corps et esprit.

La voix du professeur avait baissé, presque inaudible.

— ... Des centaines de personnes se transforment chaque année en un animal, Timothy. Nous appelons cela une métamorphanthropie. Une métamorphose de notre humanité...

Désormais, Tim ne pouvait plus jurer que deux choses : si ce type se foutait de sa gueule, c'était un extraordinaire comédien ; et s'il parlait sérieusement, alors c'est qu'il était fou, lui aussi.

— Je ne vous demande pas de me croire, Timothy. J'espère même que ce que je vous dis vous paraît insensé. Mais je vous assure que c'est pourtant la vérité, une vérité sur laquelle je peux sans doute vous éclairer un peu… Moi et quelques autres.

Le professeur McIntyre se leva.

— Mais je pense que nous reparlerons de cela demain. Si vous le souhaitez.

# 08.

## L'INSTITUT DANS LA MONTAGNE

En ce début de nuit, comme lors des deux précédentes, il y eut de nouveaux cauchemars. Et chaque fois, Tim était un ours, chaque fois, il tuait son frère Ben. La peur de les voir revenir le tint ensuite éveillé, jusqu'aux premières lueurs de l'aube.

Les questions tournaient au-dessus de son lit. Le professeur McIntyre avait-il raison? Ses cauchemars ne disaient-ils rien de la vérité?

Il ne cessait de repenser au psychiatre francophone. Il avait été le seul à vraiment le comprendre, à deviner ce qui le hantait au cours de ses nuits. Mais pour toute explication, il lui avait livré la seule à laquelle il était impossible de se raccrocher: puisqu'il n'était pas fou, c'est que ses souvenirs étaient réels. Une explication qu'on donnerait, pour le rassurer, à un malade mental!

Tim ne voulait pas de mensonges. Il désirait la vérité, toute nue: qu'avait-il vraiment commis, la nuit du 2 juillet? Face à la figure rassurante de McIntyre, ses pensées retournaient vers les soupçons de l'inspecteur, vers le speed, et vers

Ben. Benjamin Blackhills, « R.I.P.[1] ». Maintenant que Benjamin Blackhills était parti pour toujours, Tim mesurait l'abîme devant lequel il se trouvait : puisqu'il conjuguait son passé, son présent et son futur avec son frère, il n'avait plus ni projet, ni avenir, ni espoir.

—

Au matin du 18 juillet, le docteur Moresby le découvrit épuisé.

— Tim, il va falloir que nous songions maintenant à la suite...

Officiellement, Tim était en état de sortir de l'hôpital. Ses blessures étaient cicatrisées, son nez avait été redressé, ses bilans étaient excellents : il n'y avait aucune raison de le garder plus longtemps enfermé dans cette chambre. Aucune, sauf son amnésie.

— Normalement, nous n'avons que deux possibilités : ou bien tu retournes chez un membre de ta famille et tu te présentes régulièrement à l'hôpital psychiatrique, pour qu'on y assure un suivi de l'évolution de ta mémoire.

— Oubliez cette solution. Je n'ai que deux grands-mères, et...

---

1. *Requiescat in pace*, ou *Rest in peace* : « Qu'il repose en paix ».

— Et elles ne sont pas venues te voir.

— Trop âgées… Elles vivent toutes les deux dans des maisons de retraite ; la mère de ma mère est en France, celle de mon père à Québec. On ne les aurait pas laissées sortir, et elles ne peuvent pas m'accueillir.

— Je vois. La deuxième solution, c'est malheureusement un placement par l'administration. Jusqu'à tes dix-huit ans. Dans une famille d'accueil ou, plus probablement dans ton cas, dans un hôpital spécialisé, jusqu'à ce qu'on ait identifié le mal dont tu souffres. Et qu'on ait également traité ce que l'administration appelle « ton problème de drogue »…

— Le *mal* ? Vous voulez dire, la folie ?

Le docteur Moresby regarda Tim fixement, un reproche dans les yeux.

— Je t'ai déjà dit que ce mot ne signifie rien pour nous… Mais tu ne me dis pas tout. Les infirmières m'ont rapporté que tu avais un sommeil très agité, la nuit. Est-ce que tu te souviens de tes cauchemars ? De quoi rêves-tu ?

Tim se mura. Le mot « folie » ne signifiait rien pour Moresby. Mais pour lui, si. Quelque chose de tout à fait précis, qu'il ne voulait côtoyer à aucun prix, enfermé dans un hôpital psychiatrique. Plutôt s'enfuir… Pour la première fois, l'idée d'une évasion surgit. Et s'il s'inventait un faux oncle qui pourrait l'accueillir ?

— Je t'ai dit que c'était l'alternative normale, Tim… Mais j'ai une bonne nouvelle. J'ai parlé hier soir avec le professeur McIntyre. Il accepte, malgré ton jeune âge, de te prendre comme pensionnaire dans son programme, à l'Institut de Lycanthropie.

Tim sursauta.

— La lycanthropie? Les loups-garous?

Aussi inattendu – incongru, même – cela semblât-il, le docteur Moresby éclata de rire.

— Personne ne pense que tu es un loup-garou, Tim… Ce que nous appelons lycanthropie, chez les psychiatres, est une forme de maladie de l'esprit ou de l'âme, comme tu voudras… Certaines personnes, après des black-out, pensent qu'elles ont été un animal pendant leur absence. Elles sont convaincues qu'elles deviennent des animaux. C'est une maladie assez rare, mais pas rarissime : des centaines de personnes en sont atteintes, chaque année. Et le professeur McIntyre pense que c'est l'affection mentale dont tu souffres, Tim.

Donc, il était malade, et sa maladie avait un nom. C'était une pathologie dont souffraient « des centaines de personnes ». L'étrange psychiatre l'avait dit à sa façon : « Des centaines de personnes se transforment en animaux, chaque année… »

— Ça a à voir avec cette drogue? La *Tiger Eye*?

— Pas du tout… C'est une pathologie vieille comme la psychiatrie, Tim.

— Et le professeur McIntyre… Vous dites qu'il est capable de soigner cette maladie rare ?

— De soigner, cela dépend. Mais son institut est le principal lieu de recherche sur la lycanthropie, et il a mis en place un programme de suivi et d'accompagnement pour une cinquantaine de patients… C'est pour cela que je l'avais contacté.

Le docteur Moresby sourit, l'air convaincu.

— C'est une chance exceptionnelle pour toi qu'il accepte de t'accorder une place… Mais il faut que tu te décides maintenant. Son offre ne tient que vingt-quatre heures, il doit repartir et t'emmène avec lui.

Toutes les hypothèses jouèrent dans la tête de Tim, comme un engrenage : ou bien il s'inventait une famille, pour essayer de s'enfuir – mais il resterait toujours avec ses cauchemars –, ou bien on l'enfermait dans un hôpital spécialisé, en attendant les conclusions de l'enquête – l'autopsie, la vérité… Sauf que Warren partait sur une fausse piste, avec ce speed acheté il y avait six mois, et qui aurait agi avec quarante-huit heures de retard ; Tim en était certain, presque certain.

Ou bien, dernière option : il rejoignait le « programme » du professeur McIntyre, « chaman » d'un hôpital psychiatrique pour lycanthropes, au risque d'une probable impasse…

— Je ne sais pas... Je ne sais pas ce que je dois faire.

— Veux-tu que je demande au professeur McIntyre de repasser ce matin ? Il reste en ville jusqu'à demain, en attendant ta réponse.

Tim posa la question sans trop y penser, parce qu'elle lui passait par la tête.

— Vous m'avez dit qu'il habitait à des milliers de kilomètres... C'est où, exactement ?

— L'Institut de Lycanthropie se trouve en Europe, dans les Alpes françaises ou italiennes. Quelque part dans le massif du Mont-Blanc, je crois...

Le massif du Mont-Blanc, c'était le voyage qu'ils auraient dû faire, un an et demi plus tard, avec Ben. Pour les dix-huit ans de Tim. Une étape dans leur rêve. Ils avaient déjà étudié, tous les deux, les courses qu'ils feraient là-bas... Plusieurs sommets de plus de 3 000 mètres, et le plus haut, 4 807 mètres.

— Le mont Blanc, ce sont les Alpes françaises... Rappelez le professeur McIntyre et dites-lui que je veux lui parler, s'il vous plaît.

———

Le psychiatre aux yeux d'acier attendait qu'il prenne la parole. Patiemment. Finalement, au bout d'une minute de silence, ce fut lui qui parla. En français, comme la veille.

— Je pense que l'Institut n'est pas vraiment un premier choix pour vous, Timothy... Vous préféreriez sans doute reprendre une vie aussi normale que possible, et j'imagine que vous avez même songé à vous enfuir...

Une fois de plus, le professeur McIntyre semblait comprendre ce qui se passait dans son crâne. De nouveau, Tim fut pris d'une bouffée de reconnaissance pour cet homme. Il répondit sans le démentir, mais en donnant le seul argument objectif qui plaidait pour l'Institut.

— Nous devions partir dans le massif du Mont-Blanc, pour mes dix-huit ans, avec Ben... Ma mère était française.

— Je comprends.

McIntyre sortit de nouveau un mouchoir, pour essuyer ses lunettes. C'était un tic, manifestement.

— Écoutez, Timothy, je vais vous dire toute la vérité : nous accueillons très peu de mineurs à l'Institut, exclusivement des orphelins comme vous... Et tous les membres du programme sont pleinement, totalement volontaires. C'est la raison pour laquelle, en général, nous leur laissons un délai pour y réfléchir, en leur fournissant toutes les informations qu'ils demandent, dans la limite du secret...

Le mot fit sursauter Tim. Quel secret ?

— ... Mais dans votre cas, nous n'avons pas le luxe du temps. Vu la situation, l'enquête et vos précédents avec la drogue, vous allez être placé en hôpital, sous la surveillance de psychiatres peut-être moins ouverts que le docteur Moresby. Il peut s'avérer extrêmement difficile que vous nous rejoigniez, une fois interné en cure de désintoxication. Et quant à moi, je dois partir demain, pour une question d'extrême importance.

Il secoua la tête.

— Je devrais laisser tomber, si je restais fidèle aux règles que nous nous sommes fixées. Mais je vais faire une exception, parce que vous êtes seul, et parce que votre métamorphose a été, elle-même, exceptionnelle, Timothy.

McIntyre remit ses lunettes. Il n'y avait plus de sourire sur son visage, comme la veille. La gravité de ses traits contrastait avec sa voix, toujours chaleureuse.

— Je vais donc vous demander de me croire sur parole. Consentez à passer un mois avec nous, à l'Institut – un délai raisonnable, aux yeux des médecins d'ici, et de l'inspecteur fédéral Warren, je l'espère... À l'issue de ces trente jours, vous aurez le choix : vous resterez à l'Institut ou vous repartirez chez vous.

Une pause, le temps que ces paroles fassent leur chemin, puis :

— ... Je ne peux pas vous offrir la liberté ni la

possibilité de fuir. Si j'accepte de vous hospitaliser, je devrai signer des documents qui m'engageront, y compris vis-à-vis de la police de cet État et de la police fédérale. Aucune enquête criminelle n'est ouverte pour l'heure, mais ces messieurs veulent vous garder sous contrôle, jusqu'aux résultats de l'autopsie, je suppose… Si vous voulez vous évader pendant le mois dont je vous parle, il nous faudra donc vous en empêcher. Éventuellement par la force.

Il avait dit cela d'un ton amusé: il lui paraissait inenvisageable que Tim le considère comme un gardien de prison. Cela ne collait pas avec le personnage. Mais la menace d'une contrainte, elle, était bien réelle.

— Je m'engage également auprès des autorités fédérales de ce pays à vous faire subir dans cet intervalle une cure de désintoxication, puisqu'elles semblent l'estimer nécessaire. Je vous demanderai donc de ne rien emporter avec vous qui ressemble à des psychotropes ou des substances illégales… Et de ne pas vous en procurer sur place.

Le ton gardait cette même distance ironique avec les exigences de la police et des autorités. Puis la voix changea, redevint… paternelle.

— … En revanche, je peux vous assurer ceci: un mois après votre entrée à l'Institut, vous serez libre de le quitter. À n'importe quel moment, et quand vous l'estimerez bon. Et nous nous arrangerons pour que vous puissiez être légalement reconnu autonome, y compris avant votre majorité.

— Vous pouvez me garantir que vous allez me guérir en un mois ?

— Nous n'avons nulle prétention de vous le garantir, Tim. Pour une raison très simple : vous n'avez aucun besoin d'être guéri. Vous n'êtes pas malade.

# 09.
## ADIEUX

Tim avait pris sa décision sans attendre, en face du professeur. Il détestait l'idée d'être placé au pied du mur, et de devoir se fier à un inconnu – eût-il l'étrange charisme de McIntyre. Mais dans l'impasse où il se trouvait, l'Institut était la solution qui lui offrait le plus de liberté provisoire. Et puis, là-bas, dans le massif du Mont-Blanc, il toucherait une part du rêve qu'il avait fait avec Ben, et que la vie avait concassé comme une carcasse de Ford sur le bas-côté de la route.

Il n'eut pas le temps de méditer son choix, pendant les vingt-quatre heures qui suivirent. Il y eut une succession de choses à régler, de papiers à signer, de formulaires à remplir. Le professeur McIntyre et «l'homme qui l'avait accompagné» dans son voyage américain avaient déjà des billets pour l'Europe, le lendemain matin.

— Votre famille a été inhumée voici quinze jours, les médecins n'auraient jamais accepté que vous sortiez à cette date. Mais peut-être souhaitez-vous vous recueillir sur la tombe de vos parents et votre frère Benjamin ? Et peut-être voulez-vous aussi passer chez vous, récupérer des affaires dont vous auriez besoin? Dans le cas contraire, nous achèterons sur place le nécessaire…

Tim accepta la proposition du professeur, qui lui indiqua qu'il passerait le chercher vers 7 heures, le lendemain.

Ce soir-là, l'inspecteur fédéral Dennis Warren reparut, à 22 heures.

— Alors, tu files à l'anglaise pour l'Europe?

Tim le regarda sans dire un mot. Mais il ne put s'empêcher de sourire, son premier sourire depuis une éternité, qui lui parut presque douloureux.

— Je n'ai aucune confiance dans ces psychiatres, Tim… Ce sont les mêmes qui nous expliquent à longueur de procès que les dealers sont juste des malades, qui devraient être soignés.

Son ton signifiait que, pour Warren, les consommateurs occasionnels qui couvraient leurs dealers ne valaient pas mieux qu'eux.

— Mais sois sûr d'une chose: je vais continuer d'enquêter pour savoir ce qui s'est passé, cette nuit-là. Et quand je connaîtrai la vérité, je te retrouverai, où que tu sois, pour que tu me dises où tu t'es procuré ta came, et qui répand cette merde dans ma ville.

— Au revoir, inspecteur.

Pour la première fois, également, Tim supporta le regard mauvais du flic, les yeux dans les yeux.

—

Le lendemain, à la première heure, il quitta l'hôpital avec le professeur McIntyre. À la porte du bâtiment, un jeune homme, l'air costaud, carré et rouquin, les attendait devant une puissante voiture de location. Il portait un blouson de gore-tex, un jean et des chaussures de marche. Il devait avoir une trentaine d'années, guère plus, et ne ressemblait en rien à l'idée qu'on se fait d'un garde-malade. Plutôt un garde du corps.

Il tendit une poigne solide à Tim et se présenta avec un fort accent écossais :

— Bonjour, Tim… Je suis Matthew.

Le garde du corps-chauffeur les invita à monter, puis se mit au volant. Le professeur McIntyre s'était assis à l'arrière, avec Tim. Le rouquin n'eut besoin d'aucune indication, il avait déjà planché sur le trajet : les parents de Tim vivaient à moins de vingt-cinq kilomètres du centre-ville de Missoula. Tim réalisa seulement à cet instant qu'ils avaient presque achevé leur voyage, quand l'accident avait eu lieu. Presque… Il songea aux protestations de son frère lorsqu'ils lui avaient dit qu'ils venaient le chercher à Seattle : il pouvait prendre l'avion jusqu'à Missoula. Mais non, avait dit leur père, ce serait l'occasion d'aller voir l'océan…

Ils roulèrent en silence. Ils arrivèrent dans la petite municipalité de la banlieue de Missoula où Tim avait vécu pendant dix-sept ans. Matthew dirigea la voiture de location vers le cimetière.

Tim n'y était jamais allé. Il n'avait jamais eu à pleurer personne, jusque-là.

Matthew arrêta la voiture, lui désigna l'emplacement. Tim avança, seul.

Ses parents reposaient sous le même tertre encore terreux, à une cinquantaine de mètres de l'allée de bitume, sous un séquoia géant. Bientôt, le gazon reprendrait ses droits. Une plaque de marbre, verticale, indiquait : « John P. et Geneva Blackhills – unis dans la vie comme dans la mort », puis leurs dates de naissance respectives, et celle de leur mort : le 2 juillet de cette année.

À côté, un autre tertre, sur lequel une autre pierre portait ce simple nom : Benjamin Blackhills. Et toujours la même date de décès.

Tim sentit trembler ses lèvres.

Deux fleuves ininterrompus de larmes coulaient sur ses joues depuis que, dans la voiture, il avait pensé à son père, à sa mère, à leur joie de revoir leur fils – et l'océan. Il vacilla sur ses jambes, s'accroupit, caressa les pierres mortuaires. Mais il ne fallait pas s'effondrer. Il savait que s'il ouvrait cette digue, il allait être emporté par les eaux noires au plus profond du gouffre que le malheur avait ouvert. S'il cédait maintenant, s'il tombait à genoux, il ne pourrait jamais, jamais plus se relever.

—

Matthew avait repris le volant. Ils ne dirent pas un mot jusqu'à la maison de Tim.

Le jeune homme descendit de voiture devant le portail blanc, le même depuis toujours. Sur le trottoir, de nouveau, ses jambes semblèrent céder sous lui. En une seconde, il fut trempé de sueur. Il lui était impossible d'entrer dans cette maison. Faire comme si de rien n'était ? Monter l'escalier, passer devant la chambre de ses parents, celle de Ben, pour remplir un sac d'affaires ?

Il fit seulement coulisser la porte du garage – vide. Il tressaillit en pensant à la Ford de son père. Au fond du hangar, ils rangeaient avec Ben leur matériel de randonnée et d'escalade. Il emplit son sac à dos, aussi vite que possible, comme si tout le brûlait : les harnais, les mousquetons et les cordes, la frontale, le casque, les chaussures à crampons. Il prit ses chaussons de varappe, hésita un instant, puis fourra aussi dans son sac ceux de Ben. Il attrapa ses vêtements d'altitude, son matériel – le gore-tex et le pantalon d'escalade, les sous-vêtements techniques, les jumelles, l'altimètre, le piolet…

Il n'emporterait rien d'autre.

# 10.
## LE DOUTE

Ils prirent trois avions, pour atterrir d'abord à Seattle, puis à Newark, et finalement achever le périple à Paris. Le professeur McIntyre l'avait prévenu : ce dont ils avaient à parler nécessitait une certaine discrétion, ils attendraient le trajet en voiture – sept heures depuis Paris.

Pendant les premières heures du voyage, l'esprit de Tim demeura vide. Sans questions ni angoisses, encore sous le choc des derniers adieux à ses parents et à son frère, il ne songeait plus à son récit sur le grizzly, à ses cauchemars, à l'étrange maladie qu'un spécialiste était venu soigner depuis l'Europe de l'Ouest. Il était seul dans ce repli du monde, cette retraite inaccessible, qu'on appelle le deuil.

Le professeur McIntyre ne chercha pas à le ramener vers le royaume des vivants.

Dans le dernier avion, sitôt quittée la côte est des États-Unis pour la France, Matthew, le premier, parla de choses pratiques, des affaires qu'il faudrait lui acheter, de cette maison familiale qui demeurerait fermée aussi longtemps qu'il le souhaiterait. Pendant que le professeur lui rendait visite à l'hôpital, Matthew s'était assuré auprès d'un avocat que toutes les dispositions avaient été prises – la maison et tous les biens des parents de Tim lui appartenaient, désormais. L'avocat avait chargé un gardien d'entretenir la demeure en l'état, jusqu'à un éventuel ordre de vente. Tous les autres biens seraient gérés par la banque de ses parents, Tim disposerait d'une signature sur le compte bancaire dès que la succession serait réglée. Le reste serait pleinement à lui le jour de sa majorité, pourvu qu'il soit reconnu sain d'esprit par l'Institut.

— Et nous savons que ceci n'est pas un problème, dit en souriant le professeur McIntyre.

Timothy Blackhills perçut en lui-même une sorte de malaise. Sur le moment, il mit cela sur le compte de ce brutal rappel : on le considérait comme un malade mental, au moins comme un garçon dont l'état nécessitait de suivre le mystérieux programme de l'Institut de Lycanthropie. Désintoxication ? Psychiatrie ? Tout le monde était convaincu qu'il souffrait d'amnésie et de délire – tout le monde, sauf précisément le directeur de cet institut censé le soigner.

À moins que McIntyre ne lui mente, pour les besoins de la thérapie. Quel traitement allait-il subir ? Retrouverait-il la mémoire et saurait-il la vérité, enfin, sur cette nuit-là ? Sous les ailes de leur avion, l'océan noir s'illuminait à l'est, ils allaient vers un nouveau jour – dans son âme, quelque chose se voila d'une sourde appréhension.

—

La voiture roulait sur l'autoroute. Matthew ne disait plus un mot, concentré sur le volant du gros break qu'ils avaient récupéré à l'aéroport de Paris. Rien n'indiquait que le chauffeur s'intéressait à ce qui se disait sur la banquette arrière, pendant que ses yeux regardaient loin devant.

Ils avaient déjeuné, brièvement, dans une cafétéria de l'aéroport. Tim s'était attendu à ce qu'on fasse des courses pour lui, mais le rouquin avait expliqué qu'il serait plus aisé de tout commander par Internet, puis de se faire livrer à l'Institut. L'idée de rester relié au monde par le réseau du Web rassura provisoirement Timothy Blackhills ; mais son inquiétude montait au fur et à mesure qu'ils approchaient de l'hôpital.

Le professeur McIntyre dut le percevoir, car il entama la conversation précisément sur ce point : la liberté des pensionnaires. Il commença par lui expliquer la réaction de l'inspecteur Warren quand il avait compris que sa proie allait lui échapper : le flic avait demandé des garanties sur la cure de désintoxication – des preuves que Tim-le-parricide ne se retrouverait pas dans la nature pendant que l'enquête continuait, et jusqu'à ses conclusions.

— Il m'a même demandé si les fenêtres des chambres de l'Institut avaient des barreaux. Mes compliments, Timothy. Il vous prend réellement pour un criminel extrêmement dangereux...

Tim sourit, malgré l'amertume de la situation. Le docteur Moresby lui avait promis qu'on le protégerait de la police, mais rien ne le rassurait comme cette ironie.

— Cela dit, j'ai demandé à être tenu informé de la progression de l'enquête, Tim. Je vous communiquerai évidemment leurs conclusions, concernant votre rôle dans la mort de vos parents et de votre frère...

— Mon rôle ? Mais vous m'avez dit que...

— Je vous ai dit que rien dans ce que vous m'avez raconté n'indiquait que vous aviez été la proie d'un délire schizophrénique. Et que, à ce stade, il était très hasardeux de conclure que vous auriez tué vos parents. Mais rien ne l'infirme non plus complètement. On ne peut exclure que vous ayez eu un rôle indirect, par exemple...

— Qu'est-ce que vous voulez dire, professeur ?

— Ne vous en faites pas, je vais tout vous expliquer, Tim. Mais permettez-moi de le faire dans un certain ordre, et de commencer en quelques mots par la théorie générale sur ce qui vous est arrivé, voici dix-huit jours. Puis nous reviendrons à la mort de vos parents. J'en ai pour une demi-heure, mais j'ai besoin de toute votre attention…

Au bout de cette très, très longue demi-heure, Tim savait ceci : selon le professeur McIntyre, il était effectivement devenu un ours, pendant au moins une dizaine d'heures, durant la nuit du 2 juillet. Il n'était, paraît-il, ni le premier ni le seul à avoir vécu ce genre de métamorphose. Cela arrivait, un peu partout dans le monde. Cela arrivait en fait assez régulièrement : des hommes, des femmes, des enfants se métamorphosaient provisoirement en animaux. Pas seulement en ours. Le cas des loups-garous était le plus connu, mais si on tenait compte de certains textes très anciens comme d'observations beaucoup plus récentes, les métamorphoses concernaient plusieurs dizaines d'espèces.

— Ce sont des contes de fées, objecta Tim.

— J'en ai constaté quatre-vingt-trois moi-même, répondit sobrement le professeur McIntyre. Actuellement, les personnes qui vivent à l'Institut représentent une trentaine d'espèces. Et quant aux récits qu'on en fait depuis que l'homme écrit des histoires, des « contes de fées », comme vous dites, vous pourrez consulter les innombrables références de notre bibliothèque. Je crois que vous lisez aussi facilement le français que l'anglais… ?

Tim confirma ce que disait son dossier : né d'un père américain et d'une mère française qui s'étaient rencontrés à Québec, il était parfaitement bilingue.

— C'est ce que j'avais supposé, effectivement. C'est excellent, cela simplifiera grandement vos relations avec les autres membres, dont beaucoup viennent d'Europe occidentale. Et auriez-vous aussi des notions de grec ancien ?

Cette fois, il secoua la tête.

— Bien… Je vais profiter du trajet pour tenter de vous familiariser avec quelques notions du vocabulaire que nous utilisons. Jusqu'à récemment, la médecine appelait «lycanthropie clinique» la maladie mentale qui consiste à croire qu'on devient réellement un animal, pour de courtes périodes d'existence. Les psychiatres, mes collègues, préfèrent désormais désigner le mal dont ils pensent que vous souffrez comme une «zoopathie», qu'ils identifient à une psychose paraphrénique… C'est-à-dire un délire qui n'envahit pas l'ensemble de la vie, et rend possible une bonne adaptation au réel, hors des phases délirantes… Vous me suivez ?

Sous le jargon des termes médicaux, Tim devina un sens : ses rêves et son mur blanc correspondaient donc bien à la description d'une folie. Et cette folie ne connaissait que des bouffées ponctuelles. Il hocha la tête.

— Mais nous avons conservé, à l'Institut, l'ancienne dénomination de lycanthropie. Parce qu'elle parle à tout le monde et qu'elle est, disons... plus littéraire.

Un sourire.

— ... Vous aurez l'occasion d'en parler avec mon ami Paul Hugo, qui codirige l'Institut, et surtout sa bibliothèque. Mais je poursuis... Plus généralement, nous appelons le secret auquel vous allez être initié la *métamorphanthropie*, littéralement le fait que les humains se métamorphosent. Et les membres initiés de l'Institut, anciens ou actuels, se nomment entre eux les « anthropes ». Une sorte d'abus de langage, qui amuse énormément Paul Hugo...

Tim répéta pour lui-même ce mot étrange : « anthrope ». C'était donc sa nouvelle condition, selon l'homme aux yeux d'acier. Si on accordait foi à ce qu'il racontait, bien sûr...

— Puisque nous utilisons le grec ancien pour toute la terminologie de notre travail, nous dirons donc que la forme spécifique qui vous concerne est une arktanthropie. Nous savions qu'elle existait, à vrai dire, vu les références qu'y font certains textes. Mais vous êtes le premier cas clinique que nous avons l'occasion d'accompagner.

— L'arktanthropie ?

— La métamorphantropie de l'ours. L'ours se dit *arkt*, en grec, peut-être le saviez-vous ?

De nouveau, Tim secoua la tête. Nouveau sourire du professeur.

— *Ursus arctos horribilis*, avez-vous dit dans votre rêve. *Arctos* vient du grec… Mais rassurez-vous, Timothy, vous n'êtes pas le seul à ignorer cette langue morte. C'est pourquoi les pensionnaires ont considérablement simplifié certains de nos vocables, au fil des ans.

Son topo pouvait se résumer ainsi : les métamorphoses obéissaient toutes à la même règle – un jour, un être humain était mis en contact avec «son animal métamorphique», d'une façon ou d'une autre…

— … toujours par un contact sanguin. C'est ce que nous appelons «la morsure», même s'il ne s'agit pas toujours d'une morsure. Mais nos pensionnaires utilisent ce terme, qui fait référence à la lycanthropie. Je m'explique : pour devenir loup-garou, il faut un événement fondateur, la *morsure* d'un loup.

Tim n'en croyait pas ses oreilles. L'homme parlait-il sérieusement ? Supposait-il réellement qu'il était fou au point de gober tout cela ?

— … Cependant, comme vous le savez, cet événement fondateur ne suffit pas à provoquer la métamorphose. Il faut ensuite un autre événement, qui a un rôle de déclencheur de la métamorphose : c'est le cas de la pleine lune pour le loup-garou, qu'en grec on nomme *luxna*. Voici donc quel va être votre travail, dans le mois qui vient, Timothy : trouver quels ont été pour vous la morsure, et surtout l'élément déclencheur, votre *luxna*, ce qui vous permettra d'anticiper les prochaines métamorphoses.

— Parce que... selon vous, cela va se reproduire ?

— Oui, bien entendu... Lorsque le cycle des métamorphoses démarre, il ne s'arrête jamais. Mais ce cycle a pour chaque espèce ses règles et ses rythmes. Et nous ignorons pour l'heure ceux de l'arktanthrope.

Tim ne savait pas quelle attitude adopter : simuler l'intérêt ou dire tout de suite que, avec lui, cela ne marchait pas – qu'il n'était pas un fou à temps complet ? Il décida de pousser le psychiatre dans ses retranchements.

— Mais... vous savez en revanche pourquoi je suis un ours ? Je veux dire, un arktanthrope, comme vous dites, plutôt qu'un loup ?

— La question du pourquoi m'échappe, Timothy... Elle intéresse Paul Hugo, mais je ne sais s'il a raison d'espérer trouver un sens à tout cela. La seule question que je maîtrise et qui guide mon travail, c'est l'énigme du « comment ». Et sur ce point, voici ce que nous pensons : chaque être humain est porteur d'une métamorphose, et d'une seule. La plupart des êtres humains ne la vivent jamais, parce qu'ils ne vivent jamais l'événement fondateur, le contact avec leur animal métamorphique – la morsure. Et peut-être que beaucoup d'autres vivent ce contact, mais n'ont jamais l'occasion d'expérimenter l'événement déclencheur, la *luxna*.

— Vous voulez dire que tous les humains pourraient se transformer, s'ils étaient « mordus » et si leur *luxna* se produisait, mais que la plupart l'ignorent ?

— Oui, je le pense... Et j'ajoute qu'en outre, pour le savoir, il faudrait d'une part qu'ils aient déjà vécu une métamorphose, d'autre part qu'ils en aient gardé conscience, ce qui n'est généralement pas le cas. C'est pourtant à cette condition qu'on devient un anthrope, un initié – ou un psychopathe paraphrénique, pour ceux qui n'ont pas eu la chance d'obtenir des explications et qu'on garde enfermés.

Cette fois, Tim frissonna. Cela pourrait être son cas, à cette heure. Il se demanda si le professeur le lui rappelait à dessein.

— Vous dites qu'en général on ne garde pas conscience de sa métamorphose ?

— Effectivement, les métamorphoses, normalement, sont incontrôlables, et totales. L'esprit, l'instinct, l'intelligence sont ceux de l'animal... D'où l'impossibilité d'en parler ensuite, ou même de concevoir ce qui est arrivé, puisqu'on n'en conserve aucun souvenir. Dans un premier temps, après les premières métamorphanthropies, on a juste conscience d'un trou noir, ce que les psychiatres appellent un «black-out»...

Le médecin secoua la tête.

— Nous supposons que beaucoup d'hommes et de femmes traités en psychiatrie pour des black-out ont en réalité vécu une métamorphose. Parfois, un souvenir de la transformation demeure, une trace, qui petit à petit occupe l'esprit... Dans ce cas, en général vers quarante ans, le «patient» déprime, il devient délirant, il est diagnostiqué. On constate alors une zoopathie, et la médecine le soigne, c'est-à-dire qu'elle tente d'effacer son souvenir, pourtant réel...

Le professeur McIntyre avait dit ces derniers mots avec une sorte d'infinie lassitude – comme l'aurait fait un homme qui se serait heurté, depuis des années, à l'erreur et à l'incrédulité de ses confrères. Le psychiatre y croyait donc vraiment? Ne s'agissait-il pas seulement d'un discours servi aux dingues qu'on soignait dans son institut?

Jusqu'à présent, Tim était resté convaincu d'une chose: le choix de l'Institut était le plus rationnel, le moins mauvais pour lui, dans sa situation. À présent, il se demandait s'il ne s'était pas trompé. S'il ne fallait pas demander à rebrousser chemin, pour retrouver des psychiatres «normaux». Mais non, c'était impossible – il était engagé, il fallait jouer le jeu du croyant, pendant un mois, juste un mois, et laisser entendre qu'il guérissait. Il posa la question qui aurait dû lui brûler les lèvres, s'il avait avalé toute l'histoire.

— Mais moi, je me souviens, de presque tout. Pourquoi?

— Encore une fois, Timothy, j'ignore les «pourquoi»... Je constate que vous avez conservé des souvenirs très précis, et même ressenti des émotions humaines. C'est exceptionnel chez des sujets jeunes et non initiés. Cela fait de vous un cas très prometteur.

— Très prometteur, pour quoi?

— L'un des projets essentiels de l'Institut de Lycanthropie est de permettre aux pensionnaires de contrôler la métamorphose. De la sentir venir, de la maîtriser, de «garder la main». Vous n'imaginez pas comme il peut être dangereux pour un être humain de devenir brutalement et hors contrôle un animal, Tim. C'est dangereux pour lui, pour sa santé physique et psychique, et pour ceux qui l'entourent.

Tim songea de nouveau à ses parents, à son frère. Il écouta à peine les dernières phrases du professeur McIntyre.

— Sans travail ni habitude, vous avez réussi à garder un peu de contrôle... Et je pense pouvoir vous aider à devenir encore meilleur. Pour vous permettre de décider vous-même ce que vous ferez de votre arktanthropie...

Le professeur le regardait, attentif, peut-être aussi vaguement ironique – devinait-il qu'il avait affaire à un incrédule ? Tim donna le change, une fois de plus :

— Cela veut-il dire que pendant la période inconsciente de ma métamorphose, j'ai pu… ?

— Blesser mortellement ou tuer vos parents ? Oui, c'est une possibilité… De même qu'il est possible, je dirais même probable, que votre métamorphose ait surpris celui de vos parents qui conduisait, et que cela ait provoqué l'accident qui les a tués. Je ne peux vous en dire plus pour l'instant, dans la mesure où nous ne savons pas combien de temps a duré votre black-out. Mais nous essaierons de savoir cela, si vous le désirez.

— Comment pouvez-vous… ?

— Cela fait des années que je travaille sur la métamorphanthropie, Timothy. Nous utilisons des méthodes pour explorer ce qui se passe pendant les black-out… L'hypnose, notamment. Si vous le souhaitez, nous pourrons essayer de savoir ce que vous avez vécu, fait, pensé pendant votre trou noir. Vous y réfléchirez, Timothy. Vous avez tout le temps que vous désirez pour décider ce que vous voulez savoir, et ce que vous laisserez dans l'ombre… Cela vous appartient.

Mais Tim ne l'écoutait plus : l'hypnose, maintenant… Si McIntyre croyait lui-même ce qu'il disait, et s'il dirigeait tout, l'Institut ressemblait de moins en moins à un hôpital, de plus en plus à autre chose – une menace plus effrayante que les établissements psychiatriques du docteur Moresby. Pire, peut-être, que la prison dont le menaçait Dennis Warren. Le professeur en parlait comme d'une «famille d'initiés», une «communauté»... Qui prétendait détenir un savoir millénaire. Qui enrôlait des membres parmi les fous, sous le sceau du secret, et non sans s'être assurée auparavant qu'ils avaient de l'argent, des maisons à vendre...

Une secte?

— Et cette histoire de drogue? La *Tiger Eye*?

— Elle n'a rien à voir avec ce qui nous occupe, Timothy. J'ai parcouru les dossiers de deux des trois jeunes gens impliqués dans les meurtres de leurs proches. Ils ont effectivement cru, au cours d'une phase de délire, qu'ils devenaient des prédateurs. Mais les blessures qu'ils ont infligées sont humaines, hélas, terriblement humaines... D'ailleurs, puisque nous parlons de chimie...

Tim sursauta. Le professeur McIntyre venait de sortir de sa poche un petit comprimé blanc et jaune. Il versa un peu d'eau dans un verre en plastique qu'il avait pris dans le vide-poche.

— ... Vous devez être épuisé, Timothy. Nous aurons l'occasion de discuter de tout cela longuement dès demain. Pour l'heure, je crois qu'il serait raisonnable que vous preniez un peu de repos réparateur, avant que nous arrivions. Ce comprimé vous permettra de dormir vite et sans trop réfléchir à ce que vous venez d'apprendre.

Avec appréhension, Tim goba le comprimé, vida le verre d'eau, regrettant aussitôt son geste. C'était sans doute la première prise d'une camisole chimique – et qu'elle serve à soigner les «anthropes» ou à les rendre croyants et dociles, il n'en voulait pas. Mentalement, il se jura de ne plus avaler un seul médicament.

Deux minutes après avoir ingéré le comprimé, il avait sombré dans un sommeil profond, artificiel, sans cauchemar. Sa tête reposait contre la vitre de la puissante voiture, comme dix-huit jours auparavant.

# 11.
## DEUX SERMENTS

Il s'éveilla quatre heures plus tard. Il perçut d'abord la rumeur des roues sous ses pieds – la voiture semblait glisser.

Il ouvrit les yeux, étrangement lucide. La nuit était tombée depuis peu. L'affichage vert de l'horloge digitale brillait sur le tableau de bord : 21 h 45. Il lui fallut moins de quelques secondes pour réaliser où il était, se souvenir de la conversation irréelle avec le professeur McIntyre, de son sentiment de danger.

Une prison pire que la prison, une secte. Comment le docteur Moresby avait-il pu faire confiance à un «psychiatre» comme celui-là? Était-il un complice, un rabatteur? Un croyant? Il ne pensa pas une seconde qu'il pouvait s'agir d'un nouveau cauchemar... Le somnifère lui avait laissé l'esprit parfaitement clair au réveil.

Trouée par les phares blancs, la forêt semblait prête à refermer des griffes végétales sur ceux qui la fendaient. La nuit était maintenant tombée, il ne distinguait rien d'autre, à la lumière des phares du break, que les branches de sapins qui descendaient très bas, jusqu'à lécher le bitume. La montagne européenne, à laquelle Ben et lui avaient tant rêvé, lui parut hostile.

Il ne dit pas un mot pour signaler son réveil, espérant surprendre une conversation entre Matthew et le professeur. Mais le chauffeur conduisait toujours en silence, et de rapides coups d'œil latéraux apprirent à Tim que le professeur McIntyre travaillait, à la lueur d'un plafonnier, écrivant sur une feuille fixée à une écritoire de cuir.

Sans que rien n'indique qu'il avait remarqué son réveil, le psychiatre dit soudain, d'une voix paisible :

— Vous devriez boire un peu d'eau, Tim… Ces comprimés sont très efficaces mais ils laissent une bouche pâteuse, n'est-ce pas ?

Joignant le geste à la parole, il proposait déjà la bouteille et le verre dont il s'était servi auparavant. Tim ne dit rien, but deux verres. McIntyre semblait attendre qu'il prenne l'initiative de la conversation. Le garçon ne savait par où commencer : que dire, sans se trahir ? Chaque dialogue allait être désormais un jeu de dupes, jusqu'à sa fuite. Parce que sa décision était prise : il ne devait pas rester un mois, même un seul mois, dans ce lieu. Il lui fallait trouver un moyen de fuir.

Son cerveau était douloureux, comme si on lui enfonçait une épingle chauffée à blanc au niveau du front – la fatigue, le décalage horaire, et tout ce qu'il avait entendu, sans doute, à moins que ce ne soit le comprimé blanc et jaune… Il voulait ne pas se dévoiler trop tôt: pour l'instant, quelle question un patient crédule aurait-il posée? Il ne voyait pas, il était trop fatigué.

Finalement, ce fut le professeur McIntyre qui prit la parole:

— Nous avons fait l'essentiel de la route, maintenant. D'ici quelques minutes, vous ferez connaissance avec notre institut, et sans doute même avec certains de ses pensionnaires…

Il eut un sourire indulgent.

— … Certains sont des couche-tard irrécupérables, je le crains.

Tim décida d'en savoir plus: toutes les informations étaient bonnes à glaner.

— Votre institut, professeur… Il ne semble pas fonctionner comme un hôpital normal.

— Mais les personnes qui s'y trouvent ne sont pas non plus des malades…

— Certains ont mon âge?

— La plupart ont quelques années de plus que vous… À votre âge, seuls les orphelins me sont confiés, je vous l'ai dit. Dans votre mazot, vous serez trois. Vous logerez avec Flora Argento et Shariff, j'y ai veillé.

Une pause, comme si Tim était censé connaître

les deux personnes dont le professeur venait de parler.

— … Ce sont deux jeunes gens. Flora est italienne, elle a quinze ans. Et Shariff n'en a que douze, mais c'est un sujet absolument stupéfiant. D'une immense maturité.

— Et ils sont…

Tim ne trouva pas le mot, puisque McIntyre disait qu'ils n'étaient pas malades. Il renonça à poser la question, enchaîna :

— Et… ils sont là depuis longtemps ?

— Vos colocataires ? Quatre ans pour Shariff, dix-huit mois seulement pour Flora. De façon plus générale, certains choisissent de quitter l'Institut très rapidement, dès qu'ils observent les premiers effets de maîtrise de la métamorphose. D'autres y restent plus de dix ans… C'est le cas notamment du personnel qui vous entourera – la plupart des adultes qui encadrent l'Institut y sont entrés comme anthropes, et ils y ont mené leurs études. Aujourd'hui ils aident les plus jeunes, comme vous.

Plus de dix ans… Tim sentit une sourde terreur palpiter en lui. Dix ans avec les fous… Il en ressortirait dingue pour de bon.

— Pourquoi ne sont-ils pas repartis ?

— Cela dépend. J'imagine que certains se sentent plus utiles ici. D'autres craignent peut-être de se retrouver dehors sans notre soutien.

Il y a beaucoup d'autres raisons encore qui peuvent pousser certains à rester.

— Mais il n'y a pas une durée... normale pour le... pour le programme ?

— Non, il n'y a pas de durée normale. Chacun reste le temps qu'il estime nécessaire pour comprendre comment fonctionne sa métamorphose, et pour apprendre à la maîtriser.

Le professeur sembla réfléchir.

— Je dois avouer que peu de membres du programme sont arrivés avec autant de souvenirs de leur première métamorphose, Tim... Vous avez même montré une certaine maîtrise de vos instincts, ce qui est exceptionnel. Peut-être irez-vous très vite pour accomplir le reste, peut-être vous faudra-t-il au contraire des années pour réussir les progrès qui vous sembleront encore nécessaires.

Alors qu'il amorçait une ligne droite qui paraissait monter vers le ciel noir, entre les branches de conifères géants, Matthew se retourna vers eux.

— Nous arrivons, professeur. Nous y serons dans une demi-heure.

— Vous avez raison... Merci, Matthew... Rangez-vous là, s'il vous plaît...

La voiture décéléra, le moteur ronronna, au ralenti. Ils s'étaient garés sur le bas-côté, dans une zone herbeuse un peu plus large. Tim eut l'intuition qu'il s'agissait d'une sorte de rituel, que la voiture s'arrêtait à ce même endroit avec tous ceux qui arrivaient. Le professeur le regardait, grave, presque sévère.

— Matthew nous a interrompus, parce que je dois vous dire deux choses, maintenant, Timothy. Deux règles que vous devez connaître, et qui sont essentielles à nos yeux...

«Nous y voilà, le début du conditionnement.» Tim l'avait anticipé depuis son réveil, et se préparait mentalement – feindre, feindre...

— La première chose, c'est que votre métamorphose ne regardera que nous deux, Tim... Nous en parlerons dans le secret du cabinet, et nous tenons à cette règle : vous serez libre d'en informer qui vous voudrez à l'Institut, mais libre aussi de tout garder pour vous. Si vous le souhaitez, vous pourrez même garder secrète la nature de votre métamorphose, sauf pour le personnel médical du centre. De la même façon, vous ignorerez les transformations des autres pensionnaires de l'Institut, sauf s'ils décident eux-mêmes de vous en informer ; ce ne sera pas le cas de Flora, par exemple. Elle entend conserver un secret absolu sur ses métamorphoses, vous devez respecter cela.

— C'est une sorte de secret médical ?

— Si vous voulez, sauf que la métamorphanthropie n'est pas une maladie. C'est simplement une des caractéristiques, pour l'heure peu connue, de la nature humaine.

Une pause, que cette fois Tim jugea théâtrale. Il commençait à saisir les trucs d'orateur de McIntyre. On ne le bernerait pas.

— La deuxième règle est encore plus essentielle. Tout ce qui se passe dans l'Institut de Lycanthropie est absolument secret, et confidentiel. Je vous l'ai dit, vous y évoluerez en parfaite liberté, et vous pourrez à tout moment cesser le travail que nous mènerons ensemble, pour retourner où vous le souhaiterez. Si vous décidez d'interrompre le programme, nous nous efforcerons de vous aider à reprendre une vie « normale », loin d'ici...

La voix descendit dans les graves, assourdie, comme il l'avait déjà constaté plusieurs fois. Une technique de gourou, comme tout le reste ?

— Nous avons des moyens, Timothy... Des moyens puissants. Et nous ne vous laisserons pas tomber entre les mains de psychiatres indélicats ou de la police, tant que l'enquête sur la mort de vos proches n'aura pas démontré votre innocence. Mais nous vous demandons un engagement solennel. Rien de ce que vous verrez, rien de ce que vous apprendrez ici ne doit sortir de ces murs. Jamais.

Tim tressaillit. Cette promesse qu'on avait des « moyens puissants », y compris contre la police, pouvait ressembler aussi à une menace...

Maintenant, sa conviction était faite – tout cela n'avait effectivement rien à voir avec un traitement médical. Tandis qu'il prononçait à haute voix son serment, il se jura une chose : dans une semaine, il serait loin.

# 12.

## PARANOÏA

— Bien... Maintenant, Timothy, je vais vous demander de vous allonger sur cette banquette, pendant que je passe devant... Et vous allez vous dissimuler sous cette couverture.

— Je vais... quoi ?

— Je sais que cela doit vous sembler étrange, mais l'Institut a en ce moment des ennemis dangereux. Et il est bien plus prudent que nul ne vous voie y entrer... pour que vous puissiez en sortir, quand vous le désirerez, en toute sécurité.

Pendant qu'ils parlaient, Matthew venait de sortir de la boîte à gants un objet d'un noir luisant, gras. Un revolver, de gros calibre. Tim n'essaya même pas de discuter les consignes du « professeur ».

Il fit les derniers kilomètres, une quinzaine à ce qu'il estima sur son bracelet-montre, dans le noir absolu. Il se sentait calme, de cette sérénité étrange qu'on a seulement dans le danger, lorsqu'on sait qu'on a pris la bonne décision. Fuir, fuir dès cette nuit, dès demain... Il n'avait plus de doutes. Il sentit finalement la voiture braquer brutalement, s'engager dans ce qui semblait être une côte abrupte.

— Vous pouvez vous relever, Timothy. Nous y sommes.

Dans la lumière puissante des phares, une large grille de fer forgé, semblable à celle d'un domaine seigneurial, barrait la route. Sur la gauche, planté sur un mur de pierre qui devait avoir deux mètres cinquante de hauteur, un panneau indiquait, en français : «Institut de Lycanthropie – clinique psychiatrique de cure et postcure – internés dangereux». Le professeur McIntyre sourit.

— Ne vous en faites pas, Timothy, ce panneau est à destination des éventuels curieux. La perspective de croiser des psychotiques est extrêmement dissuasive pour les randonneurs...

Un demi-sourire, tranquille.

— ... Ce panneau, ajouté à notre isolement, nous permet de jouir d'une totale tranquillité.

Un sourire plus ironique.

— ... Et pour information, s'il vous prenait l'idée de raccourcir de vous-même le délai d'un mois dont nous sommes convenus, sachez que le premier village est à plus de trente kilomètres, à travers la forêt... Si vous choisissez la bonne direction, bien sûr.

Le chauffeur rouquin avait décroché son téléphone portable. Il se contenta de quelques mots : «C'est nous. Le professeur et notre nouveau pensionnaire.» Comme Tim s'y était attendu, la grille s'ouvrit automatiquement. Il ne fut pas surpris de voir deux hommes dans un cabanon à peine plus grand qu'une guérite, à dix mètres après cette grille. Ils ne portaient aucun uniforme, pas plus celui d'infirmier que de gardien, sous leurs gilets sans manches de gore-tex orange, mais Tim n'eut aucun mal à deviner leur fonction : ils étaient flanqués d'un chien, un énorme berger allemand qui portait son poil d'été, assez ras ; et chacun d'eux tenait sous le bras un fusil au canon noir.

De nouveau, le professeur se tourna vers lui.

— Rassurez-vous encore, Tim, ces armes ne sont pas destinées aux pensionnaires... Chacun est ici de son plein gré. Mais, je vous l'ai dit, nos ennemis sont dangereux, dangereux et actifs.

Matthew avait ouvert sa fenêtre dans un glissement électrique. Les deux gardes lancèrent un salut plein de chaleur et de respect au professeur. Leurs torches fouillaient en même temps l'intérieur de la voiture, s'arrêtèrent un instant sur le visage du nouveau venu.

Une fois passé ce contrôle, la voiture roula au milieu des épicéas et des ténèbres pendant une petite dizaine de minutes. Le domaine était extraordinairement vaste, il n'avait rien d'un hôpital high-tech, spécialisé dans les traitements de pointe, il ne tenait pas davantage de la bâtisse d'internement, sombre, où les «anthropes» auraient vécu en reclus, mi-paranoïaques, mi-enfermés... Ils croisèrent seulement deux ou trois chalets de bois, assez modestes, dont l'architecture lui sembla typique des refuges de montagne – toits bas et très pentus, ouvertures petites, lourdes poutres de charpente –, du moins à ce qu'il put voir à la lueur des phares et de quelques fenêtres éclairées. Le chalet devant lequel Matthew coupa finalement le contact – le «mazot», disait McIntyre – leur ressemblait en tout point.

L'homme aux yeux d'acier attendit que le moteur se taise pour parler, sans faire un mouvement pour sortir de la voiture. Une fois de plus, il regarda Tim, avec derrière les lunettes cet étrange mélange de chaleur, de perspicacité aiguë et de distance indéchiffrable.

— Vous voici arrivé dans votre nouvelle maison, que vous partagerez avec Flora et Shariff pendant un mois, ou peut-être bien davantage... Installez-vous, et prenez de nouveau un de ces comprimés, Tim. Vous avez accumulé beaucoup trop de questions, et de fatigue, au cours de ces deux jours de voyage pour vous passer de chimie si vous voulez dormir paisiblement.

Tim prit dans sa paume le médicament qu'on lui proposait. Matthew ouvrait sa portière. McIntyre ne bougeait plus.

— Vous… Vous ne venez pas avec moi ?

— Non. Certaines tâches de l'Institut sont à traiter de façon urgente, et je vous ai consacré tout mon temps depuis presque une semaine, Timothy. Je ne peux vous en sacrifier davantage pour l'heure…

Un sourire, rassurant, paternel.

— Mais Véronique vous montrera où se trouve mon bureau, et je vous recevrai dès demain matin, pour commencer à répondre à vos questions.

Ce ne fut qu'en sortant que Tim aperçut la jeune femme blonde, d'une bonne vingtaine d'années, qui attendait devant la porte et se saisit du sac d'affaires que Matthew lui tendait. Le chauffeur claqua ensuite le coffre et remonta dans le break, sans un mot pour celui qu'il avait transporté depuis l'autre bout du monde. Tim regarda les feux rouges disparaître, à une vingtaine de mètres, dans un virage sur la gauche, luire vaguement à travers les buissons, puis s'évanouir.

Il se retrouva seul avec la jeune femme. Jolie, un visage sans apprêt, de longs cheveux d'un blond doré qui retombaient dans son dos. Pensionnaire, elle aussi, ou complice du « professeur » ? Avec son jean, son gros pull à col roulé gris à motifs jacquard, ses chaussures de randonnée, elle lui fit penser à l'une des petites amies de Ben, Neve, qui les avait accompagnés une fois dans une randonnée sur le mont Rainier. Cette impression de familiarité le rassura.

Véronique lui parla en français, sans aucun accent anglo-saxon :

— Tu dois être Timothée. Je suis Véronique. Bienvenue à l'Institut.

Puis, elle se retourna pour ouvrir la porte du chalet.

—

Le mazot s'ouvrait sur un couloir donnant, à gauche, sur une pièce commune, sorte de salle à manger d'un côté, salon de lecture de l'autre, avec deux vieux canapés aussi accueillants que défoncés. Les murs étaient lambrissés de larges planches de bois brut, couleur miel.

« Quelque chose de chaleureux, de montagnard et d'accueillant, comme mon hôtesse », songea Tim.

Véronique continuait de lui faire faire le tour du propriétaire : au fond de la pièce, une cuisine américaine, séparée par le bar qui la coupait à mi-hauteur, disposait de tout l'équipement nécessaire.

— Tu te feras tes repas, seul ou en commun avec tes deux colocataires, comme vous le souhaiterez. Le principe, ici, c'est que chacun se débrouille pour la vie quotidienne, les études et tout le reste… Tu n'auras pas d'horaires, à part les rendez-vous avec le professeur ou avec d'autres membres de l'Institut.

Tim accueillit l'information sans un mot – il ne savait pas si c'était une bonne ou une mauvaise nouvelle.

— Pour ce soir, je t'ai mis un plateau-repas au frigo, si tu as faim. Et ton petit déj'... Je te montrerai demain avant midi où se trouve l'épicerie, pour que tu fasses tes emplettes. Ici, on ne paye rien, mais tu as un budget à respecter. Si tu manges tout en quinze jours, faudra mendier les quinze jours suivants...

C'était manifestement une boutade.

D'un geste, en reprenant le couloir, Véronique montra une porte fermée toujours sur la gauche.

— Là-dedans, il y a du matériel de montagne, si tu es amateur... Je crois que tu as aussi pris le tien. On organise des sorties plusieurs fois par semaine, en hiver et en été, si ça te tente. Mais pendant le premier mois, tu devras te contenter du rocher d'escalade de l'Institut, et du pic d'Oche. C'est sur le domaine, et le professeur a dit que tu ne pourrais pas en sortir tout de suite...

N'était-ce ces rappels réguliers sur sa condition d'enfermé, cela ressemblait à la visite d'un club de vacances, plus que d'un institut thérapeutique.

— Je te montre ton appartement?

À ces mots, Tim ressentit du soulagement. Et plus encore quand Véronique ouvrit une des deux portes situées sur la droite, dans le couloir. Il avait craint de devoir partager une chambre avec un de ses colocataires, voire les deux, et de se retrouver *de facto* sous surveillance. En fait, son «appartement», très vaste pièce d'une trentaine de mètres carrés, lui permettrait de s'isoler totalement, dans les heures qui allaient suivre. Les murs étaient, là aussi, lambrissés. Un lit double au fond de la pièce, une table et deux chaises au milieu sur un kilim, une console le long du mur en face, sur laquelle un ordinateur portable était posé, avec une chaise de bureau. Dans un recoin, une salle d'eau – lavabo, douche –, carrelée de blanc.

— Voilà ta nouvelle maison, pour les semaines qui viennent… Si tu le souhaites, tu peux revoir la déco, t'y installer pour te sentir chez toi. Tes colocataires te montreront où se trouve tout le matériel pour le ménage et l'entretien, mais personne ne contrôlera…

Un sourire complice.

— Considère cela comme une colocation de longue durée. Shariff occupe le premier appart' dans le couloir, et Flora, celui du fond.

— Je dois payer un loyer?

— Non, non, c'était une manière de dire… Tu es nourri, logé, blanchi, on te fournit tout ce dont tu as besoin.

Elle avait posé son sac sur le lit, et maintenant ils se regardaient, un peu empruntés, les bras ballants. Véronique ajouta, allumant l'ordinateur et activant la connexion:

— Tu es relié à Internet et aussi à un réseau interne qui te servira pour ton travail, le professeur t'expliquera... Dans le chalet principal, il y a aussi une salle de cinéma et une salle de musique, si ça t'intéresse. Et une bibliothèque, où tu pourras emprunter les ouvrages qui te seront utiles.

De nouveau, un silence.

— Voilà, tu as des questions?

Elle avait l'air un peu penaude.

— Le professeur m'a demandé de te servir de tutrice, pendant tes premières semaines ici... Mais comme c'est la première fois, je ne suis pas sûre de savoir ce que je dois te dire ce soir.

— C'était parfait... Sauf que tu ne m'as pas parlé d'emploi du temps, ni de mon travail.

— À l'Institut, chacun occupe son planning comme il veut. La seule chose qui compte, c'est de travailler sur ses métamorphoses. Mais le professeur t'expliquera ça. Il t'attend dans son bureau à 10 heures, demain. Ne gamberge pas trop, on est tous un peu inquiets, quand on arrive. Mais l'essentiel, pour ce soir, c'est que tu te sentes bien accueilli.

Tim montra la porte intérieure qui jouxtait celle de la salle d'eau.

— Et ça? Un placard?

Véronique eut un sursaut, puis un rire un peu nerveux.

— Ça, le professeur t'expliquera aussi… Si tu veux mon avis, il vaut mieux que tu ne descendes pas y jeter un coup d'œil avant de savoir. Mais à toi de voir.

Elle faisait déjà deux ou trois pas vers la porte.

— Bon, si tu n'as besoin de rien, je te laisse. Dans le salon commun, il y a un téléphone, avec la liste de nos postes. Tu m'appelles même en pleine nuit si besoin. Et sinon, pour ton rendez-vous de 10 heures, c'est au chalet principal – tu ne peux pas te tromper, c'est le plus grand, au bout de la route goudronnée.

À la porte, elle s'arrêta encore, se retourna en s'appuyant au chambranle.

— Tu as un trousseau de clés. Si tu les perds, on en garde un double au chalet d'intendance. Question de sécurité.

Elle paraissait sur le point de s'éclipser définitivement, mais elle se ravisa – Tim sut immédiatement qu'elle feignait l'étourderie.

— Au fait, tant que tu ne seras pas assez avancé dans tes métamorphoses, on garde un œil sur toi. Mais ne t'en fais pas, dès que tu maîtriseras les épisodes, on débranchera le système de vidéo en circuit fermé, qui nous permet pour l'instant d'assurer ta sécurité, et celle de tes deux voisins.

Véronique désignait les deux petites caméras blanches, fixées dans deux angles de la pièce, au plafond, et qu'il n'avait pas encore remarquées. Elles tournaient au fur et à mesure qu'ils se déplaçaient, et les suivaient, sans doute équipées d'un détecteur de mouvement.

Tim détesta immédiatement l'idée d'être ainsi placé sous surveillance, comme un insecte sous le microscope.

— Bonne nuit, Timothée...

# 13.

## L'URGENCE

Dès que Véronique fut partie, Tim revint dans le couloir. Il vérifia qu'elle avait laissé la porte du chalet ouverte, regarda les deux portes closes qui donnaient sur deux autres appartements, sans doute semblables au sien. Avait-on installé là des gens chargés de le surveiller, ou d'autres «pensionnaires»?

Il revint dans la pièce commune, alla à la cuisine, ouvrit machinalement le frigo. Chaque niveau portait un prénom – Flora, Shariff, Timothy. Celui de la jeune fille contenait essentiellement des produits laitiers et des fruits divers, celui de l'autre garçon trois sortes de mixtures indéfinissables, dans des coupes de terre cuite, et une série de restes étranges, pour certains avariés.

Son étage était vide, à part le plateau-dîner, appétissant, et de quoi déjeuner le lendemain matin – *continental breakfast*[1]; mais l'angoisse lui coupait l'appétit. Tout ce qu'ils mangeaient venait

---

1. «Petit déjeuner continental», constitué de pain, viennoiseries, café et jus de fruits, par opposition au «breakfast» anglo-saxon, fait de charcuterie, œufs frits...

de l'épicerie, avait dit Véronique. Les aliments pouvaient-ils être drogués? Était-ce ainsi qu'on achetait la docilité des «anthropes»?

Il prit le risque, se versa un verre de jus de fruits frais.

S'il avait compté rester ici plus de quelques heures, il lui aurait théoriquement fallu se faire accepter par les deux autres, qui avaient probablement pris leurs habitudes. Mais la seule question qui valait, à propos de «Flora» et «Shariff», était la suivante: puis-je compter sur quelqu'un d'autre pour fuir? La réponse était évidente: il devait se méfier des autres pensionnaires.

Il y avait une deuxième question: quelqu'un l'observait-il, à cette minute, depuis le central de vidéosurveillance?

Par la petite fenêtre carrée de la cuisine, il surprit une lueur, mince pinceau dans la nuit noire, qui se déplaçait. En plissant les yeux, il reconnut la silhouette d'un homme (ou d'une femme), une lampe frontale sur la tête, qui marchait dans la nuit, sur une allée de terre et de graviers. La silhouette portait un fusil, comme les gardiens qu'il avait vus à l'entrée.

Il repensa à la phrase du professeur McIntyre: «L'Institut a des ennemis puissants et dangereux.» Cela ne tenait pas debout. Qui aurait pu en vouloir à un institut de psychiatrie? De toute évidence, c'était un mensonge servi aux pensionnaires pour justifier la peur et le secret, et expliquer surtout que des gardes armés circulent la nuit entre les chalets. On les épiait depuis l'extérieur, et les caméras de sécurité assuraient la surveillance privée.

Depuis qu'il avait vu le chauffeur roux sortir son arme, depuis l'épisode de la couverture, et des fusils, il était certain que tout cela n'avait rien à voir avec une thérapie. Il était ailleurs que dans un hôpital… Embarqué au sein d'une communauté paranoïaque. Dès à présent, chaque minute comptait pour préparer sa fuite.

Il revint dans sa chambre, commença par fouiller son sac. Tous les papiers légaux, les relevés de comptes bancaires, les coordonnées de l'avocat et les titres de propriété étaient là.

Était-on suffisamment sûr de le faire obéir, pour qu'il vide lui-même ses comptes, qu'il vende sa propre maison ? Ou n'était-ce pas calculé ? Ceux qui organisaient tout ça croyaient-ils à leurs délires, n'en voulaient-ils pas à son argent ? Il s'installa devant le clavier de l'ordi, pianota – ce qu'il obtint le surprit. Curieusement, Internet ne semblait pas filtré. Il devait donc pouvoir aisément prendre contact avec l'extérieur ; si besoin, appeler au secours. Cela dit, qui prêterait attention à un SOS lancé depuis une clinique psychiatrique ?

Il vérifia d'abord l'état de son compte en banque, constata qu'aucun mouvement n'avait été enregistré depuis la mort de ses parents. Puis il tapa deux requêtes sur un moteur de recherche du réseau mondial : le professeur McIntyre ; l'Institut de Lycanthropie. Pas grand-chose, sinon le site de présentation de la clinique, désespérément lisse ; quelques publications, des informations sur cette pathologie psychiatrique qu'on nommait zoopathie. Les photos d'une clinique ordinaire et une adresse à Chamonix. Logique. Des mensonges, perdus au milieu d'un incroyable foisonnement de sites, farfelus, sérieux ou simplement horrifiques, consacrés aux loups-garous. Au bout d'une heure de recherche, il n'était guère avancé : le professeur McIntyre jouissait, semblait-il, d'une solide réputation de psychiatre ; son institut était entouré d'une certaine aura, mystérieuse ; et rien, pour ainsi dire, n'avait été publié depuis quinze ans sur la maladie dont Tim souffrait. OK. Il en apprendrait davantage, plus tard… Loin d'ici.

Puis il se rendit sur les sites des organismes de lutte contre les dérives sectaires et de protection de l'individu, en France et aux États-Unis. Sur aucune des deux plates-formes il ne retrouva les noms de McIntyre, Moresby, ou de mentions concernant l'Institut. Il était tombé entre les mains d'une organisation relativement nouvelle, du moins inconnue.

Il hésita avant de procéder à la requête suivante… Si, comme c'était probable, ses connexions étaient surveillées, ce qu'il allait rechercher éveillerait les soupçons. Mais tant pis, il n'avait pas le choix, ni le temps d'acquérir par l'expérience une bonne connaissance du terrain. Il était maintenant 1 heure du matin. Avec un peu de chance, on n'éplucherait que demain les connexions de Timothy Blackhills. Et avec beaucoup de chance, demain, il aurait disparu.

Il obtint ce qu'il espérait sur un site qu'ils connaissaient bien, Ben et lui. Une cartographie satellitaire, détaillée, à l'échelle 1/25 000, d'une bonne partie des territoires. Il y situa, sans trop de mal, grâce aux panneaux routiers qu'il avait enregistrés tout au long de leur voyage, le domaine de l'Institut de Lycanthropie.

# 14.

## UNE LUMIÈRE ROUGE

Il était 5 heures, et il était presque prêt. Du moins il ne pourrait pas l'être davantage cette nuit, tant la fatigue lui brouillait la vue.

Il savait tout ce qu'il était humainement possible d'apprendre en quatre heures sur une cartographie. Les chemins, les clairières, les déclivités, les cours d'eau qui les entouraient dans un rayon de vingt kilomètres, sans s'encombrer des noms qui n'apparaissaient pas sur le terrain. Il s'était bâti une photographie mentale qui lui permettait de *voir* le terrain, littéralement, d'après la carte ; grâce à quoi il pourrait savoir à chaque instant, quand il fuirait dans la forêt, où il serait et par où continuer.

Une fois ce travail accompli, il avait retrouvé ses moyens, et confiance en lui. Dennis Warren avait raison, il n'était pas brillant élève, loin de là. En dépit des encouragements de Ben, il parvenait à peine à la moyenne en biologie, en histoire, ces matières qui lui auraient ouvert les portes de l'université pour devenir l'un des deux membres éminents du « duo Blackhills ».

Mais sur le terrain, il était le meilleur. Inégalable. Capable de sentir, de photographier mentalement, de transcrire immédiatement ce qu'il voyait en données et les données en gestes, en actes. Si les frères Blackhills avaient pu devenir un jour les aventuriers qu'ils avaient rêvés, cela aurait été aussi grâce à son extraordinaire intuition – cette hyperadaptation au *terrain*.

Dans quelques heures, sur le domaine, il serait capable de se repérer les yeux fermés jusqu'à la clôture est du domaine, sous le col de Bénand, qu'il franchirait avant de basculer vers la vallée de Beunaz ; puis il rejoindrait à travers la forêt le cours de la Maravante pour parvenir au village de Séchex. Le col de Bénand était à une demi-journée de marche, Séchex à une cinquantaine de kilomètres, sans une route, sans guère de sentiers de randonnée. Cinquante kilomètres, trois jours (plutôt trois nuits, sans doute) de progression sur un terrain très accidenté, et mal connu. Au-delà du col, il n'avait repéré que les grands massifs, les principaux reliefs, une base pour ne pas s'égarer.

Aller vers le col de Bénand n'était pas l'itinéraire logique. Tous ceux qui fuient descendent la montagne pour trouver les villages les plus proches. Il emprunterait le chemin le plus long, jusqu'aux premières habitations les plus éloignées.

Là, les gardes de l'Institut, avec leurs fusils, ne le rechercheraient pas.

Il se leva, satisfait. Il avait fait ce qu'il devait.

Sitôt debout, sa tête tourna, il sentit le vertige. Cela faisait trop longtemps qu'il veillait. Il voulut se rendre à la salle de bains pour se rafraîchir le visage, mais son regard se posa sur la porte d'à côté. Celle qu'il ne devait pas ouvrir avant d'avoir revu McIntyre. L'interdiction de Véronique n'avait pas été formelle, c'était juste un conseil...

Il jeta un coup d'œil aux caméras, se décida, posa la main sur la poignée de la porte mystérieuse. Fermée à clé ; il s'y attendait. Il saisit le trousseau que Véronique avait laissé sur sa table, essaya tout de même. La troisième clé déverrouilla la porte interdite. Après un nouveau coup d'œil vers les caméras, il l'ouvrit. Cela donnait sur le noir complet. Il chercha à tâtons un interrupteur.

C'était une lumière rouge. Étrange. Elle illumina un escalier de bois en colimaçon qui distribuait une pièce en sous-sol, sous sa chambre.

Avec appréhension, Tim s'engagea dans la volée de marches.

L'escalier débouchait sur une cave de la taille de son « appartement ». Curieusement, elle était fermée au bas de l'escalier par des grilles, formant une sorte de cage souterraine. Tim écarquilla les yeux pour en distinguer les détails à travers cette grille, en s'appuyant sur la porte – qui s'ouvrit toute seule.

Il pénétra dans le cachot, vérifiant d'abord que la grille ne risquait pas de se refermer sur lui. Non, le mécanisme, assez compliqué et manifestement très récent, s'ouvrait aussi de l'intérieur. Le sol était de terre battue. Ses doigts glissèrent sur les murs, qu'il suivit pour en faire le tour, dans la pénombre rougeâtre; ils rencontrèrent un roc suintant là où les murs de son «appartement» donnaient sur l'extérieur – la cage était creusée dans la montagne.

Ses yeux s'habituaient. Il distingua, scellé dans un mur, un énorme anneau de fer, se pencha, déroula deux épaisses chaînes d'acier, neuves. Au bout de chacune, un anneau de forçat ouvert, semblable à ceux qu'on utilisait autrefois pour les esclaves, mais d'un diamètre aberrant: Tim pouvait passer la tête à travers. À quoi servaient ces fers, sinon à enfermer dans la presque-nuit un fou, le temps de son délire? Les serrait-on autour du corps du prisonnier, pour l'empêcher de fuir?

Il frissonna. «Le prisonnier», était-ce lui?

Il n'y avait rien d'autre dans cette cave que les fers neufs et les grilles. Se pouvait-il qu'on ait encore recours, ici, à des pratiques médiévales, pendant les crises des internés? Il leva la tête en entendant le ronronnement d'un petit moteur: là aussi, incrustées dans le plafond, deux caméras tournaient et le suivaient.

La panique l'envahit. Il n'aurait pas dû être ici. Il n'aurait pas dû voir ça. On allait le punir d'avoir désobéi... Soudain, il n'eut plus qu'une idée, comme une bouffée : remonter.

—

Il était enfermé dans les ténèbres rougeoyantes de son cachot – la lumière rouge palpitait comme le cœur d'un volcan.

On lui avait passé les deux gros anneaux de force autour du thorax et de la ceinture, ils l'oppressaient. Il tentait de tirer sur les deux chaînes pour les desceller, mais ses efforts resteraient vains. L'acier le blessait, l'écorchait. Il avait crié, longtemps, appelé, sa voix s'était cassée maintenant. Ses cris ressemblaient aux plaintes d'un supplicié. Il avait soif, mortellement soif.

Il entendit des voix au-dessus de lui, des pas sur le plancher de son appartement. Plusieurs personnes.

Une seule s'engagea apparemment dans l'escalier, munie d'une torche dont il aperçut le faisceau contre la cage d'escalier ; puis le pinceau de lumière l'aveugla.

Cherchait-on à l'éblouir ou à le voir ?

Il cligna les yeux. On braqua la torche sur ses jambes, il vit celui qui le toisait. Le professeur McIntyre se tenait derrière les grilles de sa cellule. Tim n'obéit qu'à son instinct : il se rua sur celui qui l'avait abusé. Il fut retenu, violemment, dans son élan, et ressentit une douleur atroce dans le bassin. Les chaînes étaient conçues de telle sorte qu'il ne puisse jamais atteindre les grilles.

Il tomba à genoux.

McIntyre éclata de rire, derrière les barreaux neufs de sa prison souterraine. Un long rire, dément, cruel. Puis il le regarda, longuement, de son air étrange, à la fois ironique et scrutateur.

— Nous avions parlé de quatre semaines, Timothy. Mais il est possible que cela dure beaucoup, beaucoup plus, si tu te montres désobéissant...

# 15.

## FUIR

Le cauchemar du cachot était venu presque aussitôt, dès les premières minutes de sommeil; réveillé en sueur, Tim ne put ensuite fermer l'œil. Il n'était que 6 heures, son corps lui semblait rompu, comme s'il avait vraiment lutté pendant des heures pour se libérer des chaînes.

Il ressentait presque physiquement la présence inquiétante du cachot, exactement sous son lit. Derrière la porte fermée donnant sur le sous-sol, il lui semblait percevoir la palpitation rougeoyante, l'inquiétante pulsation. Régulièrement, il se demandait s'il n'était pas vraiment devenu fou – les fusils, les caméras étaient-ils réels? Était-il possible qu'il ait sombré dans une psychose paranoïaque? Il jeta un énième coup d'œil aux caméras braquées sur lui, puis vers la salle de bains où il avait jeté le comprimé blanc et jaune.

Tout cela existait bel et bien. Et aussi le cachot.

Il aurait sans doute dû être un patient bien sage, écouter Véronique: oublier, dormir sans songes, et ne pas voir ce qu'on cachait sous sa chambre. Au moins pour une nuit. Tout à l'heure, il aurait besoin de toutes ses forces.

Il se leva vers 6 h 30, renonçant définitivement à chercher le sommeil, et fit pendant une demi-heure ses exercices sur le plancher, ceux auxquels il s'astreignait depuis l'âge de douze ans, quand il avait commencé d'accompagner Ben dans leurs «week-ends découverte» – alpinisme, trekking, escalade, canyoning... Son corps devait être un outil sûr, silencieux.

Cette activité physique lui amena le rouge au front, puis les larmes aux yeux. Il n'avait plus exécuté ces gestes depuis l'accident, la disparition de Ben. Presque trois semaines. Il secoua la tête pour chasser ses pensées. Il n'y avait pas de place pour l'apitoiement. Il devait être une arme, efficace. Plus tard, quand il serait loin, il pourrait de nouveau songer à sa situation, au passé, à l'avenir.

Il s'assit devant l'ordinateur, tapa un courrier électronique adressé à son avocat, dans lequel il précisait qu'il avait égaré les codes d'accès à son compte, pendant le voyage vers l'Europe, et demandait qu'on lui envoie un courrier pour lui en donner de nouveaux, chez lui, à Missoula; il les trouverait à son retour, dans un mois. Puis il effectua deux virements importants, pour avoir du cash disponible dans une agence bancaire française, et dans une autre en Italie, en attendant.

Ainsi, on ne pourrait pas profiter de sa fuite pour vider ses comptes, si on en avait l'intention. Il se procurerait des vivres et trouverait le moyen de voyager, de s'abriter, les premiers jours ; puis il irait vider discrètement l'un des deux comptes qu'il venait d'ouvrir. Il prépara un sac à dos léger, avec des vêtements de rechange pour deux jours, ceux qu'il avait en arrivant. Il glissa dans sa chemise le billet de retour pour l'Amérique que McIntyre avait acheté à Seattle, à la date du 21 août, la fin théorique de son « traitement ». Ce billet serait inutilisable bien sûr – sitôt sa fuite connue, les gardes de l'Institut l'attendraient à Paris, et Dennis Warren à Seattle – mais les billets d'avion s'échangent… Et les faux papiers s'achètent.

Vers 7 h 30, Tim quitta finalement son appartement.

Les portes des deux chambres voisines étaient toujours closes.

Il alla dans la pièce commune se préparer un petit déjeuner roboratif, piochant dans l'étage de Flora un ou deux fruits. Elle n'aurait pas le temps de s'en plaindre. Et dès ce midi, il se nourrirait dans la forêt. Il mastiqua néanmoins avec appréhension chaque aliment, guettant des saveurs médicamenteuses. Après deux minutes de ce manège, la faim au ventre mais les nerfs trop à vif, il jeta tous ses restes à la poubelle.

L'air frais du dehors fut une bénédiction : il reconnaissait ce parfum d'altitude, où l'oxygène semble presque piquant, où dès l'aube le ciel est d'un bleu incomparable. Il était chez lui, puisqu'il était dans les montagnes qui constituaient leur territoire depuis sa prime adolescence. Ben... Ben lui manquait, ici aussi, ce matin. L'absence de ses parents était plus lointaine, moins cuisante – comme un chagrin qui occupait le fond du paysage, chaque pensée.

Il suivit la route de bitume qui montait légèrement, comme Véronique le lui avait indiqué. Il croisa une dizaine d'allées de graviers, qui menaient vers autant de chalets, comparables en taille et en architecture à celui qu'il occupait avec ses deux colocataires. Une sorte de hameau, dispersé entre les arbres et les buissons, en pleine forêt – c'était exactement ce qu'il avait vu sur la carte satellitaire.

Il n'apercevait personne, et l'atmosphère, du coup, en était paisible, comme suspendue ; un matin où, seul au monde, le monde semble vous appartenir. Derrière lui, il avait reconnu quelques-uns des sommets du massif enneigé. Mais il n'avait pas le temps de goûter à cela. Son cerveau déroulait la topographie mentale qu'il avait apprise cette nuit. Il n'était plus qu'à une cinquantaine de mètres du chalet principal, qui apparaîtrait derrière le prochain lacet.

Après un coup d'œil de chaque côté, il s'enfonça dans un buisson de rhododendrons géants, aisément repérable et touffu – il y cacha son sac à dos, à l'abri des regards. Il serait prêt à fuir.

Pourquoi pas maintenant ?

Il ne savait pas… Quelque chose le retenait, comme s'il voulait percer d'abord ce mystère : l'Institut était-il un endroit où l'on croyait vraiment les foutaises du psychiatre ? Il comptait sur sa dernière entrevue avec McIntyre pour en avoir le cœur net. Savoir… Et puis, s'il ne se présentait pas à 10 heures, pour son premier rendez-vous, on se mettrait immédiatement à le rechercher, ce qui ne lui laissait que deux heures d'avance. Il voulait obtenir un peu plus.

En s'approchant, il perçut des éclats de voix – encore éloignées. Il était trop loin pour comprendre de quoi discutaient ceux qu'il entendait, mais il y avait plusieurs voix engagées dans une querelle.

Le sentier sortit des taillis, Tim déboucha en vue du chalet.

C'était une vaste et haute bâtisse, indiscutablement montagnarde, bien plus grande que les mazots du hameau, toutefois, et dont nombre de murs avaient été remplacés par d'immenses baies vitrées. Le toit, imposant, était en lauzes d'ardoise, grises, qui semblaient d'argent sous la clarté matinale. Aux trois étages, de très vastes terrasses donnaient plein sud, déjà léchées par le soleil.

Rien cependant, sinon la taille imposante du bâtiment, n'indiquait qu'il s'agissait du «chalet principal» – pas un panneau, une indication, toutes choses qu'on trouve normalement dans un hôpital.

Il vit ceux dont il entendait la voix depuis quelques instants.

Trois jeunes hommes et une jeune femme discutaient âprement, devant l'une des deux portes d'entrée sud, dont deux gardiens en gilet orange, armés de fusils de chasse. Le troisième homme était Matthew, qu'il reconnut de dos.

En voyant de loin leurs mines fermées, Tim s'arrêta sur le chemin : devait-il s'approcher, au risque de surprendre leur différend ? Cela pourrait-il être perçu comme une indiscrétion ? Après tout, il avait peut-être surévalué la liberté des horaires et des pensionnaires. Il ne fallait pas compromettre son plan d'évasion pour un détail. Alors qu'il tergiversait, un des quatre débatteurs l'aperçut, le désigna aux trois autres – et aussitôt, Matthew se retourna et s'approcha de lui. Un sourire bienveillant collé sur ses traits qui deux secondes avant exprimaient un violent désaccord.

Portait-il son arme, ce matin, sous sa chemise ?

Tim continua d'avancer, le pas un peu raide, imperceptiblement plus lent.

— Le professeur m'a demandé de te prévenir. Il ne pourra pas te recevoir avant demain. Comme tu l'as peut-être saisi, nous avons de sérieux problèmes à régler. Il t'expliquera cela aussi...

Tim ne répondit pas. Il ne voulait pas laisser penser qu'il en avait trop entendu.

— ... Mais il suggère que tu passes la journée à la bibliothèque, pour commencer à t'instruire. À comprendre. Et il m'a dit de te dire ceci : « Quel que soit le secret que tu entrevoies, même s'il t'effraye, ne referme pas la porte... Continue de chercher. »

Matthew sourit de nouveau, comme si cet adage signifiait le début de la sagesse. Puis :

— La bibliothèque occupe les trois étages du chalet. Je vais prévenir Véronique que tu es levé, elle te fera visiter... Ne t'en fais pas, tu auras de quoi occuper ta journée. Tout ira bien ?

Tim avait répondu par monosyllabes.

Il attendit Véronique pendant dix minutes, assis dehors, sur un tronc. Les débatteurs étaient entrés dans le chalet pour poursuivre leur querelle à l'abri des oreilles indiscrètes.

Tim était songeur... Il avait ressenti une brève mais profonde impression de vide, en apprenant que le professeur ne le rencontrerait pas aujourd'hui. Sans doute cela aussi était-il calculé

– le faire lanterner, pour que chaque rendez-vous manqué accentue son besoin de rencontrer celui qui allait lui dire la «vérité». Il ne marcherait pas dans cette combine...

Une dernière fois, il se posa la question: et si, en s'enfuyant, il compromettait sa seule chance de guérir, et de savoir vraiment ce qui s'était passé dans la nuit du 2 juillet? Si tout le discours de McIntyre faisait partie d'un traitement?

Non, il y avait les fusils, les gardes armés partout. Simple escroquerie ou vraie communauté, ces fusils représentaient une menace, pour l'instant bien plus grande que sa supposée «psychose zoopathique».


Véronique, aussi chaleureuse que la veille, lui fit en arrivant une bise qui lui parut toute spontanée. L'Europe, la France, son charme...

— Bien dormi? D'ordinaire, on ne se réveille pas à l'aube, sauf quand on a programmé une course en montagne...

Elle eut un sourire d'une naïveté troublante.

— Donc tu me sors du lit, Timothée.

Tim décida de ne pas imaginer le spectacle de la jeune femme allongée dans ses draps. Elle avait une façon délicieuse de franciser son prénom. «Ne t'attendris pas.» Véronique l'entraînait déjà vers la porte qu'il avait aperçue, tout à droite, sur la façade du chalet.

— La porte du milieu donne uniquement sur le rez-de-chaussée… Il y a le bureau et l'appartement du professeur, plus deux ou trois autres pièces dont tu découvriras l'usage plus tard… Tu as résisté aux cauchemars, cette nuit?

Elle s'engageait déjà dans l'escalier qui faisait face à la porte, ce qui évita à Tim de répondre. L'avait-elle surveillé grâce aux caméras, quand il était descendu au sous-sol? Avait-elle lu son dossier? Il n'arrivait pas à l'imaginer en manipulatrice. Elle devait être, comme lui, une victime du lieu; une victime plus ancienne – une malade qui ne parvenait pas à quitter l'Institut, ou une «initiée» en parfaite santé, mais qui ne réussirait jamais à s'émanciper de ses protecteurs.

Aujourd'hui, outre son jean très ajusté, Véronique ne portait pas le gros pull de laine de la veille – juste un T-shirt assez court pour dévoiler la naissance de son ventre (et à présent le bas de son dos), ses bras musclés et ses épaules bronzées. Elle se retourna deux fois, avec un sourire éclatant.

Ils s'arrêtèrent sur un très vaste palier, grand comme sa chambre, au premier étage.

— Bon, je pense que tu trouveras de quoi t'occuper toute la matinée ici… Nous sommes à l'étage de littérature; en général, on commence par là. Au-dessus, c'est tout ce qui concerne la zoologie, et la biologie moléculaire. Au troisième, ce sont essentiellement nos travaux – toutes les recherches de l'Institut, en sciences, en lettres et en histoire. Tu verras qu'il y a beaucoup de choses sur microfilms, et une dizaine de connexions Internet par étage, ça te laisse de quoi lire quelques siècles…

Un nouveau sourire, communicatif. Pourquoi faisait-elle allusion, comme hier soir, au temps qu'il lui faudrait passer à l'Institut ? Était-ce une consigne, pour l'habituer à l'idée qu'il allait devoir rester ici ?

— … Mais si tu as envie de t'aérer, on va pique-niquer à quatre ou cinq, et faire un petit tour du côté du pic d'Oche cet après-midi. Il y a un sentier à réhabiliter. On se retrouve devant la porte du chalet d'intendance, juste derrière celui-là, à midi. Je t'expliquerai à ce moment-là comment marche ton approvisionnement, tout ça… Et tu feras connaissance avec quelques pensionnaires.

Il comprit qu'il venait d'obtenir une occasion unique. Il répondit seulement :

— Je n'exclus pas d'aller faire une sieste, j'ai besoin de récupérer. Si tu ne me vois pas, ne m'attendez pas, je me débrouillerai pour déjeuner avec Flora et Shariff, et on fera les courses ensemble ce soir, d'accord ?

— Ça marche… Dans ce cas-là, rendez-vous vers 18 heures.

Elle se retourna, juste avant de redescendre l'escalier et de le laisser seul.

— Timothée... Pour l'instant, tu n'as pas commencé ton initiation, alors je ne peux rien te dire. Mais écoute ce que te dit ton intuition. Commence ta lecture où tu voudras, et laisse ton imagination prendre le pouvoir. Ciao, à tout à l'heure...

# 16.

## LA BIBLIOTHÈQUE

Voilà, il s'était ménagé une «fenêtre de tir».

De midi à 18 heures, Véronique le penserait à la bibliothèque, et les autres membres de l'Institut en balade au pic d'Oche. Il avait un flou d'une demi-journée dans son emploi du temps. Selon son calcul, cela suffisait pour atteindre le col de Bénand, et la clôture, juste avant la nuit. Ensuite, l'obscurité serait son alliée.

À moins que Véronique ne prévienne de son absence dès l'heure du pique-nique? Il se demanda s'il devait partir dès maintenant, consulta sa montre... Presque 9 heures. Mais non, c'était trop risqué. Si Véronique ou Matthew l'apercevaient en train de quitter les lieux, cela leur mettrait la puce à l'oreille. Et si sa «tutrice» revenait vers midi, elle apprendrait aussitôt qu'il n'était jamais entré dans la bibliothèque. Dans le meilleur des cas, il ne se donnerait que trois heures de marge, et les gardiens armés auraient trop de temps, jusqu'à la nuit, pour le débusquer.

Il fallait attendre encore un peu; feindre, et ronger son frein, quelques heures.

Devant ce premier étage, il ressentit, peut-être plus vivement que jamais au cours des dix-neuf jours précédents, son immense solitude.

Une plaque de bronze, vissée sur le mur du palier, indiquait : «Récits et mythes». Il ne voyait pas le rapport avec la maladie mentale. Qu'est-ce qui l'attendait, dans la bibliothèque ? McIntyre lui avait laissé une consigne – ne pas refermer la porte de ce qu'il entreverrait. Mais pour l'instant, les seules qu'il avait envie de claquer derrière lui, c'était celle du sous-sol à la lumière rouge, celles des cages et du zoo entier, les hautes grilles de l'Institut, gardées à double tour.

Il finit par se décider, entra. Le silence, de l'autre côté. Il n'y avait personne, encore, dans l'immense salle ; mais le spectacle lui coupa le souffle.

La bibliothèque couvrait tout l'étage, en une vaste «pièce» rectangulaire, longue de trente mètres, large d'une quinzaine au moins, haute de six. Les murs étaient entièrement couverts de rayonnages, sur trois côtés – le quatrième mur du rectangle, à gauche, était l'une des immenses baies vitrées qu'on apercevait du dehors, percée de plusieurs portes-fenêtres qui donnaient sur la première des trois terrasses et, derrière, sur la puissante chaîne de montagnes. Il leva la tête vers le plafond peint : d'étranges silhouettes d'animaux y évoquaient l'art rupestre amérindien, ou les motifs dont on ornait les kivas des chamans hopis pour les cérémonies; d'autres représentations animalières, en revanche, lui étaient inconnues, inspirées par des civilisations qu'il ne connaissait pas.

Mais plus encore que les dimensions monumentales de la pièce, plus que ce décor totémique, ce qui impressionnait, c'était le mobilier – et son contenu.

Sur les rayonnages qui couvraient les murs, jusqu'au plafond orné, des livres. Des centaines de milliers d'ouvrages, aux couvertures bigarrées. Quatre échelles roulantes de bois permettaient d'accéder aux rayonnages les plus hauts, à plus de cinq mètres, tandis que des escabeaux disposés un peu partout permettaient de se servir dans les étagères à mi-hauteur. Pour le reste, il n'y avait que trois immenses tables, chacune s'étirant sur presque vingt mètres, comme dans un réfectoire monastique, derrière lesquelles trois rangées de chaises orientaient le lecteur vers la lumière du soleil. Régulièrement disposés sur les tables, une vingtaine d'ordinateurs portables, fermés pour l'heure. Au fond, une sorte de comptoir, qui servait de plan de travail au bibliothécaire. Et trois ou quatre chariots, couverts de livres eux aussi… On n'avait pas fait les rangements de la veille au soir. Et on n'avait pas non plus commencé le travail, ce matin.

Tim, peu familier des bibliothèques il est vrai, ne se souvenait pas d'avoir jamais vu autant d'ouvrages, même à la *Montana Museum Library*; même de toute sa vie. Il n'avait jamais connu, non plus, une pièce d'une telle dimension. Était-il possible qu'il y en ait deux autres, abritant autant de bouquins, au-dessus de sa tête?

Il fit trois pas à l'intérieur, discrètement, mais la porte claqua bruyamment en se refermant derrière lui. Tim sursauta: au bruit qu'il avait fait, une silhouette s'était redressée derrière le comptoir. Celui qui devait être le bibliothécaire s'avançait déjà vers lui, traversant toute la salle.

—

— Tu dois être Timothy. Je suis Paul Hugo.

L'homme avait un franc sourire sous une chevelure broussailleuse, en désordre; il venait de lui parler en français, comme tous ceux de l'Institut – mais avec cet accent américain caractéristique de la côte est.

— Ronald m'a prévenu de ta visite, ce matin…

Paul Hugo avait les tempes argentées. Il était vêtu de flanelle et d'une veste en velours plutôt que de vêtements techniques de montagne. Et contrairement à Véronique et Matthew, il appelait McIntyre par son prénom: « Ronald ».

— … Il doit préparer un «conseil de guerre» imprévu, auquel je vais participer tout à l'heure, et il m'a demandé de te guider dans tes premières lectures. Je suis le responsable de cet étage de la bibliothèque, le plus vaste… C'est moi qui l'ai imaginé, avec Ronald, alors que nous n'étions que quelques-uns à nous intéresser au «Grand Secret» de la lycanthropie. Ronald en scientifique, moi en mythologue…

L'homme inspirait une sympathie directe, quelque chose de moderne et d'érudit à la fois. Sans forfanterie, mais sans fausse modestie non plus. Paul Hugo était manifestement fier de son travail – il l'emmenait déjà vers les premiers rayonnages, ceux qui encadraient la porte d'entrée, et sa main caressa le dos de quelques livres, vulgaires éditions de poche, ou vieux in-quarto reliés de cuir.

— Il y en a des milliers – mais si tu constates qu'il en manque, n'hésite pas à me le dire… Depuis que nous avons créé l'Institut, chaque pensionnaire contribue, par sa propre culture, à enrichir nos références. Pourvu bien sûr qu'elle concerne notre sujet…

Avec Paul Hugo, Tim ne ressentait pas la même singulière distance qu'avec «Ronald». Sûrement, en deux jours, on devait l'appeler simplement «Paul», sans autre titre, contrairement au «professeur».

Dans un élan, Tim ressentit l'envie impérieuse de confier à «Paul» tous ses doutes, ses questions. Mais non. Il songea aux fusils, au sac à dos caché dans les buissons, à la carte qu'il avait apprise par cœur. Une occasion pareille ne se représenterait pas.

Hugo continuait:

— ... Le principe de la bibliothèque est simple. Ce mur, celui devant lequel nous nous trouvons, concerne tous les ouvrages écrits en langue anglaise; le dernier tiers, sur le mur du fond, tous les récits en langue française. Ronald m'a dit que tu parlais ces deux langues; c'est heureux, tu profiteras de tout le fonds...

Un geste large, vers le mur de trente mètres, qui faisait face à la baie vitrée.

— Sur ce mur, il y a les ouvrages parus dans les autres langues, pour lesquels nous disposons d'une version originale, et d'une traduction en français ou en anglais... Lorsqu'elles n'existent pas, nous les traduisons nous-mêmes.

Paul Hugo disait toujours «nous», mais Tim fut aussitôt certain qu'il était probablement l'auteur, seul, de bon nombre de ces traductions. Cet homme avait une tête à parler et à écrire toutes les langues. Il chaussa des lunettes en demi-lune qui pendaient à son cou, retenues par un fin cordon de laine.

— ... Chaque mur constitue la somme de tous

les savoirs, tous les récits mythologiques, historiques, poétiques, magiques, romanesques, qui
évoquent sous une forme ou une autre la métamorphantropie. Ils sont classés dans l'ordre chronologique. Les ouvrages que tu aperçois sur le
premier rayonnage, au plafond, concernent donc
les écrits de l'Antiquité, ceux que tu as devant
tes pieds les parutions les plus contemporaines…

Tim regardait, en le retournant, le livre que
Paul Hugo venait de saisir à bout de bras, depuis
la troisième marche d'un escabeau, dans un
rayonnage situé à environ deux mètres cinquante
de hauteur. Il s'agissait d'une édition originale
de *Dracula* de Bram Stoker. Il l'ouvrit, aperçut
quelques-unes des gravures qui illustraient ce
classique de la littérature gothique. Il ne savait
s'il s'agissait d'une invitation à commencer sa
lecture par là.

Véronique avait dit: «Suis ton imagination…»
Il rendit le gros ouvrage à Paul Hugo. Le bibliothécaire hocha la tête, il continuait déjà:

— Bien entendu, le principe chronologique que
nous avons adopté a ses faiblesses… Concernant
les civilisations orales, nous classons certains
ouvrages purement historiques selon l'époque
dont ils traitent, et non celle où ils furent écrits.
Tu trouveras des récits totémiques, chamaniques
et mythologiques sur tout le mur, selon la date
d'apparition estimée par les historiens…

Tim ne fut même pas surpris que le bibliothécaire sache déjà quel était son principal sujet
d'intérêt. Tout le monde semblait connaître parfaitement son dossier...

— ... Tous les récits métamorphanthropiques
sont là... Mais au fait, comprends-tu les mots que
j'emploie?

Tim hocha la tête. Il ne voulait pas repartir dans
un cours de grec ancien. Il voulait se retrouver
seul, aussitôt que possible – pour répéter mentalement, dix fois, cent fois, le chemin qu'il allait
prendre dans trois heures.

— Bien. Ronald t'en dira davantage dès qu'il le
pourra, ce soir ou plus probablement demain. Et
d'ici là, la lecture de quelques-uns de ces ouvrages
t'ouvrira sans doute l'esprit et l'âme... Ils sont un
navire suffisant pour t'emmener presque au bout
du voyage, du moins si tu leur consacres le temps
qu'ils méritent. Pour ma part, c'est seul, grâce à
eux, que j'ai découvert le Grand Secret.

Paul Hugo avait un sourire toujours aussi
jovial. Il ne cherchait manifestement pas à intri-
guer le garçon, même si certaines choses qu'il
disait pouvaient sembler incompréhensibles. Tim
supposa que le bibliothécaire était un croyant; un
homme d'âge mûr, sain d'esprit, mais qui adhé-
rait totalement à la théorie que McIntyre lui avait
exposée, la veille, dans la voiture – la métamorphanthropie.

— … Tu verras, dans chaque livre, nous nous efforçons de proposer des références similaires, retrouvées dans d'autres récits. Ainsi, tu pourras circuler d'un livre à l'autre. Veux-tu que je te propose quelques premières lectures, ou préfères-tu t'aventurer seul, comme je te le conseille ?

Tim ne savait que dire. À ce moment, il aperçut, sur le rayonnage où Paul Hugo avait saisi son *Dracula*, une couverture familière : c'était *Les Rites secrets des Indiens sioux*, un récit recueilli il y avait presque un siècle par Joseph E. Brown auprès du *medecine man* des Oglalas, Héhaka Sapa (Black Elk). Ils possédaient ce livre, avec Ben.

— Je vais commencer par celui-ci, je crois… Et je vais essayer de me laisser entraîner dans le voyage dont vous me parlez.

—

Dans l'ouvrage sur le monde sioux, plusieurs dizaines de marque-pages concernaient les passages sur les animaux totems, les visions ; ils indiquaient des références. Chaque fois que l'auteur décrivait les liens étroits entre un chasseur et son totem, le rôle qu'ils jouaient pour ouvrir l'esprit, et surtout, la foi dans les métamorphoses. Les titres auxquels on le renvoyait étaient surprenants, déroutants – parfois, c'étaient des ouvrages sur les cultures amérindiennes ou précolombiennes; mais d'autres fois, des recueils anciens de la mythologie grecque ou de l'Inde védique, des romans du XIXᵉ siècle européen, des bouquins de science-fiction... Quel rapport avec le chamanisme? Au bout de quelques minutes à feuilleter ce premier livre, à en lire des passages soulignés, parfois un simple paragraphe, une phrase, parfois trois ou quatre pages, il alla chercher un autre ouvrage. Puis encore un autre, au gré des renvois.

Il apprit que les Apaches n'étaient pas les seuls à considérer que les hommes accèdent à la sagesse en devenant des corbeaux. Il commença son voyage...

*La Métamorphose*, de Kafka. Les *Métamorphoses* d'Ovide, celles d'Antoninus Liberalis, celles d'Apulée. *Le Roman de Renart. Les Fables* d'Ésope. *Le Livre des Merveilles* de Pierre Bersuire. Le *Speculum naturale* de Vincent de Beauvais. Les sorcières changées en chats au cours des sabbats, les démons, les incubes et les succubes, les envoyés des diables et des dieux...

Régulièrement, il jetait un coup d'œil à sa montre, mais le temps, qui au début semblait s'égrener trop lentement, accéléra sa course au fur et à mesure qu'il pénétrait l'esprit de cette bibliothèque.

Les pré-encyclopédies médiévales, les *Contes*

de Grimm. Les avatars de Shiva, de Vishnou et du Dieu singe. Elephant-man, Spiderman. Bastet, déesse-chatte. Io, femme vache antique. Les récits vampiriques.

La pièce s'était peuplée progressivement; six ou sept jeunes hommes et femmes, d'une bonne vingtaine d'années pour la plupart, peut-être trentenaires pour d'autres, s'installaient devant les ordinateurs, de grosses piles d'ouvrages posées à côté d'eux. La plupart travaillaient sur des projets précis. Mais d'autres vagabondaient, comme Tim – se levant au gré des références qu'ils découvraient, allant d'un bout de la bibliothèque à l'autre, laissant leurs doigts glisser le long des rayonnages où figuraient les décennies, qui constituaient le système de classement.

Les loups-garous. Les sirènes. Les mutants. Les monstres antiques et ceux du cinéma gore. Les dieux de l'Égypte, de la Mésopotamie, du panthéon inca, les hommes-animaux du vaudou. Les panthéons mélanésiens. Les galeries d'hommes-loups, d'hommes-chiens, d'hommes-serpents. Les hommes-requins des tribus du Pacifique, et ceux de la BD underground. Les enfants nés avec un corps en partie animal. Les méchants des magazines *Marvel*. Les malédictions du Moyen Âge. Les tares décrites par les zoologistes et les encyclopédistes du XVIII$^e$ siècle, par les premiers généticiens du XIX$^e$ siècle, par les romanciers gothiques ou les auteurs des romans de gare de la première moitié du XX<sup>e</sup> siècle. Les lycanthropes, les cynocéphales, les minotaures.

Son voyage était un bestiaire, plutôt qu'une compilation de récits. Seuls comptaient les personnages, les protagonistes, qui se faisaient écho d'un ouvrage à l'autre. Les passages annotés décrivaient des créatures animales, ou mi-humaines, sans s'accorder sur les circonstances des métamorphoses. Les récits eux-mêmes, la trame des histoires étaient négligés par ceux qui avaient établi les références.

Les mystères du Moyen Âge. Les créatures de série Z. Les relations de voyage des premiers explorateurs. Les collections de mythes exotiques.

Tim s'attardait sur certains livres, d'un marque-page au suivant, ou au gré des gravures, des illustrations, des planches anatomiques, des lexiques. Parfois en revanche, il quittait un ouvrage après n'en avoir lu qu'un paragraphe, allait en chercher un autre, nouvelle référence qui renvoyait immanquablement à une créature étrangement semblable, toujours cependant légèrement nuancée, et dont le sens, la nature, la signification différaient. Et dans ce nouveau livre, on parlait encore d'autres monstres, d'autres hybrides, pour de nouvelles références vers d'autres récits...

Les similitudes entre les créatures, décrites par

des civilisations et des cultures tellement différentes, à des dates éloignées et en des lieux antipo-
diques, étaient surprenantes – sidérantes, même.
Comment les Incas auraient-ils eu connaissance
des réincarnations hindouistes? Les poètes
fumeurs d'opium du XIX$^e$ siècle avaient-ils déjà
entendu les récits animistes d'Afrique, d'Amérique du Nord, relevés par les ethnologues du
XX$^e$ siècle? L'humanité entière avait-elle fomenté
des visions, des rêves, des créations communes
aux siècles, aux croyances, aux mythes?

Brefs passages ou passages longs. Descriptions
rapides ou notices encyclopédiques. Récits de
voyages, sermons, mythes fondateurs, carnets de
naturalistes, récits horrifiques, romans de science-
fiction, BD et fanzines. Tératologie. Mythologie.
Théologie. Des milliers d'interprétations d'une
même galerie de l'évolution, monstrueuse, pro-
téiforme, hybride, commune à tous les foyers de
l'humanité, sur tous les siècles. Rites, costumes,
masques, bâtons, totems : les hommes-lions des
Massaïs, les hommes-léopards du Congo, les
hommes-serpents des Incas, les hommes-oiseaux
du Brésil...

De temps en temps, sur son parcours, Tim croi-
sait le regard attentif, scrutateur de Paul Hugo,
qui le fixait derrière le livre qu'il annotait. Que
cherchait-on à lui dire, par tous ces renvois, ces
références? Que voulait dire «être initié»? Quel

était le Grand Secret – la métamorphanthropie, les «contes de fées» du professeur McIntyre?

Quel pouvoir pouvait prendre l'imagination? Vers quelle rive son intuition le portait-elle?

Il était inimaginable qu'on ait accumulé un tel savoir simplement dans le but de tromper des aspirants naïfs, pour les enrôler puis les dépouiller. Pas davantage pour rassurer des malades mentaux, dans un cadre thérapeutique. Les auteurs de ces ouvrages étaient-ils tous fous? Ces visions d'hybrides de l'homme et d'un animal, ou encore celles d'animaux humains, trop humains, étaient-elles toutes de la même veine? Ceux qui avaient conçu cela souffraient-ils tous de la même affection que lui, et que tous les patients de l'Institut? Mais, dans ce cas, que lui apportait de lire tous les récits qu'ils avaient dressés?

Savoir que la folie qui consiste à croire que l'on devient animal est une maladie universelle, savoir que de tout temps l'humanité l'a rêvé, était-ce une consolation?

Pourquoi avait-il par instants le sentiment étrange, sourd encore, d'accéder non à une aliénation mais à la révélation d'un savoir commun à toute l'humanité? Se pouvait-il que, vraiment, Paul Hugo et Ronald McIntyre croient à la métamorphanthropie?

—

Tout à ses lectures – et à ses questions –, il faillit manquer l'heure du départ.

Midi était largement sonné, Véronique n'était pas venue vérifier qu'il se trouvait dans la pièce. Peut-être aurait-il dû finalement partir dès 9 heures... À moins que Paul Hugo n'ait été chargé d'assurer la suite de la surveillance, jusqu'à l'heure du pique-nique.

Dans tous les cas, il n'avait plus le choix. Il devait partir, maintenant, en brouillant les pistes, et ses traces. Il se leva, une pile de livres dans les bras, vint la placer sur l'un des trois chariots. Il alla vers « Paul ».

— Je vous remercie pour ce début de voyage, mais je dois filer... Véronique m'attend pour un pique-nique au pic d'Oche.

En sortant, il frissonna de son mensonge au maître de la bibliothèque. On y était. À cette minute, il devenait officiellement un fugitif.

# 17.
## MOURIR

Il courait, contrôlant son souffle comme il avait appris à le faire, à la limite de la rupture… Sautant par-dessus des ronces, glissant parfois sur le reste des feuilles mortes de l'automne précédent, écoutant le sang battre dans ses tempes, l'air sortir de sa bouche. Mais sans se mettre dans le rouge. Il pouvait courir des heures ainsi.

Le paysage était une carte dans son cerveau, qu'il superposait à ce qu'il voyait – il enregistrait les distances, les lignes de niveau. Il savait où il se trouvait, précisément à trois kilomètres désormais à l'est du chalet, environ 400 mètres d'altitude au-dessus de la bibliothèque. Toutes les dix minutes, il vérifiait son cap sur sa montre altimètre, mais il aurait pu, au besoin, s'en passer.

Il était le maître du terrain.

Il ne ressentait même pas la peur. Sa fuite allait réussir. Malgré les deux semaines d'hôpital, le manque de sommeil, le peu de nourriture ingurgitée depuis la veille, son corps obéissait, pleinement, souplement.

Il aimait ces moments où soudain tout s'est enclenché, où il n'y a plus à tergiverser, simplement rompre son corps à l'effort demandé. Cavalier attentif de lui-même, détaché des muscles qui se gorgeaient d'acide, des poumons qui frappaient contre la cage des côtes, ouvert aux embûches et aux pièges du terrain. Il n'était plus qu'un cerveau, des yeux aux aguets ; la cartographie, comme la montagne, comme la fatigue de son propre corps étaient des données, qu'il fallait traiter.

Ces données étaient ses armes, son aire de jeu, et ses atouts.

Même si le jeu, cette fois, était mortel, même s'il y avait des gardiens, des fusils, il ne ressentait rien d'autre que le calme absolu du coureur des bois. Dans son dos, son sac brinquebalait. Deux fois, il s'arrêta quelques instants, pour resserrer les lacets de ses chaussures de raid, boire un peu. Laisser lentement le rythme de son sang retrouver la pulsation silencieuse, habituelle.

Il mettait le doigt sur son pouls, les yeux fixés sur sa montre.

On y était, il repartait.

Il franchit sans mal la clôture vers 17 heures, ce haut mur gris de pierres mal ajustées ; puis, obliquant vers le nord, il continua sa course en montant cette fois tout droit vers le col de Bénand. Il basculerait dans l'autre vallée deux heures avant la pleine nuit, ce qui lui permettrait, en dévalant la pente aux courbes de niveau plus douces, de mettre encore une dizaine de kilomètres entre lui et eux.

— —

Les deux hommes le surprirent environ deux kilomètres après le mur. Il ne les vit que lorsqu'ils l'eurent repéré. Il ne le sut qu'à leurs cris.

Deux silhouettes militaires, treillis noirs et imposants sacs sur le dos, bonnets de laine de commandos. Ils surgirent soudain, en même temps, l'un d'un fourré, l'autre d'un contrefort de terrain, à quelques dizaines de mètres l'un de l'autre. Ils s'étaient hélés en anglais, avec un accent rauque, saxon, germanique, pour celui des deux qui avait crié :

— En voilà un, stoppe sa fuite !

Les gardiens de l'Institut...

Tim n'eut que le temps d'entrapercevoir des armes dans leurs mains. Ne pas perdre une seconde. Il accéléra, mais le type planqué dans le contrefort, plus haut, avait trop d'avance ; il avait entamé une course lourde et rectiligne, perpendiculaire à la pente, et lui coupait déjà la route du col. Tandis que son cerveau interprétait encore l'information, le corps du jeune homme exécutait déjà la suite : une brutale volte-face et un plongeon, une course hallucinée dans les feuilles et les racines vers celui qui avait crié et lui bloquait le passage vers le bas…

En se lançant à pleine vitesse, il passa à trois mètres à peine de l'homme qui n'avait pas encore eu le temps de soulever l'arme à hauteur de poitrine. Il l'identifia dans un cauchemar médiéval: le type portait une arbalète.

Au moment où il le dépassait, Tim le regarda, immédiatement certain qu'il ne l'avait pas aperçu ce matin à l'Institut. Il aurait reconnu cette haute stature vêtue de sombre, cette immense barbe, ces cheveux longs et sales qui lui donnaient l'air d'un chasseur de vampires, d'une brute slave.

Avait-on prévenu le gardien par radio qu'il avait fui? Était-il chargé de faire le guet ici en permanence, et de capturer tous ceux qui franchissaient le mur?

Tim sentit plutôt qu'il ne vit le premier tir, un carreau de l'arbalète; qui le frôla dans sa descente alors qu'il avait déjà pris une quinzaine de mètres d'avance; dont il ne perçut que le souffle et le bruit, quand le projectile se ficha dans un tronc, à vingt centimètres derrière lui. *Cela* aurait dû le toucher – le tuer? D'instinct, il se plia en deux: les gardiens tiraient à vue. Vraiment. Étaient-ils là pour le neutraliser, le capturer – ou pour l'abattre?

Ne pas penser…

Il était dans la plus grande pente, il la dévala,

frôlant sans cesse la chute. Il se savait plus agile, plus souple, mais les deux lourds gardiens n'avaient pas accompli la même course que lui, pendant des heures. Il devait les semer très vite, prendre de l'avance, avant que le souffle lui manque.

Un sprint, après un marathon.

Question : quelle est la longueur de portée d'une arbalète ?

Question : quelle était l'arme du deuxième homme ?

Question : quelle chance avaient-ils de l'atteindre, dans une forêt où les troncs étaient autant d'obstacles à leurs visées ?

Un deuxième impact de projectile, aussi silencieux que le vent, à dix centimètres, frappa un tronc à gauche.

Il rompit sa trajectoire brutalement, pour se donner une chance. La rompit de nouveau, l'instant d'après. Puis fonça tout droit dans la pente pendant ce qui lui sembla quelques secondes d'éternité, le dos crispé, anticipant l'impact. Pas d'impact.

Ne pas se retourner. Courir en zigzag, mais sans régularité. Pour qu'ils ne puissent jamais anticiper. Il retrouvait la maîtrise de lui-même, en dépit des armes braquées dans son dos.

— Il arrive !

L'accent germanique avait de nouveau rugi, en anglais : le tueur à l'arbalète – déjà loin derrière lui, à en juger par son cri… Est-ce que d'autres l'attendaient plus bas? Instinctivement, tout en suivant la pente, il était en train de s'éloigner le plus possible du tracé du mur d'enceinte, gardant une vision lucide de la topographie des lieux. S'il continuait à dévaler ainsi, il ne tarderait pas à croiser la route par laquelle ils avaient accédé aux grandes grilles. Et qui dit route dit terrain découvert.

Il allait devoir bifurquer, si les tueurs en treillis lui en laissaient le temps.

Mais où se trouvaient les autres? Pour qui le barbu avait-il crié? Où?

Il entendit la première détonation, derrière lui. L'aboiement d'une arme à feu, cette fois. ON TIRAIT SUR LUI. À balles réelles.

Les échos de ce tir n'en finirent pas de gonfler, comme des vagues, dans la cuvette de la montagne. Toute la forêt stupéfaite semblait se taire soudain, sous la violence du bruit – la mort… Deux autres détonations déchirèrent ce silence suspendu, mêlées de cris.

Tim ne pouvait s'empêcher de sursauter à chaque coup, mais il ne s'arrêtait pas.

Quand la détonation retentit, la balle court-elle déjà vers son but? Est-il trop tard pour plonger? Que ressent la chair au moment où la balle…?

155

Un troisième homme en noir, assez semblable à l'arbalétrier, se redressa devant lui comme le font les cibles des baraques foraines; dans un buisson, à vingt mètres en contrebas. Mais le barbu, moins grand que son jumeau à l'arbalète, n'était pas une cible de stand de tir: c'est lui qui tenait le fusil. Il était le tireur. Et Tim, la cible mouvante.

L'homme épaula, le canon décrivit un bref arc de cercle jusqu'à ce qu'il l'attrape dans sa mire. Tim enregistra que l'arme était pointée sur lui. Une sorte de fusil d'assaut, ou de sniper, avec une lunette de visée. Comme dans un mauvais jeu vidéo.

Son corps se crispa.

Il ressentit une très vive douleur dans le flanc gauche, suffisamment pour qu'il se voie glisser, les deux genoux ployant en même temps. Bien avant le bruit de la détonation, qui ne vint pas. C'était donc ça, mourir – cette violente douleur, et plus rien, le silence?

Juste avant de basculer dans les feuilles, les mains en avant, il entendit cette fois une puissante explosion d'arme à feu *dans son dos*, et vit distinctement la moitié de la tête de l'homme qui le braquait exploser sous l'impact – une bouillie rouge, sanglante, à la place du visage. Sans comprendre, Tim roula dans les feuilles, entraîné par sa course dans un roulé-boulé hallucinant, jusqu'à heurter un tronc de mélèze.

Dans une sorte de brouillard, il releva la tête et vit deux hommes plus jeunes que les gardiens en noir qui s'approchaient. Ils avaient leurs fusils à la main, des armes modernes, perfectionnées, équipées de lunettes télescopiques. Ces deux-là n'étaient pas habillés de treillis sombres, ils portaient les mêmes vêtements montagnards que les pensionnaires de l'Institut, et ces gilets sans manches, orange, sur leur polaire.

Ils couraient calmement vers lui, comme font les trekkeurs en fin de randonnée, quand ils aperçoivent le refuge ; en plantant le talon de leurs chaussures de marche profondément dans le sol pour ne pas se laisser entraîner par la pente.

Tim ne parvenait pas à accommoder sa vision tremblante – il avait pris un coup sur la tête, dans sa chute... Il commença de se traîner sur les fesses, dans les feuilles, en essayant de s'éloigner des deux nouveaux venus, mais ses membres étaient lourds, engourdis ; il n'était plus capable de se mouvoir.

La douleur dans son flanc palpitait.

En se retournant, à quatre pattes, il vit que l'un des jeunes hommes habillés d'orange continuait vers celui qui avait perdu la moitié de la tête, tandis que l'autre s'avançait dans sa direction, calmement, en marchant, le fusil à hauteur de la hanche. Comme un cow-boy de western, songea Tim. Il ne parvenait pas à y croire. Mais il réussit enfin à faire le point ; ce fut pour distinguer précisément la gueule noire de l'arme, le doigt du gardien sur la queue de détente.

La lunette de visée attrapa un rayon de soleil, elle réfléchit cet éclair un bref instant.

Tim sut qu'il allait mourir, maintenant, dans ce tapis de feuilles. À ce moment, ses bras lâchèrent, il chuta violemment sur la terre, le corps inerte et mou ; il s'était évanoui.

# 18.

## LE CARCAJOU

Tim sentit la lumière entrer brutalement à travers son globe oculaire, fouailler le nerf optique. Une pensée frappa son cerveau: quand on meurt, on garde les yeux grands ouverts. Le défunt ne peut plus refermer les paupières, jamais, jamais – sauf si un ami compatissant lui passe la main sur le visage pour le faire.

«Tu n'as aucun ami compatissant» fut donc la première pensée qui traversa son esprit. Il battit des paupières, pour se protéger. Il y parvint. La deuxième pensée fut: «Tu n'es pas mort, Tim Blackhills.»

Il était allongé sur un lit de camp, des draps frais sur son torse nu. «On t'a déshabillé.» Quelque chose collait à sa poitrine; son biceps gauche était emprisonné; la douleur à son flanc n'était plus qu'un picotement.

Il entendait les voix, autour de lui, assourdies, comme si l'on chuchotait. «On te surveille.» Après une bonne minute, il décida d'arrêter le jeu des devinettes, ouvrit les yeux.

Il était dans une pièce d'assez belle taille, un bureau, éclairé par une large fenêtre par laquelle le soleil entrait généreusement. Les murs étaient couverts de rayonnages débordant de boîtes en carton. Dans le coin opposé au sien, une grande table, couverte elle aussi de dossiers et de papiers. Le lit reposait contre un mur peint en blanc. Tim souleva le drap qui le couvrait : on avait scotché des électrodes sur sa cage thoracique, reliées à une machine qui bipait et déroulait tranquillement le diagramme de ses battements cardiaques. Ce qui serrait son bras gauche était le bracelet bleu d'un tensiomètre. Il n'était pas dans un hôpital, cependant.

Les deux hommes et la jeune femme lui tournaient le dos. Ils discutaient à voix basse. Il reconnut le gilet orange de l'un des protagonistes ; à ce moment, la jeune femme blonde se retourna – peut-être avait-elle entendu le froissement du drap – et remarqua qu'il s'était réveillé. Le visage du type, cheveux cendrés très courts, qui portait le gilet s'approcha, très près, se superposa à sa dernière vision *ante mortem* : le gardien qui venait vers lui, le fusil à lunette sur la hanche.

L'homme, encore jeune, sourit gravement à Tim, puis, aussi brutalement qu'il s'était approché, se redressa et quitta la pièce avec l'autre gardien. Ne restait que la femme, qui avait un air familier, très familier…

Le cerveau hébété de Tim avait du mal à fouiller dans ses souvenirs. « Tu as déjà vu cette fille. Elle s'appelle… » « Tu es à l'Institut. » « Elle s'appelle… » « Elle était chargée de t'accueillir. » « Véronique. Elle s'appelle Véronique. »

Véronique était assise, maintenant, sur une chaise qu'elle avait tirée tout près du lit. Elle parlait doucement, presque maternelle, sans une nuance de reproche – et sans s'arrêter, non plus.

— Tu es de retour à l'Institut, Tim… Tu ne risques plus rien, ici. Les chasseurs t'ont touché, une seringue hypodermique, cela fait quinze heures que tu dors… Mais tu es sorti d'affaire, maintenant. N'essaye pas de parler, Tim… Pas encore… tu dois être épuisé…

Tim ferma les yeux, rasséréné par cette étrange litanie murmurée. Oui, il se sentait épuisé. Il voulait dormir, de nouveau.

— … Et le professeur arrivera bientôt, Tim. Bjorn est allé le prévenir…

———

McIntyre entra après un certain temps, impossible à évaluer. Tim avait redormi, plusieurs fois, et cette fois d'un sommeil naturel. Chaque fois, Véronique était là, et ses mots l'apaisaient. S'était-il écoulé dix minutes ? Dix heures ? Il vit que le soleil n'entrait plus dans la pièce.

Il se sentait un violent mal de crâne, et aussi

un inextinguible besoin de boire, la gorge sèche comme un volcan.

Il perçut le bruit de la porte qui s'ouvrait, les voix. Celle, reconnaissable, de McIntyre, qui s'adressait à Véronique avec son fameux jeu de basse. Une autre, masculine, qu'il connaissait aussi. Il regarda : le professeur était en train de dégager son bureau. Matthew, le rouquin, tenait un plateau-repas fumant, sur lequel Tim identifia immédiatement et avec avidité une grande bouteille d'eau. Un troisième homme était avec eux, le type au gilet orange et aux cheveux cendrés – son chasseur. « Bjorn » ?

McIntyre avança vers lui, un sourire préoccupé aux lèvres.

— Il vous faut manger et boire, Timothy. Reprendre des forces. Levez-vous…

—

Il était assis sur une chaise, le professeur avait pris place de l'autre côté du bureau. Les trois jeunes gens – Véronique, Matthew, Bjorn – restaient dans son dos, dans un silence impressionnant. Tous le regardaient manger, et boire, surtout, semblant attendre.

Tim se donnait du temps, mâchant lentement chaque aliment, reprenant pied dans la vie, reculant le moment des explications.

Le jour déclinait, dehors. Sa fuite avait commencé il y avait plus de trente-six heures. Sa capture avait eu lieu il y avait environ vingt-quatre heures. Il avait besoin de s'attacher à ces éléments pour reconstituer toute la réalité, après son sommeil artificiel.

— Vous n'auriez pas dû voir ce que vous avez vu, Timothy... Vous n'auriez jamais dû assister à cela, nous en sommes tous navrés... Mais d'une certaine façon, vous n'avez à vous en prendre qu'à vous-même, n'est-ce pas?

Le professeur McIntyre avait attendu patiemment jusqu'à la dernière bouchée, que le garçon avait fait passer avec une dernière gorgée. Maintenant, il ouvrait les hostilités.

— Je... Je suis...

— Nous ne vous demandons rien, Timothy. Aucune excuse.

Un sourire.

— ... D'autant que, si vous me répondez, ce sera pour me mentir, je le sais. Alors, pour l'instant, je souhaiterais que vous écoutiez nos explications, à propos de ce que vous avez vu... dans la forêt.

Tim se tut. Il hocha simplement la tête.

— Je comprends ce que vous avez pu penser, et ressentir, depuis votre arrivée, Timothy. Je le comprends d'autant mieux que, lorsque nous nous sommes aperçus de votre fuite, nous avons dû...

consulter la vidéosurveillance et... fouiller dans votre ordinateur.

Le professeur parlait avec une sorte de regret dans la voix. Comme s'il répugnait à ces méthodes. Du bluff ?

— Je suis désolé de cette intrusion, mais il s'agissait d'un cas de force majeure. Et heureusement pour vous, vous n'aviez pas effacé l'historique de vos recherches. Nous avons retrouvé vos vérifications sur vos comptes, sur le site des sectes européennes, sur l'Institut.

L'historique... Il avait oublié d'effacer ses traces sur Internet. Une faute de débutant.

— Des démarches légitimes... d'autant que nous avons sans doute sous-estimé le caractère impressionnant de notre inhabituel déploiement d'armes et de gardiens... En un sens, je comprends, je respecte et j'admire votre décision de fuir si vite. Vous êtes un garçon intelligent et décidé, Timothy.

La flatterie. Il ne tomberait pas dans ce panneau-là non plus.

— Intelligent, décidé, et remarquablement emmontagné... Heureusement, vous aviez laissé dans votre ordinateur les traces de vos recherches topographiques, qui se concentraient sur la vallée de Séchex. Nous en avons déduit votre route, et Bjorn et ses gars ont pu utiliser notre chenillette pour rattraper un peu de leur retard sur vous...

Mais en dépit de cela, et de leur parfaite connaissance du terrain, ils ont failli arriver trop tard… Les chasseurs vous avaient trouvé avant eux.

Tim, qui méditait ses différentes erreurs, percuta sur ce mot: les chasseurs. Véronique l'avait prononcé, elle aussi. De qui parlait-on? De ces gardiens qui lui tiraient dessus, avec des fléchettes d'arbalète? De ces hommes qui utilisaient le fusil contre un fuyard?

— Comprenez-vous de qui je vous parle, Timothy?

— Je… Je ne crois pas…

— Naturellement, nous vous aurions averti dans les semaines qui viennent de leur existence, mais rien ne pressait… Sauf que désormais, au cours de votre fuite, vous avez vu. Donc nous vous devons des explications… effrayantes, je le crains.

McIntyre repoussa ses lunettes qui glissaient sur le bout de son nez, joignit les mains, marqua une pause.

— Les hommes en noir que vous avez vus dans la forêt sont nos ennemis, Timothy. Ces ennemis puissants dont je vous parlais avant-hier. Ils nous chassent, voyez-vous, nous les anthropes, depuis des décennies, des siècles devrais-je dire. À leurs yeux, nous ne sommes rien de plus que des… proies, disons. Du gibier.

L'homme parlait avec un réel dégoût de tout cela.

— Quelques centaines de chasseurs, partout en Europe, connaissent le Grand Secret... Ils veulent rapporter chez eux la preuve qu'ils ont réussi à tuer un animal métamorphanthropique, lors d'une métamorphose. Ils sont... prêts à tout, comprenez-vous ?

Tim jugea bon d'opiner du chef: OK, le délire reprenait.

— Et nos informations nous indiquaient depuis plusieurs semaines qu'ils avaient finalement trouvé la trace de l'Institut. Désormais, grâce à votre fuite – ou à cause d'elle –, nous en sommes certains.

— Ces hommes en noir, ils... ils ne sont pas de l'Institut ? Que m'auraient-ils fait, selon vous ?

— Ils vous ont endormi, Timothy. Ils vous auraient emmené, et auraient attendu votre prochaine métamorphose. Pour vous relâcher, pouvoir vous chasser. Et vous tuer.

Tim frissonna, peut-être davantage à cause du ton glacé de McIntyre qu'à cause de ses propos. Comment croire cette histoire qui ressemblait aux pires séries B ?

— C'est la raison pour laquelle Bjorn et Micha ont dû les abattre.

Dans le silence qui suivit cette révélation, l'esprit de Tim recomposa toute la scène dont il avait été l'acteur dans la forêt. Les trois hommes en noir, leurs cris. Leurs armes médiévales. La fléchette qui l'avait touché. Les détonations, dans son dos. Le visage de son chasseur qui partait en bouillie sanglante. Les deux jeunes gens en gilet orange qui auraient pu, qui auraient dû l'exécuter, là-bas, dans les feuilles...

Nouvel agencement des pièces du puzzle. Nouveau panorama, nouvelle lecture de toute la scène : deux groupes de tireurs qui s'affrontent, mortellement, avec Tim Blackhills pour enjeu. Crédible, possible, cohérent. Totalement dingue.

Tim se retourna vers Bjorn, au visage impassible, derrière lui. Bjorn et son gilet orange. Bjorn et son fusil à lunette, qui avançait vers lui, la veille...

— Vous... Vous les avez... tués ?

— D'ordinaire, nous évitons l'affrontement direct, autant que faire se peut, Timothy, reprit le professeur, l'obligeant à se retourner de nouveau. Nous répugnons au meurtre. Mais je crains que désormais il n'y ait plus le choix. Les chasseurs nous ont déclaré la guerre. Et nous sommes prêts à la mener.

Silence assourdissant, pour digérer cette nouvelle.

— Pour les... meurtres... Vous avez prévenu la police ?

— Que croyez-vous que l'inspecteur Warren, par exemple, penserait de nos explications ?

Ce rappel brutal du flic, dans sa chambre d'hôpital de Missoula, à quelques milliers de kilomètres, donna à Tim le vertige. Que s'était-il passé, pour qu'il en soit là aujourd'hui, moins d'une semaine plus tard ?

— Bjorn et Micha les ont enterrés dans la forêt, après vous avoir ramené à l'Institut. Heureusement, votre cœur a bien encaissé la dose de pentobarbital que le troisième chasseur vous avait injectée... Nous nous en sommes assurés.

Par réflexe, Tim toucha son flanc. Il connaissait ce mot, on en parlait dans les documentaires animaliers qu'il ingurgitait naguère – pentobarbital. Un puissant barbiturique, utilisé en seringue hypodermique pour anesthésier les mammifères. Risques de surdose, pour les sujets cardiaques : mortels.

— Nous ne tenons pas à ébruiter la chose, même dans l'Institut... Pour ne pas provoquer de panique. C'est la raison pour laquelle nous vous avons alité ici, dans mon bureau. Même si j'imagine que tout espoir de secret est illusoire.

Le professeur s'était levé.

— De même qu'il serait illusoire d'espérer que vous me croyiez davantage, cette fois, qu'avant-hier... Ce qui est bien naturel, je vous le répète...

Et un signe d'intelligence, et d'indépendance d'esprit de votre part, Timothy.

Il avait contourné son bureau et ouvert une porte dans le mur ouest de la pièce.

— Nous n'aimons pas les gens bêtement crédules, Timothy. Mais nous souhaitons que vous soyez convaincu. Voudriez-vous me suivre, s'il vous plaît ?

—

La pièce creusée dans le roc, au bas de l'escalier, ressemblait comme deux gouttes d'eau à celle qu'il avait vue sous sa propre chambre : même obscurité, même lumière rouge, même grille puissante et métallique... Avec une nuance de taille, toutefois : une ouverture de la largeur d'une lucarne, pratiquée dans le rocher du fond du cachot, ouvrait vers l'extérieur et la lumière du jour. Impossible d'imaginer pouvoir se glisser par là, cependant, pour un garçon de sa taille...

Tim revit instantanément son cauchemar, celui qui l'avait tenu éveillé, une quarantaine d'heures auparavant. On y était. L'enfermement des fous. La geôle. Il avait cru qu'il ressentirait de la terreur, mais il était au contraire étrangement calme, froid. Il n'y avait rien à faire d'autre qu'entrer derrière le professeur à l'intérieur de la cellule. Derrière lui,

Bjorn, Matthew, Véronique pouvaient l'obliger à s'y résoudre, s'il résistait.

Il remarqua une desserte roulante, métallique, dans un coin de la prison, sur laquelle il vit différents ustensiles médicaux – coton et gazes, désinfectant, seringues, poches de plastique pleines de liquide. Il nota que les trois gardiens restaient à l'extérieur de la grille. Il songea un instant que s'il y avait sur la desserte un bistouri, avec ses deux mètres d'avance, il pourrait peut-être prendre en otage le professeur, et...

— Ce que vous allez voir devrait vous convaincre, Timothy. À condition que vous acceptiez l'idée toute simple que nous ne vous avons nullement drogué, que nous ne sommes pas responsables de votre sommeil artificiel.

McIntyre relevait déjà ses manches, comme un type qui s'apprête à devoir produire un réel effort. Le professeur mettait-il un point d'honneur à maîtriser ses victimes tout seul ? Les autres n'étaient-ils là qu'au spectacle ?

Il s'approcha de la desserte, prit une seringue remplie d'un liquide épais, qui paraissait brun rougeâtre à la lumière artificielle du cachot. Tim s'était attendu à ce qu'on l'entrave d'abord, mais il nota que, dans cette pièce, il n'y avait ni anneau ni chaînes... Comptait-on qu'il se laisse faire, comme un mouton ? Devait-il se débattre, même en pure perte ? Et comment espéraient-ils qu'il ne se croie pas drogué, alors qu'on allait lui injecter un nouveau produit?

McIntyre imbibait déjà un coton d'une solution antiseptique. Il le fixa, mi-amusé, mi-sérieux:

— Timothy, mon garçon, je vais devoir, avec un grand plaisir, prendre congé de vous pendant une vingtaine d'heures. Si vous le souhaitez, nous nous reverrons après-demain. Dans mon bureau, vers 8 h 30...

Puis, de façon totalement inattendue, il le regarda d'un air pénétrant:

— Savez-vous qu'en Amérique du Nord, le carcajou et le grizzly sont concurrents, dans leurs écosystèmes respectifs... Ils sont les seuls à oser s'affronter l'un l'autre. Une chose à méditer, n'est-ce pas?

Tim n'eut pas le temps de songer au caractère totalement absurde de cette dernière phrase. Dans un mouvement à la fois simple et brutal, il vit le professeur sangler un élastique en garrot autour de son propre biceps gauche, frotter une veine bleue avec le coton imbibé, dans le creux du coude, puis planter la seringue à cet endroit.

Matthew, d'un geste du bras, tira le jeune garçon en arrière de trois pas, pour le faire sortir de la cage. En même temps, il entendit le bruit de la seringue de McIntyre qui tombait et se brisait sur le sol, au moment où la grille claquait.

Et alors, il assista à l'incroyable.

Tim s'entendit prononcer à voix haute, comme s'il récitait une leçon. Dans une sorte de transe. Comme s'il fallait se convaincre de ce qu'il voyait, mettre des mots là-dessus:

— Le carcajou, classification latine *Gulo gulo*, mammifère mustélidé d'Amérique du Nord, seul représentant de l'espèce *Gulo*. En anglais, Wolverine. En français, glouton. Son nom canadien, carcajou, vient de la langue des Micmaques et signifie «esprit maléfique»... Certains le considèrent comme le plus dangereux carnivore d'Amérique du Nord...

En face de lui, derrière les grilles, une sorte de chien ou de petit ours, aux pattes courtes et épaisses, à la queue touffue, brun fauve tavelé de noir, la face et les oreilles comme un masque sombre. Les griffes immenses. L'animal se tenait exactement à l'endroit où, l'instant d'avant, le professeur McIntyre s'était injecté le liquide brun. Il semblait à Tim qu'il avait *vu* la métamorphose.

Il se passa une main sur les yeux.

Le prédateur marcha sur les débris de la seringue, glapit, siffla, ouvrit une gueule hérissée de dents blanches, puis se retourna et le fixa à travers la grille, de ses yeux bruns, en crachant. Comme s'il allait se jeter sur lui, malgré la cage.

— Charognard, omnivore, il est aussi capable de chasser des proies dont la taille est bien supérieure à la sienne, jusqu'à l'épuisement du gibier. Il isole les caribous malades et affaiblis dans la neige, puis les égorge ou les éventre. Il ne compte aucun prédateur sur son territoire de chasse, sinon l'homme. Sa capture représente cependant un réel danger pour les chasseurs indiens.

Le carcajou McIntyre, en deux bonds, fut près du mur du fond. Il sauta jusqu'à l'ouverture, son corps trapu s'y élança, puis s'y glissa malaisément. Les quatre personnes qui regardaient son manège, derrière les grilles de fer, ne bougeaient toujours pas, assistant à son échappée belle. Tim, les mains accrochées aux barreaux, continuait, à voix haute, de dérouler sa science, comme pour se persuader du miracle auquel il venait d'assister :

— Il est capable de disputer des charognes ou leurs proies au loup, et même au prédateur ultime d'Amérique du Nord, l'*Ursus arctos horribilis*...

La voix baissa.

— Le grizzly.

Un murmure.

— Mon anthrope... Moi-même.

Ce fut à cet instant que Tim Blackhills devint un initié.

# DEUXIÈME PARTIE

# PILLAGES

—

Timothy Blackhills
Flora Argento

# 19.

## LE NOUVEAU

Elle le vit revenir du chalet principal, encadré par Véronique et Matthew. Elle était sur le seuil, en train d'écouter sa musique dans les rayons orphelins du soleil couchant. Rock'n'roll sombre dans le casque – Noir Désir, qui portait bien son nom. Elle était restée là une bonne partie de l'après-midi, se doutant que «Timothy Blackhills» n'allait pas tarder. Elle voulait le voir arriver de loin.

Timothy Blackhills, leur nouveau colocataire: dix-sept ans, américain, orphelin de père, de mère, de frère depuis moins d'un mois. Arrivé l'avant-veille, dans la nuit, au mazot. Évadé la veille, à midi. Traqué sous le col de Bénand par les chasseurs de trophées. Sauvé in extremis par Bjorn et Micha, au prix de trois morts supplémentaires… Les nouvelles se répandaient vite, très vite, dans leur petite communauté.

Hier soir, on racontait déjà son histoire, parmi les initiés. Décidément, beaucoup de sang, de chagrin, de cadavres, autour de ce garçon, depuis quelques semaines. À croire qu'il portait malheur, comme un chat noir. «Un chat noir…» Cette pensée fit sourire Flora Argento. Le qualificatif ne convenait pas à Timothy Blackhills. Celui-là était un arktanthrope. Une espèce nouvelle : un grizzly.

Elle était l'une des seules à détenir cette information, parce qu'elle avait piraté le réseau interne, pour pénétrer dans les dossiers de McIntyre. Elle avait mené une enquête éclair quand on leur avait dit qu'ils allaient avoir un voisin de chambre. Elle avait réussi son intrusion, puis son exfiltration, sans laisser aucune trace derrière elle.

Timothy Blackhills était encore trop loin pour qu'on distingue véritablement son visage ; en grande conversation avec la jeune femme blonde et le géant rouquin, le sac à dos sur une épaule comme une besace, il avait l'air de vouloir retarder son entrée dans le chalet. Comme à chaque nouvelle arrivée, ou presque, le professeur avait dû lui faire sa fameuse démonstration, dans la cave. Et le nouvel initié était probablement sous le choc. Des milliers de questions sans réponses…

Bon, il allait falloir se montrer amicale et bavarde. Ou pas. Cela dépendrait de lui, de sa façon de se comporter, de se proposer ou de s'imposer. Ce n'était pas parce qu'on partageait un chalet qu'on allait devenir les meilleurs amis du monde, même si Timothy Blackhills devait avoir désespérément besoin d'un ami, ce soir.

Flora se leva, gravit les trois marches du chalet,

cria en entrant à l'intérieur, à l'attention de la porte fermée, sur sa droite :

— Shariff, voilà notre invité… Magne-toi de te faire beau, mon grand !

—

Véronique s'attarda un temps fou dans l'appartement du nouveau, sans doute pour lui faire des recommandations de repos, et l'assurer qu'il aurait ses premières réponses dès le lendemain. Ou le surlendemain, plutôt, quand le professeur aurait recouvré une forme humaine… À cette heure-ci, leur mentor devait courir la forêt, en chasse d'un quelconque gibier ou d'une charogne. Flora sourit : il était de notoriété publique que McIntyre adorait devenir un carcajou, il ne ratait pas une occasion de se transformer. Officiellement, toujours au nom des besoins impérieux de l'Institut. Officieusement… Cette fois, Matthew devait l'avoir supplié de rester à l'intérieur du domaine : dehors, il y avait les chasseurs, et la forêt grouillait aussi de gardes armés. Pendant vingt heures, cet imbécile de Bjorn allait s'arracher les cheveux et prier pour que ses gardiens n'abattent pas par erreur un *Gulo gulo* dépourvu du gilet orange réglementaire.

Sacré McIntyre…

Finalement, la « tutrice » ressortit et vint voir Flora dans le salon-cuisine-salle à manger.

— Il est sous le choc, mais il faut qu'il mange avant de se coucher, pour récupérer de l'injection de pentobarbital... Matthew va rapporter des pizzas pour vous trois. Si tu peux, essaye de...

— T'en fais pas, on ne va pas le laisser dîner tout seul. Et on va le bichonner, ton filleul, j'irai moi-même le border...

Un clin d'œil, mais convenu, sans humour. La jeune fille et la jeune femme ne s'appréciaient guère. Pour ces raisons mystérieuses et tacites qui veulent qu'une jolie blonde sportive, lumineuse, montagnarde, et une jolie brune, de huit ans sa cadette et sombre, casanière, fondue d'ordis, se pensent tout de même en concurrence quand elles sont dans la même pièce, malgré l'écart d'âge, d'intérêt, d'amitiés.

— Allez, t'en fais pas, Shariff a fini sa métamorphose dans une petite heure... D'ici là, je suis capable de prendre le relais.

Véronique se contenta de hocher la tête.

— J'imagine que vous avez mis un garde devant sa fenêtre, cette nuit, pour qu'il n'essaye pas de se faire encore la belle ?

La jeune femme opina de nouveau. Flora sourit. À son arrivée, elle aussi avait essayé de fuir. Trois fois.

Elle s'installa avec son petit Mac dans le canapé

défoncé du salon. C'est là qu'elle avait ses habitudes, et Shariff pouvait la laisser pianoter des heures, tranquille, dans l'extension commune de son domaine privé. Elle espérait que Timothy Blackhills aurait la même discrétion. C'est tout ce qu'elle demandait : qu'il la laisse tranquille. Avec son ordi, son prolongement du monde, sa cosmogonie. Et que les heures communes soient joyeuses, à défaut de paix intérieure. Parce que la paix, la sérénité n'existaient plus pour elle depuis dix-huit mois, et sa première métamorphose.

Ce soir, exceptionnellement, elle s'installait ici en acceptant l'idée d'être dérangée.

# 20.
## PREMIER DÎNER

La première chose qui la toucha, quand Tim parut, ce fut l'impression d'immense fatigue qu'il dégageait. Lorsqu'il poussa la porte de la pièce commune, environ un quart d'heure après le départ de Véronique, il sembla que même cela exigeait un effort. Huit heures de course en montagne, terminées par une poursuite contre la mort; douze heures de sommeil artificiel; un seul repas depuis hier matin.

Une deuxième chose frappa Flora alors qu'elle quittait sa position sur le vieux canapé, et se dépliait en lançant: «Salut, coloc'». Elle trouva Timothy Blackhills étrange, comme habité par une lumière sombre, un singulier charisme – quelque chose flottait sur ses traits, dans ses yeux d'un gris sombre. En contraste avec sa carrure, avec ce physique habitué au plein air, il se dégageait de lui immédiatement une mélancolie sans résignation, qu'elle trouva belle. Cette beauté était une chose très inattendue, une évidence parasite qui ne traversait jamais ses pensées d'ordinaire, et qu'elle considéra avec un profond agacement, comme une agression virale de son système. D'habitude, il suffisait de ne pas se poser la question, pour ne pas s'encombrer de la réponse…

Elle se leva, vint vers lui, lui fit une bise, à l'Européenne – elle vit qu'il s'empourprait, et nourrit un doux sentiment de vengeance ; le trouble avait changé de camp en quelques secondes. Debout devant lui, presque de la même taille, elle dit d'un ton qu'elle perçut trop railleur :

— Tu dois être Tim… Je suis Flora… Et ici, tu es chez nous.

Elle s'entendit prononcer ces paroles, comprit leur double sens possible, tenta de se rattraper :

— Je veux dire… Tu es chez toi avec nous.

C'était peut-être mieux. Elle allait se rasseoir sur le canapé, mais elle se ravisa :

— Tu veux boire quelque chose ? Si tu n'as pas trop les crocs, on va attendre Shariff pour dîner… Il n'en a plus que pour une petite heure.

—

Tim enfournait les cacahouètes par poignées. Si Shariff ne se pressait pas, on allait rapidement se trouver devant une situation critique – évanouissement par inanition. Ils avaient déjà fait, rapidement, le tour des sujets du jour : les mésaventures de Tim sous le col de Bénand, l'attaque des chasseurs, l'opération de secours meurtrière, la guerre déclarée avec l'ennemi atavique.

— Bienvenue dans notre monde de dingues, Tim… Ici, on vit dans un conte à dormir debout, et on en est les acteurs principaux. Surtout toi. Tu as réussi à devenir une célébrité dès ton premier jour, avoue que ça promet.

— Ouais… Sans compter ce que j'ai vu tout à l'heure dans la cave du professeur… Mais toi… Tu…

Ça y était, bien sûr. Second sujet imposé du jour : la métamorphose de McIntyre. Donc, les métamorphoses de chacun, la vie anthropique. Le sujet piégé.

— Moi, je m'appelle Flora Argento, j'étais de Rome, avant ; je vis ici depuis dix-huit mois, j'ai quinze ans. Et je n'ai aucune envie de te raconter ce qui m'arrive quand je descends dans ma propre pièce rouge, Timothy Blackhills. OK ?

Un masque de gêne (ou de consternation devant l'agressivité de son attaque) tomba sur les traits du nouveau, mais il se reprit, en bafouillant.

— OK, OK. Mais ce n'est pas ce que je voulais te demander, comme ça, de but en blanc… Je souhaitais savoir si tu avais aussi assisté à… *cela*… à ton arrivée ?

— Le show du carcajou ? On y a tous eu droit, tu vois. Et je suppose qu'ils t'ont gardé derrière la grille, comme s'il s'apprêtait à te mordre. Alors qu'il est parfaitement maître de ses métamorphoses. Il faut l'excuser, c'est son côté cabot.

— Encore en train de dire du mal de notre vénéré inspirateur shaolin, Flora ? Tu es incorrigible.

Alors que Timothy tournait avec surprise la tête vers la porte, Flora le regarda, lui : quelle impression produisait sur le nouveau l'intrusion théâtrale de Shariff ? La stupéfaction, d'abord, lorsqu'il dut baisser la tête – parce que celui qui venait d'entrer avait douze ans, et qu'il n'avait la taille encore que d'un enfant, maigrichon, alors que sa voix était presque celle d'un adulte. Puis, une sorte d'amusement – parce que Shariff, comme toujours, apparaissait en peignoir de boxe, l'un de ces peignoirs qu'il se faisait floquer sur mesure, avec son nom brodé sur la poche de poitrine et en grand dans le dos, dans des tissus brillants aux couleurs discutables ; les cheveux gominés en arrière, plein de gel « effet mouillé », sous la capuche ; et les jambes nues dans une paire de grosses chaussures de montagne, délacées comme toujours. Ce qui, on le conviendra, n'était pas la tenue la plus ordinaire, à l'Institut comme ailleurs – même si la *nature* de Shariff justifiait un peu ses excentricités vestimentaires.

À partir de cette entrée en scène, la soirée changea du tout au tout.

En deux temps trois mouvements, le jeune garçon avait disposé sur la table basse du salon ses récipients de terre cuite, remplis de purées de légumes et de fèves.

— Mon mezze de bienvenue, dit-il, devant la mine interdite et vaguement méfiante de Tim. De la nourriture de chez moi, garantie pure cuisine arabo-phénicienne. Tu n'es pas raciste, j'espère ?

Après une telle entrée en matière, il était impossible à Tim de ne pas goûter… Il s'y essaya, pendant que Shariff glissait les pizzas dans le four, tout en servant de nouveaux verres à ceux qui, désormais, étaient ses hôtes.

— Comme tu le constateras, Flora est une exécrable maîtresse de maison, si bien que je dois me débrouiller seul pour les tâches domestiques… Mais j'avoue que cela ne me dérange guère, et d'ailleurs *s'il y en a pour deux, il y en a pour trois*, dit le proverbe… Ainsi donc, tu as eu droit à la démonstration de notre-maître-à-tous… Elle t'a convaincu, je suppose ?

Tim, subjugué par le débit torrentiel, opina simplement du chef. Déjà, Shariff reprenait.

— Bien sûr. « Parce que tu as vu, tu crois… Heureux ceux qui croient sans avoir vu », disent les Évangiles. Mais du moins es-tu plus sage que notre amie, à qui il a fallu encore deux évasions, après ce spectacle, pour finalement décider de partager mon humble compagnie.

— Tu as… ?

Tim se tourna vers Flora, d'un air impressionné et stupéfait.

— Qu'est-ce que tu crois ? Tu n'es pas le seul à savoir faire le mur…

— Mais avoue que tu n'avais pas fait ton coup en pleine guerre avec les chasseurs, Flora. Non, je crois sérieusement que notre ami détient la palme de la meilleure première journée à l'Institut, du moins à mes yeux de misérable mémorialiste, moi qui ne suis ici que depuis quatre années… Bon, à table, sauf si vous désirez de la gastronomie italienne calcinée.

Le reste fut à l'avenant. Sitôt attablés, Tim posa quelques questions, et Shariff se prêta à l'exercice qu'il préférait : raconter son hallucinante histoire. Comment il était devenu, à huit ans, le plus jeune anthrope de l'Institut. Comment il avait auparavant survécu à plus de deux cents métamorphoses.

— Je passe la moitié de ma vie transformé, j'alterne toutes les six heures quinze. Soit presque deux métamorphanthropies et deux retours à l'humanité par jour… Quand le professeur m'a recueilli, j'en étais à presque deux mois de ce rythme, davantage de métamorphoses que ce que certains d'entre vous vivent en une vie…

— Mais comment se fait-il que… ?

— Comme tu le sais sans doute, les *luxna* dépendent soit du cycle lunaire, soit d'un épisode sanguin. Pour mon malheur, mon «déclencheur» est calé sur le rythme des marées semi-diurnes, en Bretagne nord. À chaque marée montante, je redeviens le magnifique play-boy que tu as devant toi. Mais dès que le reflux commence... plaf!

Flora remarqua que Tim ne posait pas la question qui s'imposait, à ce moment du récit. Il ne demandait pas quel était l'animal métamorphique de Shariff. Parce qu'il avait retenu la leçon de McIntyre, ou parce que sa réaction à elle, épidermique, l'avait déjà échaudé?

— Tu dis que les métamorphoses obéissent à la lune... ou au sang?

— Oui oui, mais ne t'en fais pas, tu en apprendras bientôt autant que moi sur tout ceci. «Tu regardes le miroir, et le miroir te regarde», dit Lao Tseu. Tu mèneras ta propre enquête avec notre-maître-à-tous, pour déterminer en quel événement a consisté la morsure, et celui qui déclenche tes métamorphoses, selon l'animal que tu incarnes...

Flora avait donné voici deux jours au tout jeune garçon les résultats de son enquête: leur nouveau colocataire serait un grizzly. Shariff faisait comme s'il l'ignorait.

— Bref, le professeur et la méditation te permettront de saisir ces bases de la métamorphose, avant d'entrer dans la grande question: celle de la maîtrise.

— La maîtrise?

— Évidemment. Une fois que tu pourras prévoir les métamorphoses, encore te faudra-t-il devenir un maître zen, pour garder tout ton esprit, ton âme et tes instincts humains, même dans la peau animale de ton totem, jeune homme.

— Mes... instincts?

— Certes. Beaucoup d'entre nous ont la malchance de revêtir des oripeaux, une apparence et des sens assez bestiaux, lors de leur métamorphose. Ces malheureux en sont réduits à se nourrir de gibier, à saigner leurs semblables, à agresser même l'être humain, pendant ces navrants épisodes...

Tim s'assombrit soudain et Flora se demanda pourquoi il se rembrunissait. Elle avait lu, dans les notes du professeur, qu'il y avait des zones d'ombre autour de l'accident qui avait tué la famille du jeune homme, à Missoula: un flic le soupçonnait, une affaire de came. Se pouvait-il que...?

— Mais quant à nous, qui sommes les plus jeunes, nous nous devons d'être les plus éclairés, et de constituer une véritable avant-garde, capable d'une absolue maîtrise de nous-mêmes dans l'animalité comme dans l'humanité. «Il est plus facile de renoncer à une passion que de la maîtriser»,

Friedrich Nietzsche. Or, j'en ai peur, nous ne pouvons renoncer à notre étrange «passion», nous ne pouvons que la domestiquer...

Flora décida qu'il était temps d'alléger l'atmosphère, et elle savait ce dont ils avaient besoin. Il fallait hâter la révélation qui aurait cette vertu :

— Shariff est notre maître zen à tous, il est le seul de tous les pensionnaires à conserver tout son esprit humain à chacune de ses métamorphoses. Au point de pouvoir continuer de penser comme un être humain, de ruminer Lao Tseu, et même d'écouter la conversation du misérable vermiceau que je suis, alors qu'il est entièrement métamorphosé...

— Métamorphosé en... quoi ? craqua finalement Tim.

L'heure du triomphe désolant de Shariff était venue :

— En homard, mon ami. En homard bleu d'Armorique, *Homarus gammarus*, roi des sept mers... Et un homard pensant.

Comme à chaque fois, sans pouvoir – ni vouloir – se retenir, Flora et Shariff partirent d'un gigantesque éclat de rire.

—

L'histoire stupéfiante et tragique de Shariff exerçait une fois de plus son extraordinaire vertu. Et maintenant, Tim les avait rejoints dans le délire : toutes les deux minutes, ils pouffaient tous les trois à s'en étouffer, avant de repartir vers un nouveau drame...

Shariff avait raconté déjà comment, lors de vacances au bord de la mer, il avait subi sa première métamorphose. Comment il avait sans doute disparu en mer, ses parents le croyant probablement noyé. Comment il s'était retrouvé, totalement nu, six heures quinze plus tard, et à plusieurs kilomètres de là, jeté sur le sable par la marée montante, en pleine nuit. Comment il s'était caché dans le varech, n'osant peut-être pas exposer sa merveilleuse anatomie de jeune éphèbe, persuadé qu'on le chasserait de partout – ou pour une autre raison, ne pouvant espérer du secours. Puis, de six heures quinze en six heures quinze, il avait évolué pendant cinquante jours le long de la côte bretonne, caché dans les rochers sous sa forme de crustacé à marée descendante, sous sa forme humaine à marée montante, terrifié par ce qu'il *sentait* lui arriver.

— J'avais conscience d'être un homard la moitié du temps, tu comprends... Et j'avais la trouille que, si je revenais parmi l'espèce humaine, mes parents se mettent en tête pour fêter ma réapparition de faire bouillir et de manger l'un de mes congénères.

Tout ce qu'il racontait relevait de la pure invention : quand le professeur l'avait rencontré, quelques semaines après le drame, Shariff n'avait conservé aucun souvenir de ses premières métamorphoses, il avait même oublié son nom. Amnésique. Son black-out commençait alors à peine à se dissiper...

— Le mur blanc... Le professeur a eu beau chercher, il n'a jamais retrouvé trace de ma famille, ni de la quelconque noyade d'un enfant, aux dates concernées. J'ai même eu le droit de me choisir un prénom, au prix d'un jeu de mots douteux. En revanche, quand j'ai rencontré notre-maître-à-tous, j'avais déjà progressé dans la maîtrise zen ; et je me souvenais parfaitement des derniers jours, passés à la clinique où l'on m'avait recueilli. Je lui ai raconté comment, chaque fois que je me métamorphosais, je sentais le truc venir, et je me glissais dans les douches ou dans les toilettes, pour me planquer dans les conduites et ne pas servir de dîner au personnel hospitalier. Vous imaginez, un Shariff au xérès...

Les yeux de leur invité luisaient, d'incrédulité peut-être, encore, mais surtout d'amusement... Le récit magique de Shariff avait cette autre vertu – quand on l'avait écouté, tout paraissait possible.

— Je nageais donc deux fois par jour dans ce qu'il est convenu d'appeler le trou des chiottes.

Et fort heureusement, j'étais déjà suffisamment shaolin pour remonter hors des toilettes pile avant mon retour corporel parmi l'espèce humaine. Sinon, je me serais noyé, et aurais durablement bouché toute la plomberie de la clinique psychiatrique de Saint-Brieuc.

Il semblait, quand il le racontait, qu'on pouvait voir les scènes flotter dans l'air, comme si le jeune garçon avait dessiné, devant leurs yeux, un garçon qui se débattait dans les tuyaux... Mais soudain, Shariff redevint sérieux.

— Le professeur était venu me rendre visite, intrigué par les informations qu'il avait recueillies sur ce jeune patient intégralement amnésique, et qui semblait posséder le pouvoir de s'évanouir à heures fixes, deux fois par jour, pendant six heures quinze, pour faire ensuite son *come-back*. Je ne sais pas pourquoi, quand je l'ai vu, j'ai su immédiatement que je pouvais lui faire confiance. Je lui ai tout dit, et je ne l'ai jamais regretté : le soir même, j'étais en route vers l'Institut. Dans mon aquarium portatif...

Un nouveau rire des deux compères. Mais Tim, lui, était resté grave, cette fois.

— Moi aussi, j'ai voulu absolument faire confiance au professeur, dès qu'il est entré dans ma chambre d'hôpital. Parce que je devais trouver une réponse à mes questions.

Le silence tomba. Il y avait sur les traits du jeune homme, brutalement, une douleur inaltérable, inconsolable. Shariff, qui s'était levé pour aller chercher la troisième pizza – Tim venait d'en engouffrer une et demie à lui seul –, resta interdit, la main sur la porte du four.

— Le seul souvenir que je gardais de la nuit où mes parents et mon frère sont morts, c'est que j'avais été un ours... un grizzly. Et j'ignorais si je les avais tués.

Tim sembla se perdre dans la contemplation de son assiette vide. Il fallait que Flora rompe ce silence...

— Et... Et tu as trouvé ta réponse ?

Tim secoua la tête.

— Non, mais après ce que j'ai vu cet après-midi, je recommence à croire que...

La fin de la phrase resta suspendue. Shariff s'était repris, et pour cette fois, il n'en fit pas trop :

— Que tu es au meilleur endroit pour la trouver ? Tu la trouveras, Tim... Sans aucun doute, tu la trouveras.

Puis le garçon fit le tour de la table, pour se placer face à son interlocuteur :

— À propos de ta métamorphose, Tim... De ton animal anthropique. Nous... Nous te remercions de ta confiance... Et nous devons nous excuser, tous les deux, parce que nous le savions déjà. Flora est un peu pirate, du genre informatique, vois-tu... Et nous sommes allés voir dans ton dossier, avant-hier, quand nous avons su que tu allais t'installer. «Curiosité n'est que vanité», Blaise Pascal.

Tim les regarda l'un après l'autre, il hocha la tête d'un air entendu, lentement:

— Je suppose que j'aurais fait comme vous.

— Mais ça n'arrivera plus, Tim... Je te jure que je respecterai ton intimité maintenant.

Après cette promesse, Flora le regarda droit dans les yeux. L'aveu de Tim venait de faire tomber quelques lignes de fortification. De nouveau, elle le trouva beau, mais cette fois, c'était aussi la surprise de le voir exposé, à leur merci, sans défense pour protéger son propre drame intime – sans aucun artifice. Elle sentit sa lèvre qui tremblait. Bon sang, elle n'allait quand même pas se mettre à pleurer.


— Bon, eh bien, je crois qu'il va être l'heure pour le homard d'aller faire trempette, dit Shariff en se levant...

Flora regarda sa montre: ils avaient repris la discussion, en long, en large, en rire. Il était près de 1 heure du matin. Elle n'avait pas tenu sa promesse de veiller à ce que Tim prenne du repos, mais tant pis...

— Et à propos, pour le piratage de Flora... Il n'est pas... indispensable que le professeur soit au courant, quand il reviendra de son escapade mustélidée, dit encore Shariff, à la porte.

— Compte sur moi, sourit Tim.

Il lui répondait à lui, mais il sembla à Flora que le sourire était pour elle.

# 21.
## BLACK HAT

Elle avait menti. Cette nuit-là, après que les garçons eurent regagné qui sa chambre, qui son aquarium, elle passa le reste de ses heures sur son ordinateur, et cassa une grosse dizaine d'accès interdits, pour tout savoir sur la vie, les secrets, l'étrange pli qu'avait pris ces dernières semaines l'existence de Timothy Blackhills.

Elle apprit qu'il possédait désormais la maison de ses parents, plusieurs comptes en banque bien remplis. Cela ne l'impressionna pas : quand elle avait besoin de fric, elle savait le prendre là où il était, dans des comptes *off-shore* internationaux se voulant suffisamment discrets pour que les titulaires dépouillés n'aillent jamais porter plainte. Tim était le seul héritier d'une coquette somme, OK. Il avait également parlé de ses parents et, sur un ton différent, de son frère : elle alla fouiller de ce côté-là...

Elle entra dans leur blog commun, *the Blackhills'project;* les frères avaient rêvé de devenir archéologues, spécialistes des cultures amérindiennes. Ils avaient déjà accompli des explorations, remarquables pour leur jeune âge, dans la forêt canadienne, dans différents massifs de haute montagne états-uniens. Apparemment, Ben était le cerveau et le théoricien du duo, et Tim, le chien fou – il semblait chercher l'aventure plus que la connaissance.

— Merde, un sportif, dit-elle à voix haute, suffisamment fort pour s'entendre malgré le casque vissé sur les oreilles, qui déversait du rock'n'roll.

Puis, elle força les mots de passe de leurs deux messageries : Ben et Tim à livre ouvert. Si le garçon qui dormait à côté l'avait surprise à cette minute, il aurait pu constater une mise à sac de son intimité. Mais Timothy Blackhills n'en saurait rien. Catwoman ne laissait jamais aucune trace, et elle utilisait les adresses IP d'autrui… Catwoman, son pseudo dans l'univers virtuel, le fantôme de Flora, qui lui servait d'avatar et, parfois, de cheval de Troie. Il y avait d'ailleurs, au-dessus de son lit, un dessin original de la créature de *comics* – signé Bob Kane et acheté hors de prix sur Internet, avec l'argent de son premier *cracking*.

Ni Flora ni Catwoman n'éprouvaient aucun scrupule à fouiller, comme ce soir. Depuis plus de trois ans, elles violaient systématiquement toutes les lois qu'il était possible d'enfreindre, en matière informatique et numérique. Elles étaient, à elles deux, une *black hat* confirmée, admirée, même si la plupart de leurs exploits demeuraient inconnus. C'était le demi-frère de Flora qui lui avait appris les rudiments de technique, dix-huit mois avant le drame, du temps où elle n'était qu'une *script kiddie*, une pirate débutante. Elle restait fidèle à ses enseignements, mais elle était devenue infiniment meilleure que lui, aujourd'hui. Du coup, entrer dans l'ordinateur de quelqu'un qui l'intéressait et l'intriguait lui paraissait la démarche la plus élémentaire.

Les e-mails entre les frères Blackhills évoluaient, ces derniers temps. Environ six mois de correspondance conservés intégralement, du côté de Tim. De toute évidence, pendant son stage en Colombie-Britannique, Ben avait découvert une partie du travail plus méticuleuse, scientifique, et moins épique, de l'archéologie. Son cadet en était resté aux images d'Indiana Jones. Cela n'empêchait pas une fascination, une admiration mutuelles et une évidente proximité.

Elle n'avait jamais expérimenté cela – une relation vraiment fraternelle. Enfant unique, encore plus seule après la séparation de ses parents et le remariage de sa mère, elle s'était passionnée pour les ordis, afin de se rapprocher de son nouveau demi-frère – mais Enzo avait huit ans de plus qu'elle, et il ne l'avait jamais vraiment prise au sérieux. Où qu'il soit, s'il la voyait, maintenant, que penserait-il de Catwoman ?

Avant de quitter la messagerie de Tim, elle se surprit à circuler dans les autres messages archivés. Elle avait déjà lu tous ceux qui concernaient Ben, mais quand elle eut constaté qu'aucun autre ne s'adressait à une fille, du moins sur un mode amoureux voire simplement équivoque, elle éprouva une vraie satisfaction.

—

Elle effectua vers 5 heures du mat' son intrusion la plus délicate – 9 h 00 p.m., dans le bureau d'investigation de la DEA, Missoula, Montana. À cette heure, elle avait de grandes chances de ne pas se faire remarquer.

Elle avait suivi sur l'ordi du professeur le début de l'enquête de l'inspecteur Dennis Warren: la *Tiger Eye*, les soupçons contre Timothy Blackhills – camé? meurtrier? Le flic n'avait que dalle, aucune preuve, seulement une coïncidence: trois autres crimes récents, commis à Boston, New York, L. A.; sous drogue chimique; où les tueurs s'étaient *crus* des prédateurs. Et la présence signalée de la nouvelle drogue à Seattle, d'où revenaient Tim et sa famille.

Ce que le flic ignorait: Timothy Blackhills – Tim – ne se *croyait* pas un fauve. Il *avait été* un fauve. Dennis Warren ne pouvait pas l'imaginer.

Elle remonta cette fois le cours de l'enquête, dans la messagerie même de Warren, fouillant dans ses transmissions sur le serveur. Rapports remis aux supérieurs. Requêtes auprès du procureur de l'État, pour l'ouverture d'une enquête pour meurtre, alors que le *Missoula Police Department* avait déjà classé l'accident de la route...

Message entrant, depuis le siège de la DEA, le 19 juillet, à tous les agents : un nouveau meurtre, commis à New York, dans le Village ; fort soupçon de lien avec la *Tiger Eye*. Suspect jeune, friqué, « arty ».

Message sortant, le 19 juillet, de Warren à ses supérieurs : l'inspecteur notait le départ pour l'Europe de Timothy Blackhills, son principal suspect de présumé parricide et fratricide, dans ce qui n'était pas encore officiellement une enquête criminelle. Demande de renseignement transmise à l'administration, concernant un hôpital psychiatrique et de soin cure et postcure : l'Institut de Lycanthropie, France.

Faits nouveaux, depuis : 20 juillet, Warren identifie et secoue le dealer de Timothy et Benjamin Blackhills. Les deux frères consomment depuis deux ans de l'herbe, et des amphétamines légales et illégales.

— T-t-t, petit camé, Timothy Blackhills... Si ça se trouve, tu en as plein ton sac à dos, de ta dope de merde.

Note de Warren à ses supérieurs de la *Drug Enforcement Administration* : dernier achat de produits sept mois avant l'accident, chez un dealer de Lynch St. Sept mois, donc avant la mise en circulation de la *Tiger Eye*... Question : les frères Blackhills ont-ils changé de pourvoyeur ? La came vient-elle de Colombie-Britannique ? De Seattle ?

Le lendemain, 21 juillet, soit le jour de la fuite de Tim : Warren signale au procureur de l'État des mouvements de fonds sur les comptes surveillés de Timothy Blackhills, qui transfère sitôt arrivé en Europe une partie des avoirs de ses parents dans une banque française, et demande à son avoué de changer les codes d'accès à ses comptes. Pourquoi ? Comment compte-t-il dépenser cet argent, en France, alors qu'il est censé se soigner dans une clinique ?

Même date, 21 juillet : Warren obtient enfin du procureur le permis d'exhumer les corps de John P., Geneva et Benjamin Blackhills, dans le cadre d'une enquête préliminaire contre X, sur des faits supposés d'agression aggravée et de meurtre sous l'emprise de stupéfiants.

Même date, 21 juillet, dernier message entrant : la DEA confirme à ses agents que le meurtre commis dans le Village trois jours auparavant s'est produit sous l'emprise de la *Tiger Eye* et envoie les résultats des analyses sérologiques du suspect, pour comparaisons éventuelles, ainsi que les clichés de sa victime – insoutenables. L'œuvre d'un dément, d'un gentil jeune homme sans histoires, noctambule, aimant trop faire la fête ; devenu brutalement prédateur fou. Message entrant prioritaire de l'administration de la DEA : urgence n° 1, identifier les lieux de vente et les réseaux de trafic de la drogue chimique *Tiger Eye*, et établir des cordons sanitaires.

Flora referma les dossiers. Elle en savait désormais beaucoup. Bien plus que le trop joli garçon, un peu fumeur, un peu aventurier, orphelin, soupçonné de parricide et fratricide, qui dormait dans la chambre voisine…

L'autopsie de la famille de Tim aurait lieu le 23 juillet au soir, heure de Missoula. Après-demain, à l'aube, heure locale de l'Institut.

Après-demain, les premiers résultats de médecine légale tomberaient et pourraient permettre, théoriquement, l'inculpation du garçon, avec mandat d'arrêt international. « Pourraient permettre », à une condition : que Timothy Blackhills ait commis le meurtre.

L'autopsie ne conclurait en fait jamais à sa culpabilité. Même s'il était coupable, l'examen de médecine légale démontrerait le contraire. Parce que le coupable n'avait pas tué dans son « état normal ». Et les amphètes n'avaient strictement rien à voir avec ça ; mais les flics de la DEA et le procureur de l'État du Montana l'ignoreraient.

# 22.

## LE PREMIER JOUR

Il se réveilla à presque 14 heures, le corps saoul de sommeil. Le soleil entrait par paquets poudreux, à travers le rectangle de sa fenêtre. Il se remémora, assis sur son lit, l'endroit où il était, en ressentit une étrange gravité – c'était le premier matin où il était *de* l'Institut. L'avant-veille avait été l'aube d'un fuyard, aujourd'hui était celle d'un initié. Qui avait des alliés, des amis peut-être.

Après de rapides ablutions, il alla dans la cuisine et eut la certitude, quand il vit Flora, qu'elle l'y attendait. Elle était en train de dresser un royal petit déjeuner de fruits frais, d'œufs au bacon et de pain épais, avec des confitures, sur la table.

— Shariff aurait voulu être là, tu l'as manqué d'un rien, mais la marée descendante l'a rappelé, sourit-elle... Tu as dormi douze heures.

Il trouva que le sourire de la jeune fille était encore plus éclatant que la veille, lorsqu'ils s'étaient séparés.

Elle s'assit à la table avec lui, devant un simple bol de café noir comme ses cheveux ailes de corbeau. Sans sucre. Cela collait avec cette impression de résolution austère qui lui faisait paraître bien plus que ses quinze ans. Tim avait éprouvé hier, vivement, l'illusion qu'il était son cadet – parce qu'elle était là depuis plus longtemps? À quoi ressemblerait-il donc, dans un an, aurait-il cet air plus mûr, qui faisait même de Shariff un presque adulte?

Flora éclata de rire:

— Finalement, tu n'es pas un bavard, ou t'es juste pas du matin? Quand tu parlais, hier soir, c'était peut-être l'effet du pentobarbital.

— Excuse-moi… C'est juste que… J'ai l'impression de…

— De commencer une nouvelle vie, toute neuve? Je connais… J'ai ressenti ça aussi, le jour où j'ai décidé que je ne m'enfuirais plus.

Elle avait dit cela d'un ton enjoué.

— Sauf que ça m'a pris plus de temps que toi… Presque trois mois, en fait.

— Tu n'y croyais pas?

— Aux… trucs de métamorphose? Oh, si… Tu parles… J'avais eu droit au show de McIntyre, moi aussi. Mais je ne voyais pas l'intérêt, ni même la possibilité, de vivre avec de parfaits inconnus pendant plusieurs mois de ma vie, tu vois. Je ne suis pas très famille recomposée, je suppose.

Le ton de la jeune fille était perpétuellement goguenard, avec une sorte de distance amusée (ou cynique?) sur elle-même, sur la vie. Cela n'empêchait pas de l'écouter; c'était sa façon de faire, et cela évitait la solennité des aveux et des confidences.

Elle se livra, ce jour-là, attablée avec Tim. Une sorte de session de rattrapage, puisque finalement, la veille, elle n'avait rien dit d'elle. Elle raconta comment ses parents s'étaient séparés lorsqu'elle avait dix ans, comment son père était parti avec une inconnue de vingt ans, puis que sa mère s'était remariée avec un homme plus âgé qui ne s'intéressait guère à la gamine de sa nouvelle compagne. Le fils de cet homme, Enzo, déjà étudiant, n'était pas davantage passionné par le sujet.

Puis l'accident, un soir où Enzo revenait au domicile familial, et où on avait envoyé Flora dormir chez une amie pour les laisser tranquilles, entre eux – les deux « parents » et leur grand « fils ».

— J'ai eu du bol d'être la cinquième roue du carrosse. Mon demi-frère avait des petits deals, apparemment, et certains de ses amis camés ont profité de son retour cette nuit-là pour récupérer l'argent qu'il leur devait. Mon beau-père s'en est mêlé, ça a mal tourné... Quand la police est venue me chercher chez la copine qui m'hébergeait, le lendemain matin, je n'avais plus de maman, plus de belle-famille. Pfiout! Rideau.

Étrange façon lapidaire de parler de tout cela... Tout juste y avait-il eu un peu d'émotion sur le mot enfantin « maman ».

206

— Et ton père?

— Je ne l'intéressais plus, lui et sa jeune maîtresse. Une adolescente encombrante, trop chiante, et prenant trop de place dans leur parfaite nouvelle vie à deux. J'ai fugué trois fois, et il a fini par obtenir de me faire placer en foyers, au motif de l'enfance en danger, quelque chose comme ça… En foyers, au pluriel, parce que je me suis enfuie régulièrement…

— Et quand tu es arrivée à l'Institut, tu as simplement fait pareil.

— Bingo! Je n'avais pas l'habitude qu'on me garde enfermée quelque part, encore moins dans un endroit où je devais partager mon appart' avec un inconnu.

— Mais tu te voyais vivre seule, à treize ans, et gérer toute seule tes métamorphoses?

Elle changea radicalement d'expression, visage fermé à double tour. Terrain miné, sujet interdit, barbelés posés – exactement comme hier.

— Ben ouais… Je me suis toujours débrouillée seule, alors pourquoi pas avec ça?

McIntyre l'avait prévenu: elle n'en dirait pas davantage sur le ça.

— Et ils t'ont reprise, obligée à rester? Ça c'est passé comment?

— Non, non… Enfin pas vraiment. Quand McIntyre m'avait sortie de mon dernier foyer, il m'avait fait jurer de rester, parce qu'il était responsable légal, désormais. Et je pense qu'il a été surpris par ma deuxième évasion, alors que j'étais initiée... Ils sont revenus me chercher, et McIntyre m'a dit qu'il allait étudier les moyens d'obtenir mon émancipation légale, malgré mon très jeune âge, si je voulais vraiment partir. Je me suis rebarrée trois semaines après, sans lui en laisser le temps...

— Et ?

— Et je me suis fait toper par la police, à la frontière italienne. Je n'envisageais pas comme toi de m'enfuir par les montagnes, je ne suis pas très douée avec les cartes. Donc, j'avais pris la route et fait du stop, tout simplement.

Elle semblait prendre un plaisir réel, amusé, à toute cette évocation du passé.

— Bon, quand McIntyre est venu me chercher au commissariat, il m'a fait le coup du ton paternel, en m'expliquant qu'il ne pouvait pas prendre le risque d'une enquête poussée de la police, à l'intérieur de l'Institut. Qu'est-ce que je choisissais ? Repartir avec lui ou tenter ma chance de mon côté... J'ai bien compris que si je revenais, je devais m'engager à rester et ne plus faire de vagues.

Flora ne parlait pas du professeur comme le faisaient les autres. Elle l'appelait par son nom de famille, comme on évoque les profs du lycée.

Elle ironisait sur ses méthodes de persuasion. Elle n'était pas admirative, non.

— Qu'est-ce qui t'a décidée ?

— Je ne sais pas… J'aimerais te dire que c'est la pensée de Shariff, ce gamin qui avait besoin d'une grande sœur. Ou bien l'idée de me trouver enfin un chez-moi. Mais je crois que ça a été plus trivial que ça. La fatigue, peut-être. J'en avais marre d'être tout le temps une fugitive. Il fallait que je reprenne mon souffle.

— Et… le travail… sur tes métamorphoses ?

— Ah, leurs trucs ? Tu feras comme tu veux, mais moi, ça ne m'intéresse pas… Du tout… Ou alors, seulement avec Shariff, mon maître zen à moi.

— Tu ne fais pas de séances avec le professeur ?

— Non, aucune. Je sais quand le truc arrive. Et je n'ai besoin de rien d'autre, dans ces moments-là, sauf de solitude. De totale solitude.

S'ensuivit un long silence, pendant lequel Tim s'entendit touiller dans sa tasse de café, avec sa cuiller.

Un peu plus tard, ils sortirent et Flora lui fit faire le tour du propriétaire. Ils commencèrent par traverser le petit village de bungalows, une douzaine, répartis dans les bosquets de la forêt alentour.

— Ici, c'est le Hameau. Il y a encore presque autant de chalets un peu plus haut sur le flanc de la montagne, qu'on appelle l'Alpage. On est une cinquantaine d'habitants dans l'Institut, en ce moment... Mais certains s'en vont plusieurs semaines ou plusieurs mois, ils reviennent au moment de... Enfin, tu vois.

Il voyait. Mais pourquoi ne pas utiliser le vocabulaire qu'on venait de lui apprendre ? Elle le déroutait... Il la suivit pourtant jusqu'au chalet principal que Tim connaissait déjà.

— Bon, tu as déjà visité la bibliothèque du fameux Paul Hugo, l'homme le plus savant du monde selon Shariff... Tu l'as rencontré ?

Il hocha la tête, se remémorant l'état d'esprit dans lequel il était ce jour-là.

— Et tu en as pensé quoi ? Shariff l'adore, mais moi, il y a un truc que je ne sens pas chez lui... Je sais pas, une sorte de pressentiment.

— Je ne peux pas te dire. Je l'ai vu une fois, et je ne pensais qu'à donner le change. Je dirais que mon opinion n'est pas faite.

— Pour certaines personnes, une seule rencontre suffit, à mon avis. Bon, donc là, au rez-de-chaussée, tu as le dépôt d'alimentation, là le matos de montagne... Tu aimes l'alpinisme, il paraît ?

Il hocha la tête. Elle grimaça.

— Tu auras l'occasion d'en faire avec ta brillante tutrice, Véronique... Et si tu veux bosser, tu pourras choisir de filer un coup de main dans l'un de ces endroits... L'infirmerie, le labo et la clinique sont derrière, au rez-de-chaussée et au sous-sol, mais ils ont suffisamment de médecins, et il faut être formé, là-bas...

— Une clinique?

— Ouais, si tu as un pépin de santé. Et aussi, je suppose, pour certaines de leurs expériences sur... leurs trucs... tu vois.

Elle ne disait ni anthrope, ni métamorphose, ni *luxna*, ni morsure... comme si tout cela ne la regardait pas. Pour lui venir en aide et changer de sujet, il rebondit sur une autre partie de sa phrase:

— Tu as dit que je devrai bosser?

— Non, que tu pourrais...

— Mais toi et Shariff, vous le faites?

— Ouais. Il est assistant à la bibliothèque, histoire de ranger deux fois par semaine le foutoir qu'il y installe tous les jours. Il y passe sa vie, de toute façon, quand il n'est pas sous l'eau ou avec moi. Alors, autant se rendre utile...

— Et toi?

— Moi, je file un coup de main pour la sécurité et les mises à jour du système informatique interne, et je fais un peu de veille sur notre site Internet. Disons qu'ils se sont rendu compte que je pouvais servir, dans ce domaine.

Fausse modestie évidente. Flora Argento était

fière de ses compétences en la matière. Sujet en or, donc…

— Ils se doutent que tu *crackes* pour ton compte, quand tu en as besoin, la sécurité de leur réseau ?

— Je n'en sais rien… McIntyre n'est pas un imbécile, contrairement au responsable de la sécurité, Bjorn. Un type limité, comme tu as dû t'en rendre compte.

Tim fut pris d'un irrésistible fou rire, et énuméra sur ses doigts…

— Véronique, Paul Hugo, cet imbécile de Bjorn… Quelqu'un trouve grâce à tes yeux ?

— Ben ouais. McIntyre. C'est un homme intègre, honnête. Il ne te mentira jamais… Et puis, il y a nous trois.

Elle ne l'avait même pas regardé, et continuait sa route comme si de rien n'était. Tim se demanda ce qu'il avait fait pour mériter d'être intégré d'emblée dans les amis de cette fille si farouche, comme une évidence.

Ils rentrèrent goûter, sur la terrasse du bungalow, pour profiter du soleil d'été – même en juillet, il restait toujours trop court, en montagne, voilé par les sommets alentour. Tim aimait cette fraîcheur brutale de l'ombre, crépuscule interminable.

— L'Institut a du bon, tu vois… Tu te trouves une passion, et tu la cultives vingt-quatre heures sur vingt-quatre, jusqu'au jour de ta majorité... Et ce jour-là tu mets les voiles, avec l'avantage d'être devenu le meilleur dans ta partie.

— Tu... Tu partiras vraiment, le jour de tes dix-huit ans?

— Ou même avant, si on peut engager une procédure d'émancipation anticipée, malgré mes nombreux démêlés avec les juges pour enfants. Je ne suis pas là selon ma volonté, Tim. Je respecte une promesse, mais le jour où j'en serai libérée...

— Tu iras où?

— Nulle part. Ou plutôt, partout. D'une ville à l'autre, d'un hôtel au suivant, en restant à chaque endroit le temps que je voudrai, et pas une minute de plus. On m'a gardée enfermée trop longtemps, je me suis juré que ça n'arriverait plus.

# 23.
## LE PACTE

Vingt heures trente. Tim et Flora avaient enfilé des polaires et regardaient le soleil se coucher, dans deux transats, sur la terrasse du mazot. La porte-fenêtre s'ouvrit derrière eux:

— C'est marée haute, jeunes gens... Fini de roucouler. Bon, je suppose que vous n'avez rien préparé à dîner? Je vais donc devoir officier? Que diriez-vous d'un plateau de fruits de mer?

La folie Shariff recommença.

Pendant qu'il faisait sa tambouille, il leur résuma ses lectures du matin, puisées dans un récit d'anthropologue sur les légendes inuits – en gros, l'histoire d'un pêcheur de morse qui devenait un jour l'animal qu'il chassait. Il l'agrémenta de digressions sur la sexualité des pinnipèdes et l'émailla de citations tirées du *Râmâyana*, à propos des métamorphoses du dieu-singe.

Son savoir paraissait encyclopédique.

— Quand dors-tu, Shariff?

— Ma foi, quand je suis homard... Je pratique deux heures de maîtrise mentale et les quatre heures suivantes, je pique un somme. De toute façon, je ne peux pas partir au grand large, alors…

Il leur fit signe de passer à table, tout en continuant :

— Mais la question deviendra plus complexe le jour où j'aurai réussi à lire, pendant mes métamorphoses. Pour l'instant, quelque chose résiste dans le lobe occipito-temporal gauche du crustacé. Mais je ne désespère pas d'y arriver, et dans ce cas, il faudra choisir si le sommeil est meilleur sous l'eau ou dans un lit…

Il avait mitonné une espèce de ragoût très odorant, exhalant des saveurs épicées, cardamome, gingembre. Avec des fruits secs et une poêlée de riz.

Ils s'assirent et Shariff leva solennellement son verre. Flora l'imita. Shariff prit gravement son inspiration, avant de demander :

— Alors ?

— Alors, je crois qu'il est des nôtres.

Le sourire du garçon et celui de la jeune fille furent identiques, comme deux frères – malicieux, et aussi pleinement chaleureux.

— Bien… Mon cher Timothy… Tim, si tu permets… La jeune Flora, ici présente, était chargée aujourd'hui d'estimer si tu étais digne de partager notre demeure éclairée, éventuellement pendant les trois années qui la séparent de sa majorité et de son envol dans le grand monde… Il convient par ailleurs de constater que Flora Argento a des goûts plutôt sélectifs, voire difficiles, ce qui augurait que tu ne réussisses pas à la convaincre en une dizaine d'heures… Or, en dépit de toute vraisemblance, tu l'as fait. Ce qui signifie que nous allons passer un pacte, si tu le veux bien.

— Lève ton verre, chuchota ostensiblement Flora à Tim.

Il s'exécuta, entre sourire et solennité.

— Moi, Shariff, maître zen, guerrier shaolin, anthrope des sept mers et du col de Bénand, je déclare ceci: en ce jour, je fais le serment de demeurer absolument fidèle en amitié, loyauté, à Flora Argento et Timothy Blackhills, ici présents, pour être auprès d'eux un colocataire exemplaire, un ami fidèle, un soutien dans l'épreuve, un complice dans la folie et un comparse dans la joie, jusqu'à ce que la mort ou la majorité de l'un d'entre nous nous séparent. Dites: «Je le jure.»

— Je le jure.

— Moi aussi.

— Et je m'engage à faire la cuisine chaque fois que ma condition d'enfant-homard et les horaires des marées me le permettront, à condition que mes deux colocataires entretiennent quotidiennement mon linge et fassent le ménage de ma chambre, une fois par semaine.

— Je le jure.

— Itou…

Shariff toussa, comme un orateur:

— J'ajoute une clause expresse, à la demande de Flora Argento, ici présente: ce pacte n'autorise nullement quiconque à s'intéresser à la vie privée de Flora, à ses activités clandestines, ni à ce qui se passe dans sa chambre, sauf autorisation exceptionnelle; étant entendu que Flora Argento consent une discrétion semblable à l'égard de nos propres vies privées, mais qu'il y a tout lieu d'en douter, vu ses antécédents...

Des rires.

— Deuxième clause expresse: au titre de ce serment, j'aurai par ailleurs le droit, le jour de mes treize ans, de voir Flora Argento toute nue...

— Crève, gamin pervers!

Ils éclatèrent de rire. La cérémonie touchait à sa fin. Shariff, évidemment, la conclut:

— Bien. Si tu n'as aucune clause expresse à ajouter, Tim, on va donc profiter de tout cela pendant au moins un an, jusqu'à ce que tu aies dix-huit ans.

Un clin d'œil à Tim.

— Et au plus tard, on se sépare le 3 avril, dans trois ans.

Un clin d'œil à Flora.

— Quant à moi, je crains bien d'être là pour la vie, ce qui me convient tout à fait... Au fait, Tim, t'ai-je déjà parlé de Gérard de Nerval? C'est un poète français, fou, mais que je chéris, parce qu'il présentait la particularité de promener au bout d'un ruban bleu son homard domestique, au pied de la butte Montmartre... «J'ai le goût des homards, qui sont tranquilles, sérieux, savent les secrets de la mer, n'aboient pas...» disait-il à qui s'en étonnait. Eh bien, figurez-vous que, ce matin, j'ai essayé d'aboyer. Et alors...

La soirée continua.

# 24.
## PREMIÈRE SÉANCE

— Les cauchemars ont-ils pris fin, Timothy, depuis votre arrivée ici ?

Le professeur McIntyre regardait Tim comme un psychiatre, un médecin – comme la première fois, dans la chambre d'hôpital, en écoutant son récit. Le garçon secoua la tête.

— Et se sont-ils transformés ces deux dernières nuits ?

Un hochement de tête, affirmatif.

— Pouvez-vous me dire dans quel sens ?

— Je… Je dévore mon frère… Je suis un ours et je…

— Je vois.

Ils étaient dans le bureau, déjà lumineux malgré l'heure très matinale. Pendant les premières minutes, Tim avait essayé de superposer le visage du professeur et la gueule du *Gulo gulo* – qu'avait-il fait, pendant ses vingt heures de sauvagerie fauve, dans la forêt de l'Institut ? Puis, il oublia l'épisode et se concentra sur ses propres métamorphoses. Sur les méandres de son cerveau, les souvenirs, les blancs et les cauchemars entremêlés.

— Vous devez essayer de conserver intacts vos souvenirs, Timothy. Ceux que vous aviez pendant vos premières heures, à l'hôpital. Tout ce qui les contaminerait, venant de vos rêves ou de vos fantasmes, nous compliquerait la tâche, dans notre marche vers la vérité.

— La vérité? Laquelle?

— Votre métamorphanthropie, Timothy. Ce qui s'est passé durant cette première nuit, ce qui va se reproduire. La seule chose qui nous concerne, quand nous sommes enfermés dans ce bureau.

— Vous parlez de ma responsabilité dans...

— Non. Pas directement du moins. La mort des vôtres n'est qu'un épisode situé à la marge, dans notre recherche. Ce qui est au centre, c'est la métamorphose.

Le ton avait été froid, distant, clinique. Il devint chaleureux et paternel, le temps d'une incise.

— Mais je sais que la disparition de votre famille est l'essentiel pour vous. Même si votre responsabilité d'homme n'y est pas engagée, Timothy. Nous aurons l'occasion d'en parler autant que vous le souhaitez, au cours de notre travail. Êtes-vous prêt à commencer? Quand auriez-vous pu entrer en contact avec un ours?

Grizzly. *Ursus arctos horribilis.* Tim était sûr de ce qu'il avait vu dans le reflet de la rivière, cette nuit-là, il pouvait identifier les différentes espèces de plantigrades du Nord de l'Amérique. Un peu moins grand qu'un kodiak, des griffes un peu plus longues, une trogne plus massive. Grizzly.

Mais il était aussi certain de n'en avoir jamais croisé. De n'avoir même jamais rencontré leurs déjections, leurs traces, les troncs lacérés, leurs restes de repas. Il était certain de n'avoir jamais été en «contact» – ou alors, sans qu'il le sache, lors d'une des explorations, lorsqu'ils vivaient en autonomie dans la forêt?

— Des traces d'urine ou de bave sur des baies que vous auriez consommées pourraient suffire, éventuellement. À condition que vous ayez été sur le territoire personnel d'un ours.

— C'est possible… Mais dans ce cas, nous ne l'avons jamais su.

Repasser mentalement tous les films. Revoir chaque exploration. Remuer dans la plaie de l'absence le couteau de la mémoire: tout ce qu'ils avaient déjà accompli, Ben et lui. Tout ce qui restait à accomplir.

— Et des peaux, des griffes, des dents, des restes?

— À l'université de Stanford, oui, j'ai vu des squelettes préhistoriques, ours des cavernes, et des ursidés contemporains. Mais je ne crois pas les avoir jamais touch…

Il s'interrompit.

221

— Oui, Timothy?

— Il y a… Je sais, je crois que j'ai… Il y a dans ma chambre de Missoula un collier ojibwé. Un cadeau de Ben, pour mes quinze ans. Il est constitué de gemmes, de cornes, de baies de mesquite et de griffes de grizzly, une pièce rare… Il lui avait coûté une fortune, tout un mois de son salaire d'étudiant.

— Et vous avez pu, sans y penser, porter une griffe à votre bouche? Ou vous blesser avec? Quelque geste qui aurait pu communiquer la substance de l'ours à vos fluides intérieurs, salive ou sang?

— Oui. Bien sûr. Nous avons fait une cérémonie, avec Ben. Avec une des griffes. Une cérémonie d'échange des sangs, à l'apache.

— Je vois.

Les larmes coulaient maintenant sans un sanglot, sur les joues du garçon.

— Bien, je crois que nous avons trouvé. Inutile de chercher davantage, en remuant les souvenirs pénibles. C'était le jour de vos quinze ans, il y a deux ans, n'est-ce pas? Entre ces quinze ans et le 2 juillet, avez-vous le souvenir d'épisodes de black-out, d'absences? Si la manifestation arktanthropique du 2 juillet était la première, il faut refaire tout le film de vos souvenirs, Timothy. Pour identifier ce qui l'a déclenchée, votre *luxna*. Le 2 juillet, la lune n'était à aucune des deux syzygies, nouvelle ou pleine lune. Mais comme vous le savez sans doute, un mois lunaire dure environ vingt-huit jours... Le satellite lunaire retrouvera bientôt son quartier de cette nuit-là, ce sera pour le 30, vers 22 heures.

— Je... Je vais me retransformer, ce jour-là ?

— Nous verrons. C'est possible, même si cela me paraît très improbable que deux ans s'écoulent entre votre morsure originelle et le moment où la lune interagit. Il me semble qu'il faut privilégier l'hypothèse sanguine... Reste à savoir laquelle.

— L'hypothèse sanguine, c'est-à-dire ?

— Quelque chose qui a directement rapport avec votre circulation, votre propre sang. Ou l'ingestion du sang d'autrui. Comme le racontent, mal il est vrai, les légendes de vampires.

— L'ingestion du sang de... Ben ?

— Peut-être, quoique ce soit très improbable. Vous avez pu lécher son sang, devenu ours. C'est ce que font certains prédateurs, et les charognards. Mais ce que nous cherchons, c'est ce qui a provoqué votre métamorphose en ours, pas ce qui a suivi cette métamorphose.

Chaque mot du professeur entérinait l'horreur du 2 juillet, tout en la rendant parfaitement banale. Comme on parlerait simplement de la chaîne alimentaire. « Tu as pu lécher son sang... »

— À titre documentaire, ma propre métamorphose se produit lorsque je m'injecte une petite quantité de sang «étranger», du sang qui n'est pas le mien, quoique compatible avec mon groupe. Je l'ai découvert dans des circonstances assez rocambolesques, lors d'une intervention chirurgicale, voici vingt-cinq ans... J'ai bien failli en mourir.

Un long silence. Le professeur attendait.

— Je... Je ne vois pas. Je n'ai pas eu de transfusion sanguine, ou quoi que ce soit, dans les heures précédentes. Rien qui...

— Laissez-vous le temps, Timothy. Vous allez découvrir votre *luxna*, tous les initiés l'identifient. Nous aurons recours à l'hypnose s'il le faut. Cela vous permettra de prévoir vos métamorphoses, voire de les provoquer, si vous décidez de travailler la maîtrise. Au fait, comment les choses se passent-elles avec vos compagnons de chalet?

# 25.

## EXHUMATION

Dès que Tim fut parti voir McIntyre, elle entra dans le système du bureau d'investigation de la DEA – 8 h 30, le cœur de la nuit à Missoula ; les flics s'absentent quelquefois, et les médecins, même ceux des morgues, dorment aussi. À moins qu'ils ne soient vampires ?

Première vérification, du côté des communications : deux transmissions, ce soir, depuis l'institut médico-légal fédéral de Missoula. Bingo, elle allait savoir.

Par une sorte de superstition, elle vérifia d'abord les autres e-mails qui concernaient son « enquête ».

Message entrant, à toutes les agences : deux nouveaux cas suspects sur la côte ouest, à L. A., encore, et San Francisco. Cinq morts, dont l'un des deux consommateurs impliqués dans les meurtres, qui s'était suicidé après son *trip*. Celui de L. A. Celui de San Francisco courait toujours, quant à lui, mais les témoignages des survivants du carnage – trois morts – confirmaient qu'il avait gobé un « speed de folie », pilules orange, avant de « péter un câble ».

*Bad trip*, épidémie d'amphétamines meurtrières. Urgence absolue pour la DEA.

Message entrant du supérieur de Warren: transmettre en priorité absolue les résultats de l'autopsie des victimes Blackhills John P., Geneva et Benjamin, pour confirmation.

Flora décida qu'il ne servait à rien de patienter davantage. Elle cliqua sur le rapport d'autopsie.

—

À quoi ressemblent des corps exhumés, plus de vingt jours après le décès, et auparavant déjà abîmés par l'incendie et l'explosion du véhicule dans lequel ils étaient incarcérés? Ne pas faire fonctionner son imagination.

Premiers résultats de l'examen médico-légal de John P. Blackhills, Geneva Lemarché épouse Blackhills, Benjamin Blackhills:

Comme les premiers secouristes sur les lieux l'avaient pensé, les deux passagers à l'avant du véhicule étaient sans doute morts sur le coup. Le père de Tim avait eu le thorax enfoncé, parce que l'airbag ne s'était pas déclenché comme il aurait dû, et que le volant était venu s'encastrer dans la cage thoracique. Les assureurs du constructeur automobile auraient sans doute payé une fortune pour que ce détail technique ne soit jamais rendu public, mais il ne s'agissait de rien d'autre qu'une défaillance mortelle des systèmes de sécurité. Sauf si cela impliquait qu'il n'y avait pas eu de collision – que la cause de l'accident était à chercher à l'intérieur de la bagnole.

La mère de Tim avait succombé à des lésions cervicales, ce qu'on appelle vulgairement le «coup du lapin» – restait à déterminer ce qui l'avait causé, mais un choc entraînant une brutale décélération, et qui aurait précédé la sortie de route, était là encore l'hypothèse la plus probable.

Un choc avec quoi?

S'il n'y avait pas eu de collision, mais une métamorphose dans la voiture, qu'est-ce qui expliquait le «coup du lapin»? Les tonneaux dans le fossé, sur le bas-côté? Ou un coup porté par l'arrière, sur la nuque? *Un coup de patte, de griffe?*

Aucune séquelle de lacération n'était mentionnée. Les médecins ne signalaient pas d'hématome sur la partie crânienne.

Si un ours balance un coup de patte depuis un siège arrière sur une femme emprisonnée dans sa voiture, quelle partie du corps touche-t-il? Et quelles sont les lésions et marques?

Restait le troisième corps. Ben, le frère aîné.

«L'état du corps, quoique grièvement brûlé au visage, au tronc et sur toute la partie supérieure, a permis de déceler des hémorragies internes lentes, ce qui indique que, en dépit de l'importance des multiples lésions constatées, l'individu n'a pas succombé sur le coup. L'agonie a probablement duré plusieurs dizaines de minutes. Il est impossible de conclure si l'individu était déjà décédé, suite à ces lésions, lors de son exposition à l'incendie, qui a pu également provoquer la mort. Heure et causes du décès: inconnues.»

Des *lésions* – quel genre de lésions? *Consécutives à l'accident?*

«L'analyse des fluides laisse constater la sécrétion très importante d'endorphine, pouvant s'expliquer par le stress de l'agonie et la crise de panique générée par l'incendie, ou par une très forte émotion exogène.»

*La présence d'un ours grizzly à côté de lui, par exemple?*

«L'état de la partie supérieure du corps permet de conclure formellement à des traces de violences infligées avant ou après l'accident de voiture, *ante* ou *post mortem*. Des lacérations caractéristiques sur le buste et les cuisses du sujet laissent penser sans doute aucun que le plantigrade aperçu sur les lieux est entré dans le véhicule, et a saisi le sujet, mort ou vivant, entre ses pattes à plusieurs reprises. On ne peut exclure que cette attaque soit la cause principale du décès.»

*L'ours a griffé Benjamin Blackhills, cette nuit-là. Il a commis des *lacérations*. Sur Benjamin Blackhills mort *ou* vivant? *Ante* ou *post mortem*? Toute la différence résidait dans ces questions, ces incertitudes.

«On ne note en revanche aucune trace de violences *ante* ou *post mortem* comparables à celles transmises dans le dossier joint par l'inspecteur fédéral en charge de l'enquête.»

Dommage pour Warren. Il n'y a pas de traces de violences commises par un *humain*.

«On relève sur le corps et les mains du sujet plusieurs résidus de fluides humains, étrangers, dont une analyse ADN permettra d'identifier si certains proviennent du suspect dans l'enquête fédérale; sans conclusions possibles puisque le suspect avait été en rapport étroit avec Benjamin Blackhills pendant les heures précédentes. On retrouve également des traces de fluides animaux dont la première expertise a permis d'identifier à cent pour cent la provenance comme étant celle d'un ours de l'espèce grizzly – *Ursus arctos horribilis*. Il est donc possible d'affirmer sans crainte d'erreur que le plantigrade aperçu sur les lieux de l'accident est entré dans le véhicule après l'accident, provoquant peut-être la crise de panique, les marques de violence et les lésions irréversibles constatées malgré la crémation du corps.»

*Fluides* – sang, salive? Larmes? L'ours a-t-il bavé, léché, mordu Benjamin Blackhills agonisant? Benjamin Blackhills déjà mort? L'a-t-il pleuré *ou* l'a-t-il saigné? Le document ne détermine pas la nature des «fluides animaux». Parce qu'il n'est pas possible de la connaître?

— Bon, tu l'as dans l'os, inspecteur Warren... Quand tu liras ce rapport, demain matin, tu fermeras ton enquête, et tu transmettras à ton administration que la came orange n'a rien à voir avec tout ça.

Flora essaya de sourire en pianotant pour s'extraire de l'ordi. La *Tiger Eye* n'avait aucun lien avec tout ça, non. Le rapport d'autopsie innocenterait Timothy Blackhills, toxico présumé, assassin présumé. À juste titre.

Le rapport d'autopsie ne dirait rien en revanche de la culpabilité possible de Timothy Blackhills, grizzly présumé...

Au moment où elle terminait, elle entendit une porte s'ouvrir derrière elle : l'entrée du chalet. Timothy Blackhills revenait de sa première séance avec McIntyre. Tim. Elle téléchargea ses découvertes, referma les tiroirs et les portes virtuels qu'elle avait ouverts pendant sa visite, remit en place le système de sécurité du bureau d'investigation de la DEA, qu'elle avait provisoirement neutralisé. OK, elle n'avait laissé aucune trace.

—

Tim frappa à sa porte. Elle se leva, ouvrit. Il faisait déjà un pas à l'intérieur. Elle vit qu'il regardait autour de lui, tenta de le faire reculer en lui posant la question :

— Alors ? C'était comment ?

— Je sais pas… comme toujours, j'imagine. C'est avec ces ordis-là que tu…

— T-t-t, Timothy Blackhills, ici, c'est un territoire interdit. *No trespassing*, tu te souviens de ton serment ? On va dans le salon ?

Les yeux de Tim continuaient de jouer les indiscrets.

— Tu as un chat ?

Il montrait le sac de croquettes éventré, au pied du bureau.

— Ouais… J'adore les animaux… Ils sont moins indiscrets que les humains. Bouge !


— Raconte…

Ils étaient dans les canapés, elle leur avait servi du café ; et Tim fit ce qu'elle lui demandait. Il raconta. Une bonne entrée en matière : il avait identifié sa morsure, ils étaient maintenant sur la piste de sa *luxna*. Classique. La question autour de laquelle ils avaient tourné, sans que McIntyre la soulève, sans que Tim comprenne son importance, était la suivante : pourquoi avait-il autant de souvenirs de sa première métamorphose ? Comme un début de contrôle, déjà, une mise à distance des instincts de l'ours? McIntyre ne lui avait pas expliqué ceci: souvent, la conscience survient quand l'animal commet des actes qui réveillent la conscience de l'humain. Des actes dont parlaient peut-être certains fichiers de police, certains résultats de médecine légale, qu'elle n'aurait pas dû lire.

Sans l'avoir prémédité, Flora décida de tester la sincérité de son interlocuteur:

— Tu devrais te détendre un peu, tu as assez bossé pour aujourd'hui... Tu veux de l'herbe?

Coup de bluff. Elle ne s'était jamais adonnée aux psychotropes, ne connaissait pas le goût de la marijuana, n'en avait pas à lui offrir.

— Non, merci... Je fumais pas mal avec Ben, mais là, j'ai l'impression que si je partais en trip, mon cerveau exploserait en morceaux. Depuis le 2 juillet, je ne veux plus entendre parler de marijuana, ni d'amphètes.

Tim ne mentait-il donc jamais?


Shariff entra à ce moment, en peignoir.

— Jours de jasmin, jeunes disciples. Je vais m'adonner à la méditation dans la grande bibliothèque, afin d'explorer les méandres de notre nature contre-nature. Un volontaire pour partager ma quête?

— Tu devrais y aller, dit Flora. Il n'y a rien

de tel qu'un enfant-homard pour rendre passionnante même la bibliothèque de Paul Hugo.

— Enfant, enfant... Je suis déjà un homme, Flora. Et probablement bientôt un maître... Tu devrais y songer, ma douce.

— OK, je prends une douche et j'arrive, les coupa Tim.

— Une douche? Je ne comprends pas le plaisir qu'il peut y avoir à se rincer à l'eau douce. Tu devrais essayer l'eau salée.

— Je vais y penser.

Quand Tim les eut quittés, Shariff se tourna vers elle et dit, avec un sourire mi-narquois, misérieux:

— Dis-moi, beauté sauvage, as-tu réalisé que, selon mes calculs, c'est pour aujourd'hui ou demain?

Elle avait oublié de compter les derniers jours. Trop occupée par Timothy Blackhills. Maintenant, pendant quarante-huit heures, elle n'allait plus s'occuper que d'elle-même. Elle lança le travail de ses ordis, versa des croquettes dans la gamelle du chat: OK, elle pouvait s'absenter.

# 26.
## ACCUEILLIR

Ils coururent avec Shariff, abrités sous leurs blousons à capuche. La pluie était de la partie ce jour-là. Et quand elle s'installe, à ces altitudes, le plafond peut rester bloqué quelques jours.

— Moi, je m'en fous, j'ai l'habitude d'être immergé...

Shariff paraissait incapable de lâcher l'affaire une minute, il faisait sans cesse référence à sa double nature – l'exact inverse de Flora. Flora qui n'en avait pas dit davantage, au cours de leur brève conversation d'après-séance. Flora qui semblait vouloir fouiller dans les secrets de la vie de ses amis, sans jamais offrir de révélations en échange.

— Ben, moi, j'ai plutôt le poil épais, je ne crains pas les intempéries... Et Flora?

Shariff s'arrêta, malgré la pluie.

— Flora? Il convient de dire que c'est un sujet épineux. Elle t'en dira plus si elle veut, et quand elle voudra. Mais je te préviens, mon pote: ça risque de prendre du temps, et ne t'avise pas d'essayer d'en savoir plus sans qu'elle l'autorise... Elle sort ses crocs, dans ce cas.

Un clin d'œil. «Ses crocs...»? Allusion à une espèce précise, ou simple jeu de mots?

— Tout à l'heure, j'ai frappé à la porte de sa chambre, et on aurait dit que j'avais commis un crime d'État.

— Tu ne peux pas dire mieux... Flora ne supporte pas qu'on pénètre dans sa piaule, et pas davantage qu'on regarde un de ses ordis, pendant qu'elle bosse. Ça, ce sont des espaces cloisonnés, interdits. Et si tu poses une question, tu n'auras jamais de réponse... La seule option, c'est qu'elle te file ses réponses au moment où tu ne lui demandes rien, quand elle l'aura décidé; ou qu'elle te confie une clé de sa chambre, un jour, sans prévenir...

— Tu... Tu as une clé, toi?

— Je veux, mon pote! Bon, on continue de se faire saucer? J'aimerais bien essayer de passer au moins la moitié de ma vie au sec.

Ils reprirent leur course.

Il y avait déjà une petite dizaine d'anthropes dans l'immense étage de littérature générale et comparée. Ils chuchotèrent entre eux, quand Tim entra: certains n'avaient pas encore aperçu le fameux nouveau, celui qui avait été traqué par les chasseurs sous le col de Bénand. Le jeune homme était une célébrité, pour l'instant, plutôt qu'un compagnon de vie, de travail.

Shariff le planta devant une table et partit faire sa cueillette du jour dans les rayonnages; il revint avec une demi-douzaine d'ouvrages dans les bras.

— Bon, on va commencer. Il me reste quatre heures avant mon retour à marée haute. Je t'explique?

Paul Hugo, « saint Paul », comme disait Shariff, n'était pas là. Mais on n'avait besoin de personne, quand on avait pour guide le maître zen des sept mers. La démarche était simple, en apparence: accueillir. Accueillir des histoires. S'ouvrir à elles, les embrasser, sentir ce que ressent le narrateur, le protagoniste principal. Et chaque personnage. Entrer en empathie.

— Le génial professeur veut savoir comment tout cela survient. Saint Paul aimerait comprendre pourquoi. Quant à moi, ma quête est infiniment plus modeste, et cependant plus difficile: je voudrais juste considérer l'événement, savoir vraiment que cela survient. Et en contempler chaque facette: *cela survient*. Tu vois?

Tim ne comprit pas tout de suite, pas exactement ce que Shariff voulait dire. Mais ensuite, progressivement, au fil des heures, il acquit cette discipline. Ne jamais se demander comment ni pourquoi. Abandonner l'idée de causalité, l'idée de conséquence, l'idée de raison et de sens.

Recueillir, en revanche, l'infinité des informations, des détails, des couleurs, des odeurs, des sons, la gamme précise et changeante des événements, des faits, des milliers de faits.

— Les auteurs sont souvent des poètes, même s'ils l'ignorent. Ils nous donnent à voir, à entendre. Et commencer par embrasser ce qu'ils nous montrent est plus simple. Plus tard, il faudra accueillir avec la même neutralité, la même sagesse, tous les événements de la vie même.

Flora n'avait pas menti : Shariff, effectivement, était un maître. Maintenant, il ne plaisantait plus, lui lisant de courts extraits en chuchotant, puis l'invitant à fermer les yeux, à voir la scène, à la ressentir, à la décomposer, à s'attarder sur le décor, sur chaque geste, à la ralentir, à l'accélérer. À la voir de plus haut, de plus près.

— Appréhender la scène, ta vie, n'est que la moitié du voyage, l'autre sera ce que tu voudras. Mais d'abord, pendant une petite dizaine d'années, il faut accueillir, accueillir l'événement dont tu es devenu l'acteur.

Le visage de Shariff était grave mais serein – des rides d'un âge certain travaillaient son front, ses yeux voyaient ailleurs, autre chose, contemplaient. Évidemment, si chaque livre, chaque page étaient lus ainsi, dix ans ne suffiraient pas…

Soudain, le jeune garçon consulta sa montre, se tourna vers lui. Les rides avaient disparu, les yeux étaient aussi rieurs que tout à l'heure, au chalet. Plus sombres, plus chaleureux. Combien avait-il encore de métamorphoses dans son sac?

— Bon, on bouffe en douce? Je nous avais fait des sandwiches, pour aller contempler un peu dehors, mais on va pas se faire tremper pour le plaisir. Tu fais juste gaffe à ne pas en mettre sur les bouquins, ça énerve saint Paul. Et ils ne vont pas tarder à finir leur conseil de guerre.

Tim regarda autour de lui: la plupart des anthropes avaient déserté le lieu, pour le repas de midi ou pour vaquer à d'autres occupations.

— C'est quoi, ce conseil de guerre?

— Disons que ta fuite a accéléré un processus qui, de toute façon, se serait emballé. Désormais, les chasseurs sont sûrs que nous sommes des ennemis, donc du gibier... Et tout le monde a fourbi ses armes. Le premier sang a été versé. «On dit que le sang veut du sang», même si «On ne lave pas du sang avec du sang, mais avec de l'eau», William Shakespeare.

— Et en français courant?

— Ben *grosso modo,* la guerre à mort est déclarée, elle ne va prendre fin que lorsque l'un des deux adversaires aura été exterminé. «*Delenda*

238

*est Carthago*»[1], etc. Mais nous, on s'en fout, on est trop jeunes pour faire partie de la conscription obligatoire.

Tim apprit que tous les anthropes étaient susceptibles de recevoir une arme, quand leur sécurité ou celle de l'Institut le demandait. Chacun pouvait objecter, liberté de conscience…

— Mais quand on se sent gibier, on n'a pas envie de mourir… pas comme ça.

— *Comme ça*, comment?

— Les mecs t'endorment, attendent ta prochaine métamorphose, et te chassent quand tu es devenu ton animal anthropique. Les meilleurs te blessent à mort, pour pouvoir te trancher la tête encore vivant et conserver les trophées.

— La tête… les…

— Ouais. Quand un anthrope est tué pendant sa métamorphose, le corps redevient humain au dernier souffle – les légendes racontent ça depuis l'Antiquité. Ce qui explique qu'on ait autant d'accidents de chasse, encore aujourd'hui: des mecs croient tirer une biche, et paf, ils retrouvent le cadavre d'une meuf à poil… Mais si on tranche

---

1. «Carthage doit être détruite.» Cette locution latine, attribuée à Caton à l'issue des guerres puniques qui opposèrent Rome et Carthage, signifie qu'il fallait selon lui détruire entièrement l'adversaire, de peur qu'il ne se relève de sa défaite.

la tête avant le dernier souffle, les deux parties du corps se désolidarisent. La tête reste animale, le corps redevient humain. Un truc de fou.

Tim écoutait, horrifié.

— Ce que veulent les mecs qui nous font la guerre, c'est cela : nos têtes animales. Des trophées. Ils les empaillent. Leur chef est surnommé le Taxidermiste, et il en a plein sa caravane, paraît-il. Bon, c'est peut-être des légendes urbaines, hein, mais les chasseurs existent bel et bien, eux, comme tu l'as constaté. Et il n'est pas indispensable d'en parler avec Flora, ça la fait flipper, ce genre de truc. Au fait, toi, tu en es où avec ta métamorphose ?

Vers 14 heures, la pluie s'arrêta, et ils sortirent. Le soleil semblait neuf, l'atmosphère était encore chargée d'humidité. Une éclaircie comme un cadeau.

— Bon, c'était une bonne séance, ce matin, je crois… C'est pas infaillible, mais si ta métamorphose survient, le 30 juillet ou à un autre moment, tu essayes de faire ça : accueillir. Nommer tout ce que tu vois. Contempler ce qui survient, en prendre une conscience intime, puis le nommer. Moi, c'est ce qui me permet de conserver une conscience, de gagner la partie sur l'instinct. Après, tu fais comme tu veux…

Une pause, puis, dans un sourire :

— Évidemment, tu n'es qu'un débutant, petit scarabée. Il te faudra des siècles, voire des millénaires, pour te hisser à la hauteur du maître zen. Tes arrière-petits-enfants, peut-être, commenceront à maîtriser le truc, mais je ne serai plus là pour les voir.

# 27.

## RETOUR DE SOLITUDE

Il revit le professeur dans l'après-midi et encore deux fois le lendemain. Ils refirent le tour des souvenirs, le plus précisément possible, puis celui des cauchemars, des infimes différences qui s'y glissaient – disaient-elles quelque chose de souvenirs inconscients ? L'homme aux yeux d'acier lui réexpliqua qu'ils allaient attendre le 30, dans cinq jours, puis que, en cas – probable – d'absence d'incidence lunaire, on aurait recours à l'hypnose. Si Tim le souhaitait, l'acceptait. Pour restaurer les souvenirs cachés derrière le mur blanc, pour lever des secrets que la mémoire retenait peut-être dans un autre disque dur. Et pour voir toute la scène, comprendre ce qui s'était passé, savoir à quel moment la transformation s'était produite.

— Mais une séance d'hypnose est longue, épuisante, Timothy. Et malheureusement, j'ai besoin plus que jamais d'être disponible pour l'Institut. Je ne peux pas vous dire exactement quand nous pourrons l'organiser.

— À cause des chasseurs ? Du... Taxidermiste ?

— Je vois... Shariff ne peut pas s'empêcher de bavarder. C'est un garçon absolument

242

remarquable, mais qui aime beaucoup trop les légendes gothiques, je le crains.

— Légendes? Ce n'est pas vrai?

— Ma foi, je n'ai jamais eu l'occasion de le vérifier. Mais je pressens qu'en l'occurrence, il ne s'agit pas tout à fait d'une légende.

La guerre… Tim avait du mal à croire qu'un affrontement mortel, total, se préparait. Les paysages montagnards n'en disaient rien, silencieux, majestueux. Les forêts qui montaient sur ces flancs étaient-elles vraiment hantées par des hommes en armes, prêts à tirer pour tuer, de chaque côté? Rien ne l'indiquait. L'atmosphère dans l'Institut se tendait perceptiblement, d'heure en heure. Les anthropes vaquaient pour l'instant à leurs tâches, travaux, recherches, mais toutes les sorties hors du domaine avaient été ajournées. Tim entendit plusieurs jeunes gens se donner rendez-vous pour des entraînements au maniement des armes. Il croisa Matthew, qui portait son gros revolver dans un étui de hanche, au vu et au su de tous. Le rouquin eut un sourire un peu contraint, distant.

Les regards, les attitudes changeaient – il n'y avait plus les rires et l'insouciance qu'il avait perçus durant les premières heures. Il ne pouvait s'empêcher de se sentir responsable de cette brutale dégradation, et interprétait en ce sens les regards sur lui : après tout, c'était son évasion qui avait précipité les choses. Il n'avait revu ni Véronique ni Bjorn, depuis.

Il se demandait ce qu'il convenait de faire. Était-il prêt à prendre les armes, demain, à tuer pour protéger cet endroit où il ne se sentait pas encore véritablement chez lui, dans sa famille ? Était-il trop lâche pour affronter l'ennemi, alors que d'autres n'avaient pas hésité à tuer, simplement pour le protéger ?

Flora et Shariff étaient encore trop jeunes pour se battre, c'était entendu. Mais lui ?

Même à l'intérieur du refuge, la légèreté de leurs deux premières soirées s'était évanouie. Shariff lisait Sun Tzu, Clausewitz et autres théoriciens de la guerre, pour « se préparer intellectuellement à l'affrontement ». Depuis quarante-huit heures, Flora semblait s'être volatilisée, elle ne reparaissait même pas aux repas, sa porte restait fermée ; et du coup, la conversation de Shariff semblait moins enjouée, sa cuisine perdait en couleurs, en vivacité. Le premier soir, il avait simplement dit :

— Bon, on n'attend pas Flora, ce soir.

— Elle a... Elle est... en métamorphose ?

— Disons plutôt qu'elle gère des trucs de filles. Mais je n'ai pas le droit d'en dire plus. Tu te rappelles le pacte ? C'est Flora qui décidera quand elle t'en parlera.

Le deuxième soir, avant que Shariff ne sorte de son aquarium, Tim décida qu'il n'avait pas envie d'une autre soirée comme ça. Gâchée, avec ce goût de manque dans la bouche. Il allait se coucher tôt, dormir, laisser le maître zen à ses méditations belliqueuses. Attendre le retour de la troisième roue du trio, de leur pirate – où qu'elle fût, en ces instants. Il alla dans la pièce commune, prépara un en-cas pour lui et une assiette pour Shariff, laissa un mot bref:

«Je suis fatigué. Je vais dormir.» Il ajouta une citation qu'il avait cherchée sur Internet, pour l'occasion: «Les rêves sont la littérature du sommeil.[1]» Les rêves; et les cauchemars?

En revenant à sa chambre, il s'arrêta devant la porte de Flora, hésitant un instant, la main sur la poignée. Pourquoi se taisait-elle? Était-elle dans sa pièce du bas, sous sa lumière rouge? Et à quoi ressemblait-elle, en ce moment; songeait-elle à eux, à lui?

1. Jean Cocteau.

# 28.

## LE VERROU

Elle l'entendit, leva l'oreille, frémit. Il était là, derrière la porte. Elle le sentait, reconnaissait son odeur, percevait les infimes mouvements des lattes de plancher, sous le poids de son corps. Qu'attendait-il, devant chez elle ? Que voulait-il ? Allait-il frapper, essayer d'entrer ?

Et dans ce cas, que faire ? Elle aurait pu filer par la fenêtre, si Shariff n'était pas venu la clore, hier, à cause de la pluie. Du coup, il lui avait ouvert la porte vers l'escalier intérieur, vers la cellule du bas, d'où elle pouvait aussi sortir, quand lui venaient des désirs – ou des instincts – de fuite. Mais Shariff avait-il refermé l'autre porte, celle de l'entrée de son appartement, à clé, avec le double qu'elle lui avait confié ?

Ni McIntyre ni quiconque de l'Institut n'avait le droit de la voir, quand elle était ainsi. Shariff était le seul qu'elle autorisait – à cause de la honte, à cause de la peur, à cause de l'intime, tout ce qui l'empêchait de parler. À cause de cette carapace, ce système de défenses hérissées qu'elle avait installés autour d'elle, dont elle savait qu'ils étaient

246

sa prison, mais dont elle ne pouvait ni ne voulait fendre l'armure.

Elle regarda le verrou, constata qu'il était resté ouvert. Putain d'étourdi, petit frère !

Derrière la mince paroi de bois de la porte, elle sentait encore ce parfum déjà familier – il n'était pas celui de l'ennemi. C'était l'odeur d'un ami. Mais pas maintenant, pas en cette minute. Pourquoi Tim restait-il là, qu'attendait-il ? Dans son état, elle entendait l'imperceptible, la main qui faisait jouer, de manière ténue, la poignée de la porte. Allait-il la tourner et, dans ce cas, que se passerait-il ? Il la verrait, si elle n'avait pas le temps d'atteindre la pièce du fond. Elle aurait dû s'y réfugier, déjà, mais elle se sentait paralysée par l'enjeu, comme un animal fasciné par les phares de la voiture qui va le percuter. Cette minute de vérité : s'il entrait, il la verrait, et alors, il ne pourrait plus rien y avoir entre eux. Plus rien.

# 29.
## CAUCHEMAR

Il avait pris les armes, finalement. Tous les autres l'avaient abandonné, mais il n'avait pas besoin d'eux : lui seul, dans la forêt, fusil d'assaut, sac à dos – franc-tireur, en autonomie.

Il avait shooté et tué toute l'armée, les hommes noirs et barbus qui jaillissaient des buissons, comme des automates, des cibles de champ de tir, jeu vidéo sanglant. Les types tombaient comme des quilles au bowling, courtes rafales rauques. À chaque tir, sa vision était aveuglée de rouge, un bref instant. Effet de *muleta*. Carnage irréel.

Maintenant, il était devant le mobile home du Taxidermiste, grand comme une maison. Gris métallique.

Un vent froid se leva, il sembla apporter avec lui les lambeaux noirs de la nuit qui tombait, brutale, fantastique. Des hululements de chat-huant, quelque part. Les branches des arbres furent soudain d'hiver, nues, sans une feuille, comme les griffes de la nuit.

Il posa la main sur la poignée de la caravane, le contact de l'acier était glacial. Il hésita un bref instant, puis entra.

L'intérieur du mobile home était fantastiquement plus vaste que ne le laissait supposer l'extérieur. C'était une demeure, c'était même autre chose – un château, sur plusieurs étages. Il traversa le corridor, déboucha sur un hall grand comme un appartement, gravit les marches de l'escalier maître, au fond, plongé dans une obscurité qui ne l'empêchait pas de voir, de savoir. Il y avait des traces de sang, des traînées même, d'un sombre vermillon sur le marbre gris veiné de blanc.

Il suivit les traînées qui le menaient, à travers un couloir, dans un dédale de pièces et de chambres ouvertes. Dans chacune, des grilles, des chaînes, des cages vides. Le couloir était jonché de corps animaux, tous décapités – d'abord des rongeurs, des oiseaux, puis des mammifères, plus grands ; des grands reptiles aussi ; sacs de poils ou de peaux, tas inertes sur le sol, le cou baignant dans une bouillie sanglante. Il se pencha quand il reconnut la dépouille d'un *Gulo gulo*, vit juste à côté qu'on avait piétiné, écrasé, broyé du talon un crustacé, dont les restes laissaient supposer qu'il s'était agi d'un homard. Il prononçait mentalement le nom de chaque créature, il les connaissait tous : « Shariff », « McIntyre », « Matthew, Bjorn, Véronique… », « Paul Hugo », « Benjamin Blackhills… Ben. »

Il sentait le vent froid comme un blizzard sur sa moelle épinière, même entre quatre murs.

Le dernier cadavre, sur le tapis : humain, celui-là. Une jeune fille entièrement nue, allongée sur le ventre, le cou tranché, la tête manquante. Il reconnut le dos, les longues jambes, la peau nue qu'il n'avait jamais vue ; il sut pourtant de qui il s'agissait et qu'auparavant, elle était une louve. Il le sut de la science des âmes, comme on reconnaît l'évidence en quelqu'un. Il ouvrit la bouche, parla d'une voix qu'il ne reconnut pas :

— Flora.

L'angoisse lui interdisait de faire un pas de plus, mais lui dictait tout à la fois de le faire.

Il s'accroupit, frôla le corps de la jeune fille de ses mains : elle était froide comme la mort. La peau déjà bleue. Le sentiment de perte qu'il éprouvait était poignant, il répétait le prénom du corps sans tête, comme une litanie, jusqu'à ce qu'une tristesse terrifiée lui serre la gorge – le rende aphone. Il s'arracha, se releva, s'obligeant à continuer sa route. Il lui restait quelque chose à voir.

La double porte au bout du couloir s'ouvrit, fantomatique, sans qu'il la touche et sans un bruit. Il entra dans une pièce immense, salle à manger médiévale qui aurait pu contenir une armée entière, mais entièrement vide de présence humaine, de meubles même. Sauf deux fauteuils inoccupés tournés vers une cheminée où un feu flambait, qui lui fit mal aux yeux.

Il vit toutes les têtes humaines empaillées, accrochées sur les quatre murs de la salle. Il avait su qu'il les verrait : McIntyre, Shariff, Véronique, Matthew, Bjorn... Ben. Comme des trophées de chasse humains, et animés, qui le suivaient de leurs yeux écarquillés, parce que les têtes étaient *vivantes*. Mais blanches comme la mort est blême, exsangues, lèvres bleues presque noires, creusées comme des masques mortuaires, pommettes et arcades saillantes, déjà, outragées par le temps qui dévore tout ; et muettes. Elles le dévisageaient toutes sans un mot et lançaient parfois un coup d'œil explicite, le même, vers le fond de la pièce, vers la tête accrochée au-dessus de la cheminée.

Il devait aller par là. Même Ben le savait, l'y poussait du regard. C'est là qu'il devait voir.

Il traversa l'immense salle dans un bruit métallique de talons sur le pavement de pierre. Le chef de la fille-loup était exhibé sur le manteau de la cheminée. Les yeux de Flora passèrent sur lui sans le voir. Elle n'avait pas encore perdu ses couleurs. Elle pleurait.

— Flora.

De nouveau, il avait parlé, et de nouveau, le prénom s'étouffait dans sa gorge. Sa langue, son palais étaient secs, collants, ils avaient pourtant un goût salé de larmes. Il leva la main pour, du bout des doigts, lui caresser la joue, recueillir les pleurs de Flora. Consoler Flora.

Il sentit les larmes chaudes sur sa main. Il vit ses propres doigts s'allonger, se déformer; en griffes. Il vit la main devenir patte, velue, brune, il vit l'arme du grizzly au bout de son bras, qui restait humain. Et sans savoir pourquoi, obéissant à l'instinct de l'instant, il lacéra le visage de la jeune fille, laissant un profond sillon rouge là où les griffes avaient frappé.

En même temps, dans son crâne, un prénom hurlé, venu de sa gorge, de son ventre, de son cerveau fou :

— Floooo-raaa !

—

Il se redressa comme un dément sur son matelas. Il était trempé d'une sueur glacée.

Il lui semblait avoir crié dans les ténèbres absolues, mais la lumière du jour filtrait par les persiennes. Où était-il ? Quelle était cette chambre ?

Il regarda sa montre : 10 heures. Un cauchemar... un horrible cauchemar... Comme tout ce qui l'entourait, tous ces morts, depuis la nuit du 2 juillet.

Tous ces morts. Ben. Ses parents. Morts, pour de bon.

L'Institut était-il la suite du cauchemar, les chasseurs qui attendaient derrière les murs d'enceinte, les trophées ? Flora…

Il se leva précipitamment, en caleçon et T-shirt, enfila un pantalon. Il avait le besoin impérieux de savoir, de la voir, maintenant. Était-il fou, voyant ? Ils allaient parler, il lui raconterait son cauchemar et elle saurait le rassurer. Ou simplement, il l'entendrait vivre, bouger dans sa pièce rouge. Vivante, elle. Il sortit dans le couloir comme un automate ; il saisit sans réfléchir la poignée devant laquelle il avait longuement hésité, la veille, poussa la porte et entra dans la chambre de Flora. Encore dans son cauchemar, il ne s'étonna même pas qu'elle soit ouverte, alors qu'il la pensait fermée à clé.

Noir complet. Il fit la lumière.

Elle n'était pas dans sa chambre, vide. Il n'y avait rien d'autre qu'un lit aux draps froissés, deux ordinateurs en veille sur le bureau, une puissante chaîne hi-fi. Un chat noir efflanqué, étrange présage de malheur, enroulé sur le lit, redressa brusquement la tête, présence vivante attestant que Flora habitait là. Il allait l'attendre, elle allait revenir. Attendre, avec le chat noir, le retour de sa maîtresse.

# 30.

## UNE PURE AGRESSION

Dans son sommeil, elle l'avait entendu hurler. Dans son sommeil félidé. Même si elle ignorait la réalité du sommeil paradoxal des autres chats : rêvaient-ils, eux aussi, ou n'était-ce que le produit de son âme et de son inconscient humains ? Son ouïe, en revanche, était celle d'une chatte, et en dépit des deux cloisons qui les séparaient, elle avait parfaitement identifié qu'il hurlait son prénom, à elle.

Mais rien ne l'avait préparée à ce qui suivit : Timothy Blackhills qui sortait de sa chambre, déboulait dans son sanctuaire, allumait brutalement la lumière.

Elle était là, surprise, comme épinglée sur le lit défait ; elle attendait ce qui allait se produire. Que faisait-il ici ?

Il s'adressa à elle :

— Comment tu t'appelles, toi ? Quel que soit ton nom, on va attendre Flora ensemble, qu'en dis-tu ?

Il allait déjà vers la porte du sous-sol, colla son oreille. Elle cracha, feula.

— Oh, mais tu es un vrai dur, toi, un chat de

garde… Ne t'en fais pas, je ne vais pas descendre dans sa pièce rouge, voir à quoi elle ressemble. Je voudrais juste l'entendre, m'assurer qu'elle est… vivante.

Il la prenait pour un chat, l'animal de compagnie de Flora Argento. Il s'assit sur son lit en souriant piteusement, s'adossant au mur. Juste à côté de lui, sur ce mur, il y avait la photo et le dessin de Catwoman. Se pouvait-il qu'il ne se doute de rien ?

— Je sais que je ne devrais pas être là, mon pote… Ta maîtresse n'apprécierait pas du tout… Je vais partir, tu vois…

Il continuait de lui parler, un peu incohérent. Savait-il, avait-il compris ? Elle s'approcha, à petits pas prudents.

— Mais ce dont j'ai besoin, avant, c'est de savoir où est ta maîtresse, de la voir vivante… Je l'ai vue dans mon cauchemar, je sais qu'elle est une louve. Mais j'ai rêvé de sa mort, tu comprends ? Est-ce que tu peux comprendre ?

La voix caressante la happait, la douceur du regard, désespéré. Elle avançait, prudemment, captée.

— J'ai tout perdu, et aujourd'hui, je ne peux pas la perdre, elle. Flora. Ta maîtresse. Même si je la connais à peine, je ne pourrais déjà plus la perdre. Ou alors, ce serait la fin.

Elle écoutait de toutes ses oreilles, analysait

les vibrations de l'air, de toute l'hypersensibilité de ses fines moustaches. Elle comprenait chaque mot, avec son âme de jeune fille. Et le ton du discours hypnotisait ses instincts de félidé, domestiqué depuis des siècles.

— Elle est tout pour moi… Elle, tu comprends, personne d'autre, je viens de le comprendre. Je n'ai plus qu'elle… Tu trouves ça un peu trop rapide, c'est ça? Eh bien moi aussi, mais c'est ainsi: trop rapide. Sais-tu où elle est partie, toi? Elle est en bas, dans sa pièce rouge?

D'instinct, en deux bonds, elle vint se frotter le flanc contre les jambes de Timothy Blackhills. D'un geste vif, surprenant, il la saisit par la peau du dos, la retourna sur ses jambes, commença de lui gratter le ventre. Il disait, en souriant:

— Eh, mais tu es une dame, en fait, à ce que je vois, ma belle…

—

Il n'y eut plus rien de chat en elle. Plus d'instinct, plus de contentement sensoriel, plus de cette recherche affective des voix amies. Plus de notion de territoire partagé. Il n'y eut brutalement que Flora, qui occupa tout l'espace, tout son propre esprit, reprenant toute la place. Mesurant l'humiliation d'être ainsi sur les cuisses de l'autre, d'être un jouet sous les mains de l'autre. Ressentant l'instrumentalisation, l'agression, le viol.

Elle se retourna en se cabrant et détendit la patte, dans une attaque électrique – griffes rétractiles dehors. Elle toucha la joue de Timothy Blackhills. Elle y laissa quatre fines zébrures rouges, sanglantes. Elle s'était déjà écartée et reculait, à l'autre bout de la pièce, en crachant, faisant le gros dos, le poil hérissé.

# 31.

## ESPACE PERSONNEL

La chatte avait bondi et s'était dégagée avant même que Tim sente la brûlure sur sa joue. Il y porta la main, sut que le sang coulait. Griffé au visage, comme dans son rêve.

— Waouhh... Tu n'es pas commode!

Il n'était même pas en colère, seulement surpris. Il regarda le liquide vermillon au bout de ses doigts, s'essuya la joue du revers de la main. En allant vers la salle de bains pour trouver de quoi empêcher le sang de couler, il lécha d'instinct les gouttelettes rouges au bout de son index et de son majeur, qui allaient tomber sur le sol.

—

Une rage immense monta dans ses veines. Le petit animal l'avait agressé, là, dans son espace personnel, sa zone de protection. Il ne connaissait pas ce carnivore, mais il ne le craignait pas – le petit animal avait osé le blesser, même superficiellement, en dépit de sa taille négligeable, de sa faiblesse. Il devait être châtié, parce que lui et lui seul régnait sur cet espace, comme sur tous ceux où il pouvait se trouver. Espace personnel inviolable. Ses yeux s'étrécirent de colère.

Maintenant, le petit animal reculait, tétanisé par sa fureur.

Il se redressa sur ses pattes, sa tête frôlait le plafond de ce lieu clos. On l'avait enfermé, mais qui? Il sut qu'il faudrait ouvrir la fenêtre pour sortir.

Fenêtre, il ne connaissait pas ce mot, pourtant – d'où lui venait-il? Fuir, il n'en était pas question. Il devait châtier le petit animal, puis sortir. En poussant son cri de guerre, il dévasta d'un coup de patte le bureau, sur lequel des objets noirs clignotaient. Puis enfonça de l'épaule les carreaux, les volets et le chambranle qui le séparaient de la liberté. Des milliers de cristaux de verre tombèrent dans la pièce, des esquilles de bois. Les rideaux déchirés flottaient comme des voiles fantomatiques. Il sentit l'air humide de la forêt s'engouffrer dans la pièce, avec des rafales de pluie. La voie était libre, personne ne pouvait le garder prisonnier. Il rugit de nouveau, de victoire.

«Les ordinateurs de Flora», c'était le nom des objets noirs qu'il piétinait. «La chatte de Flora», c'était le nom du petit animal. Il fallait…

Châtier. Punir. Éviscérer, pour qu'on sache qui il était. Le maître. Il retomba sur ses pattes, se retourna, en position d'attaque. Il entrouvrit les mâchoires, sentit la blessure superficielle se tendre

259

sur le côté de sa gueule – comme un léger tiraillement, un crime de lèse-majesté. Le petit animal si rapide, mais si frêle, s'appelait la chatte de Flora. Elle allait le regretter; elle était acculée dans un coin de la pièce, et elle allait mourir.

La porte s'ouvrit à la volée derrière lui, il se retourna, vit le bipède. Petit bipède, sans bâton fumant, sans danger. Il gesticulait, il hurlait vers lui. Pensait-il l'impressionner? Il en avait déjà vu, ses ancêtres du moins, dans une vie antérieure, il savait que les bipèdes étaient faibles sans bâton fumant. Ils étaient les ennemis de sa race, de son espèce, mais leur échine craquait sous l'étreinte et se disloquait, lorsque leurs bâtons ne crachaient pas le feu.

Le bipède... Shariff... Vient d'entrer... En danger... Je suis le danger...

Le petit bipède Shariff hurla puis se jeta sur lui, lui donna un coup de poing sur la croupe. Qu'avaient donc tous ces nains, avec lui? Il allait les châtier, les tuer, tous les deux, l'animal «chatte de Flora» et le bipède «Shariff» – puisqu'un autre esprit dans son esprit lui prodiguait les noms. Il se retourna, ouvrit la gueule, hurla. Se redressa de nouveau, en balançant ses pattes pour annoncer l'attaque. Recule, petit bipède. Recule encore. Comme tu le fais. Crains ma colère. J'aime la terreur qui écarquille ta pupille. J'aime ta face livide, ta bouche grande ouverte. Tout ton sang quitte ton corps, déjà, tu frémis comme une feuille, tu recules – quitte la pièce ainsi, à reculons, car je suis...

Je suis le grizzly. *Ursus arctos horribilis.* Cela se produit, se reproduit. Je mets en danger Shariff, je vais le tuer, comme j'ai tué Benjamin, Ben, mon frère Ben. Je l'ai tué.

Le bipède «Shariff» ouvre la bouche, il continue de crier, il me lance des mots, malgré sa peur, il n'appelle pas au secours, il produit des sons, il...

«Contemple, Tim, contemple.» «Accueille, regarde autour de toi, nomme...» Je comprends les mots de Shariff, je suis capable de... «Contrôle, Tim, contrôle...» Nommer les objets... regarder autour de moi... «C'est Flora, c'est moi, Shariff... Contrôle!» Je suis un ours, un plantigrade carnivore, un prédateur. L'enfant et la chatte ne doivent pas être... mes proies... Je suis dans un chalet, un mazot... les lambris... J'ai détruit la... fenêtre... à guillotine... les mots reviennent... la colère, cette colère dans mes veines, qui coule, me submerge, elle peut... si je nomme... je peux la...

Je retombe sur mes pattes, exactement au moment où le petit animal «chatte de Flora» passe entre elles. Je manque l'écraser; elle m'échappe, zigzague à une vitesse inouïe, elle se place derrière le bipède «Shariff» pour cracher, feuler.

L'imbécile, le petit imbécile. Il ose me défier,

prétend la protéger, alors que c'est contre elle, ma colère initiale, primordiale, contre elle. Je vais...

La colère... dans mon sang... un poison... elle ne doit pas reprendre... sauvagerie... nommer, nommer, contrôler, sinon je vais... tuer...

Le bipède d'abord, le petit animal ensuite. Le bipède n'aurait pas dû m'empêcher de...

Je ne dois pas... Shariff, va-t'en... Je ne dois pas...

Son sang. Il va couler, mais d'abord, je vais l'écraser, sentir son échine qui...

Shhhhhhhaaaaarriffffffff, non...

# 32.

## CACHOT

Le mur blanc, de nouveau. Dernière image: il se redressait, étreignait dans ses pattes Shariff, le garçon qu'il fallait rompre, briser, démanteler – pour pouvoir tuer la chatte. Il voyait les pattes se refermer sur la frêle silhouette, un enfant.

Puis, plus rien, rideau. Un voile rouge. Un mur blanc. Un black-out. Quelle qu'en soit la couleur, une absence, longue, interminable. Jusqu'au cachot. Ce n'était pas sa cage personnelle, il le voyait – pas «sa» pièce, sous sa chambre. Il n'y avait pas d'anneau ici, ni de chaînes au mur, et on avait ménagé un soupirail, dans le mur, comme chez le professeur. Un passage plus étroit encore, où seul pourrait se faufiler un animal mince, souple, un petit mammifère ou un reptile.

Qui l'avait amené ici, forcé, comment l'avait-on contraint? Était-il descendu de lui-même, après le meurtre, la colère rouge?

Il connaissait l'odeur qu'il y avait sur les murs, il pouvait l'identifier – c'était l'odeur qu'il avait eue sous le museau tout à l'heure, ou voici deux jours, ou dix ans. Avant l'absence. L'odeur de la chatte noire, l'animal de Flora qui l'avait griffé et provoqué…

À cette évocation, il sentit la colère remonter, par vagues molles, comme un reste de la tempête qui s'était emparée de…

Lui ?

Il se regardait, comme extérieur à lui-même. Il tournait dans la pièce, fauve en cage, faisant et refaisant l'itinéraire de son nouvel espace personnel, limité aux trois murs, à la grille. Prison. Ses griffes raclaient le sol, sillonnant la terre battue, suivant toujours le même itinéraire, le long des murs du cachot. Au fur et à mesure de sa marche, la colère se vidait de son sang, comme la mer se retire, lèche encore en écume la plage avant de redescendre, marée descendante.

Marée.

Shariff, victime d'une dernière marée, trop brutale. Une montée de sang rouge.

Avant de mourir, Shariff avait crié : « C'est moi, Shariff ! C'est Flora ! »

Flora.

L'odeur du chat sur les murs. Flora ? « C'est Flora » ?

Qu'avait-il fait ? Qu'avait-il osé faire, une fois encore ? Il avait su, pendant la métamorphose – il avait tué Ben, son frère, il l'avait su au moment de mettre Shariff en pièces. Assassin. Carnivore. Prédateur.

Il était hors de lui, à ce moment, seulement habité par la colère immense, sa cruauté innée, ce désir de préserver son... espace. Son espace personnel. C'est ainsi qu'il pensait, à ce moment, juste avant le mur blanc. Il était un ours, un fauve, dangereux, prédateur. Shariff n'aurait pas dû s'approcher, simplement pour sauver ce chat...

Un chat? Un soupirail, une chatière? «C'est Flora»?

Flora n'était pas une louve. Il l'avait rêvée telle, mais il ne la connaissait pas, n'était pas dans ses secrets.

Assassin. Assassin, Tim Blackhills. Il devenait un ours, et alors il tuait.

La charogne, dans un coin, les quartiers de viande rouge. Qui les avait jetés là, pour lui? Qu'était-ce, cette viande? Quel animal? Quelle espèce?

Il reconnut l'odeur – un animal à cornes, un bœuf, un morceau, peut-être un quart de bœuf. On lui avait laissé cela. Ceux qui l'avaient poussé dans le cachot pendant son black-out voulaient le voir survivre, lui, l'assassin. Le nourrir, le faire durer.

Anthrope. Métamorphose. Son instinct de prédateur vaudrait comme une excuse.

Mais ce n'était pas une excuse suffisante, il ne fallait pas continuer de vivre ainsi – comme un tueur innocenté par les circonstances, par la rage, un tueur impuissant.

—

Il cognait son crâne contre le mur. Il cognait et recognait, coups sourds de boutoir. Le sang coulait de son cuir... Une douche chaude, visqueuse, sur son museau, devant ses yeux. Il allait se tuer, en finir, mourir. Expier la faute, du moins expier sa nature, car il n'avait pas eu les moyens de contrôler l'instinct. Cette rage qui n'était pas la sienne, mais qui était lui. Lui. Un animal tueur. Un prédateur qui griffait, défigurait, dévastait sa famille, ses amis.

Du recoin sombre du cachot où il s'était prostré, il entendit des voix humaines, leurs pas descendre l'escalier, s'arrêter à la grille, l'entrée de la prison. Deux hommes dont il connaissait la voix, un troisième ; ils s'affolaient de le voir ainsi s'abîmer lui-même, s'automutiler, jusqu'à la mort. Il n'en avait cure, de leur inquiétude. Ils voulaient l'innocenter, mais lui connaissait sa faute : être ce qu'il était. Être un ours, un grizzly, un arktanthrope. Un assassin qui tuait malgré lui, un prédateur qui éteignait les vies chères.

Ils entrèrent dans la cage, il tourna sa tête blessée vers eux: ils étaient trois, ils avançaient à pas mesurés – le professeur, Matthew, qui portait un bâton électrifié, un homme en blouse blanche. Comment dit-on, dans son cas: médecin? vétérinaire? exorciste?

Ils voulaient sans doute l'empêcher d'en finir. Ils n'empêcheraient rien. Il avait décidé.

# 33.
## RÉDEMPTION

Il s'éveilla de nouveau, cligna des paupières.

Il sentait les battements de son sang dans la boîte de son crâne, sans douleur – mais quelque chose serrait son occiput dans un étau. Il leva la patte, ouvrit les yeux, vit une… main. Une paume rose, humaine, une ligne de vie. Il remua mentalement les doigts, ceux de la main bougèrent. Sa main, c'était sa main.

Il se redressa sur ses coudes, vit son corps humain sous des draps blancs. Il était redevenu celui qu'il était. On l'avait mis dans une chambre, une autre chambre. Encore une fois. Ce n'était ni « son » appartement de l'Institut, ni le cachot éclairé de rouge; ni le bureau du professeur; ni la cellule d'hôpital de Missoula.

C'était encore un ailleurs.

Cette fois, cela ressemblait vraiment à une chambre de clinique. Lumières au néon, murs blancs et carrelage, lampes scyalitiques, appareillage, tubulures à perfusion. Un goutte-à-goutte injectait un liquide transparent dans les veines de son bras gauche.

Le lit sur lequel il reposait était large, immense, métallique. Un lit d'ours ?

Sa tête était enserrée dans un pansement, des bandes couvertes d'un filet chirurgical. Blessé, une nouvelle fois, comment ?

Tout lui revint, la rage, le meurtre, le cachot, son suicide. Ils s'étaient emparés de lui, une nouvelle fois. Contre son gré. Ils l'avaient emmené ici, il ne se souvenait plus comment – encore une anesthésie ou de nouveau le mur blanc ? Ils avaient voulu le sauver, malgré lui. Que croyaient-ils ? Que son âme humaine serait moins bien trempée que celle de l'ours ? Il arracha la perfusion, espérant que cela suffirait.

Cela déclencha une alarme, un bip régulier, à l'un des appareillages compliqués qui dessinaient des courbes luminescentes et vertes sur un écran noir.

—

— Vous pouvez vous vanter d'avoir réussi l'une des entrées en matière les plus tonitruantes de toute l'histoire de l'Institut, Timothy. Au vu de votre première semaine, je vais finir par regretter de vous avoir accueilli.

Le sourire bienveillant du professeur McIntyre démentait totalement ses paroles. L'homme était entré aussitôt après l'infirmier-vétérinaire-exorciste qu'il avait déjà vu dans son cachot, lorsqu'il tentait de se tuer. Et maintenant, pendant que le type en blouse blanche – «Julien», avait-il dit en lui serrant la main – rebranchait la perfusion, il le regardait, debout à côté de son lit. Se débattre?

— Si vous continuez ainsi, je vais donner l'ordre de vous attacher à votre lit, histoire de vous laisser le temps de digérer cette nouvelle métamorphose… Vous allez définitivement devenir la vedette de mon établissement.

Se rendait-il compte de ce qu'il disait – une vedette? Il avait…

— Vous ne devez rien vous reprocher, Timothy. Rien, bien au contraire. D'ailleurs, Shariff passera vous voir, dès que les marées lui en laisseront l'occasion, m'a-t-il dit. Je crains que ce soit plus compliqué avec Flora. Peut-être va-t-il falloir envisager un déménagement.

— Shariff, il…?

— … est dans son aquarium.

— Je ne l'ai pas… tué?

— Grands dieux, non. Mais c'était moins une, à ce qu'il a dit. Je préfère toutefois ne rien vous raconter pour l'instant, je compte d'abord sur le récit de vos propres souvenirs, avec lequel rien ne doit interférer. Vous allez encore dormir, sans plus toucher aux instruments que Julien s'échine à maintenir en fonctionnement depuis treize heures; et je repasserai vous voir cet après-midi.

— Vous me jurez que…

— Je ne jure jamais, parce que tout ce que je dis est vrai, Timothy. Seuls les menteurs ont besoin de jurer, pour indiquer qu'il leur arrive parfois de dire la vérité.

—

— Bien, vos souvenirs correspondent à ce que nous a dit Flora… Aviez-vous ingéré du sang, votre propre sang, lors de l'accident de vos parents?

— Flora vous a dit que…?

— Concentrez-vous sur mes questions, Timothy. Lors de l'accident du 2 juillet, vous souvenez-vous d'avoir léché une blessure, ou…

— Mon nez… Mon nez cassé saignait dans ma bouche. Je me souviens que j'avais trouvé le goût âcre, j'avais…

— Parfait.

Le professeur se leva.

— … Nous pouvons supposer que c'est très probablement l'explication, votre *luxna*: vous déclenchez votre métamorphose lorsque vous ingérez votre sang. C'est un nouveau mode, inédit dans nos études, mais je m'en doutais: Flora vous a vu toucher votre plaie, porter votre main à la bouche et lécher votre sang… Une habitude qu'il conviendrait de perdre, Timothy, si vous ne voulez pas que…

— Flora était là ? Elle m'a vu ?

— Bien sûr, Timothy. Vous n'avez pas compris qui vous a griffé, dans cette chambre où vous n'auriez jamais dû entrer ?

— Vous dites que Shariff a survécu... Comment a-t-il... Je me revois l'enserrer, mais ensuite...

— Ensuite, j'ai su survivre au baiser de l'ours, mon pote ! Comme un vrai samouraï...

Shariff venait d'ouvrir la porte, à la volée. Sans doute écoutait-il derrière. Sa bonne tête éclairée de malice, de joie pure. Il entra comme une tornade, vint se planter près du lit.

— Figure-toi que j'ai concentré tout mon corps pour générer une boule d'énergie shaolin, et j'ai ainsi créé un bouclier magnétique qui t'a repoussé. Ensuite...

— Shariff, voulez-vous arrêter d'abuser un amnésique ?

Le professeur regardait son très jeune élève, entre indulgence et sévérité feinte.

— Bon, OK... Je me suis retrouvé dans tes putains de pattes et j'ai bien pensé que ma dernière heure était venue... Ça commençait à serrer franchement, tu vois. Mais j'ai continué à te dire de contempler, et à te redire mon nom, mon nom... Tout à coup, tu m'as regardé, avec ta sale gueule d'ours, et tu m'as relâché par terre comme un jouet... Et tu as reculé.

— J'ai...

— Ouais, tu étais dompté, tu m'as épargné… Je t'ai fait reculer, dans la chambre, comme ça, juste en te parlant; et à ce moment, les copains ont débarqué, parce que tu avais fait un peu de bruit en démolissant la fenêtre de Flora et en gueulant comme un âne.

— Je t'ai… relâché?

— «Si tu veux vaincre la colère, elle ne peut te vaincre. Tu commences à vaincre si tu la fais taire.» Sénèque, mon pote. Tu l'as fait, et ensuite les gardiens ont réussi à te faire descendre dans la pièce de Flora, avec leurs bâtons électriques, et tu as décidé de démolir le mur à coups de crâne. Bon, c'est le mur qui a gagné. Alors on t'a hospitalisé. Je résume, hein…

— Je n'ai pas voulu démolir le mur. Je croyais que je t'avais tué et je voulais…

Shariff prit un air grave, soudain.

— Ouais, je me suis douté que tu voulais en finir. Mais c'est une connerie, mon pote.

De nouveau, l'air malicieux, mi-embêté, mi-goguenard.

— Remarque, tu vas avoir de sacrées bonnes raisons de regretter ton suicide à coups de mur. Parce que, à côté de ce qui t'attend avec Flora, même des coups de tête dans un cachot auront l'air d'être une super bonne idée.

# 34.
## UN PLAT QUI SE MANGE CHAUD

Elle entendait les derniers coups de marteau dans sa chambre. Son sanctuaire, son ancien refuge, pillé, occupé, visité, portes grandes ouvertes, à la disposition de tous... Deux garçons, Mike et Vincenzo, s'affairaient encore dans l'espace «inviolable», ils avaient réparé la fenêtre, maintenant ils remontaient un lit et un bureau.

Finalement, on reposerait un verrou, mais un sanctuaire profané une seule fois n'est plus d'aucune protection, jamais. Et quoi qu'il en soit, tous ses secrets étaient tombés dans le domaine public.

Tout à l'heure, elle réemménagerait. Demain, elle recevrait les deux nouveaux Mac qu'elle avait commandés – deux machines débitées des comptes bancaires de Timothy Blackhills, sans son autorisation bien sûr, mais il lui devait bien cela – entre autres. C'était la moindre de ses dettes, en fait. Elle avait utilisé la bécane de Timothy Blackhills pour les acheter, puis elle avait effectué, avec cette même machine, le premier acte de sa vengeance.

Elle en avait soigné la mise en scène.

L'ensemble des courriers de Timothy Blackhills à Ben, des réponses de ce dernier, ses photos de famille pillées sur le serveur de sa messagerie, tout ce qu'elle avait pu trouver le concernant – tout ce qui était de l'ordre de l'intime, de ses secrets, tout ce à quoi il tenait sans que cela concerne quiconque, sauf lui, était là : étalé, affiché, accroché, épinglé sur tous les murs de sa chambre. Des centaines de tirages, format A4, qui recouvraient tout l'espace disponible. Sur lesquels elle avait parfois griffonné des commentaires sarcastiques ou pseudo-compatissants.

Ensuite, elle avait vidé les placards de Timothy Black-hills, avait étalé toutes ses fringues, ses sous-vêtements, les objets qu'il avait emportés depuis sa maison, partout, sur le sol, le bureau – tu en veux, de la vie privée étalée sous le nez de tout le monde ?

Puis elle avait sauvegardé les données et détruit l'ordi de Timothy Blackhills, à grands coups de pieds, après l'avoir jeté sur le sol. En dispersant chaque touche du clavier. Œil pour œil.

Et maintenant, elle était au milieu de ce chaos, la mise à sac de l'espace privé de Timothy Black-hills.

Bien sûr, on le lui reprocherait peut-être, ou pire : on en sourirait comme si elle s'était comportée en enfant, une fois de plus.

Elle s'en foutait. Ceux qui avaient décidé de la loger deux jours dans la piaule de son colocataire, le temps de réparer les dégâts produits par l'attaque, auraient dû y penser. Ils n'avaient songé qu'à lui trouver un nouvel abri, et puisque l'ours était dans sa propre chambre basse, ils avaient procédé à l'échange standard. Ils n'avaient pas pensé que loger chez Timothy Blackhills serait une humiliation de plus. Ils n'avaient pas prévu qu'encore chatte, elle se serait déjà acharnée sur les meubles, les rideaux, la couette, à coups de griffes. Et qu'en quarante-huit heures, dont une grosse trentaine redevenue jeune fille, elle aurait tout le temps de mettre l'intimité de Timothy Blackhills en charpie.

Ce saccage ne lui offrait aucune compensation, pas le moindre début d'équivalence, n'excusait rien, n'amendait pas Timothy Blackhills. Cela ne la soulageait même pas. Du moins cela lui avait occupé l'esprit quelques heures – quoiqu'elle ait ruminé en même temps sa rage.

Il était entré chez elle. Il avait fouillé partout.

Il l'avait vue, comme elle était – sans plus aucun paravent, sans voile. Il l'avait touchée, caressée, s'emparant d'elle contre son gré.

Il l'avait exposée au regard de tous. Il y avait eu les trois gardiens qui l'avaient «protégée», enfermée dans cette chambre, le temps de maî-triser le grizzly; il y avait eu le vétérinaire qui l'avait auscultée. Il y avait eu Bjorn. Véronique. McIntyre, qui l'avait vue *ainsi*, même lui, pour la première fois. Tous les secrets qu'elle avait réussi à ne pas divulguer pendant dix-huit mois étaient désormais sur la place publique, chacun savait, saurait, parce que les nouvelles allaient trop vite au sein de leur petite communauté.

Elle haïssait Timothy Blackhills pour tout cela, en dépit des mots qu'il avait dits, lorsqu'il pensait parler à son chat. En dépit de l'attirance, la fascination, la bouffée d'amour qu'elle avait ressenties à cet instant, et qui l'avaient poussée, ronronnante, contre ses jambes.

Connard, triple connard. Il avait tout gâché, tout ce qui aurait été possible – tout ce qui allait «trop vite», tout ce qui était «trop rapide», trop nouveau pour elle aussi. Elle ne l'en haïssait que plus.

Elle posa sur le bureau le disque dur externe sur lequel elle avait sauvegardé toutes les données de Tim, avant de détruire son ordi. Elle colla un post-it dessus :

«Vie privée de Timothy Blackhills, voyeur et violeur.»

On frappa à la porte. Le triple connard, déjà de retour ?

— Flora... C'est Shariff. Tu m'ouvres ?

Cela ne représentait que la cinquième tentative de Shariff en trente heures, une ou deux par marée basse, depuis qu'il lui avait sauvé la vie, face à l'ours. Mais elle ne voulait pas sortir, ni le voir, même lui, son petit frère. Elle ne sortirait de cette pièce que pour retourner dans la sienne, et y vivre cloîtrée, sans plus croiser personne avant sa majorité, son départ.

— Arrête de ruminer, Tim revient dans deux heures… Et ta chambre est prête, avec une nouvelle clé. Et je t'ai mis un bouquet de fleurs. Bon, tu m'ouvres, beauté, ou j'enfonce la porte à la hache ?

Elle alla à la porte, tourna le verrou : elle retournait chez elle. Son sac était prêt, avec les quelques affaires que Shariff avait pensé à y jeter, juste après l'incident – « Pour que tu ne te balades pas toute nue, quand tu seras redevenue toi-même, et que tu te brosses au moins les dents. »

Shariff entrouvrit, osa un œil à l'intérieur.

— Pffff… Là, tu ne l'as pas manqué, le colocataire… Tu m'as l'air un peu en colère, ma douce. Je t'ai dit que grizzly-man m'avait épargné, au fait ?

Oui. Il le lui avait répété chaque fois, derrière la porte : si le petit frère était en vie, c'est parce que l'ours l'avait relâché. Une dette, mais pas la sienne.

— C'est ton problème, Shariff.

— Ouais, mais le tien, beauté, c'est que moi, j'ai sauvé ta peau il y a deux jours. Et que ce soir, je t'invite à dîner.

# 35.

## LA TRAHISON DE SHARIFF

Elle avait entendu Timothy Blackhills revenir «chez lui», accompagné de McIntyre. Peut-être celui-ci comptait-il organiser les retrouvailles, mais manifestement le spectacle de l'appartement de Timothy Blackhills l'en dissuada. Tant mieux pour le cours de bonne camaraderie qu'on lui épargnait. Plus tard, elle entendit Shariff frapper à la porte de Timothy Blackhills, entrer. Il resta pas mal de temps à l'intérieur.

Quand il ressortit, il se contenta de venir cogner à sa porte, trois fois, et dit à travers la mince cloison de bois :

— À 3 heures du mat' pétantes, miss... T'oublies pas, tu me dois une vie, et cette nuit, tu règles ton ardoise.

Le petit frère s'était mis à l'école de Timothy Blackhills, ou quoi ?

L'heure du rendez-vous ne la surprenait pas, elle qui vivait depuis plus d'un an avec un homard. Et elle n'eut pas tellement à tergiverser, durant l'après-midi et la soirée. Elle savait que Timothy Blackhills le voyeur-violeur serait là, lui aussi, le soir, au dîner de Shariff. Son petit frère entendrait recréer le trio, envers et contre tout. Battre le fer quand il était chaud. *No way.* Il n'était pas question de lui refuser sa présence – effectivement, il s'était exposé à un péril mortel face au grizzly, à cause d'elle, pour elle. Elle ne l'oublierait jamais. Il n'était pas davantage question d'adresser fût-ce un mot au triple connard, ou de sembler même écouter ce qu'il avait à dire pour sa défense.

Seule dans sa chambre, privée d'ordis, sans rien faire, elle put donc se contenter de pleurer beaucoup, et réussit à dormir un peu.

——

Quand elle déboula dans la pièce commune, il était 3 h 15. Les odeurs enivrantes indiquaient que Shariff, cette fois, avait mis le paquet – son ultime spécialité, le tajine d'agneau à la poire, un chef-d'œuvre qu'il n'utilisait que dans les circonstances gravissimes : déprime profonde, engueulades carabinées, anniversaires de deuils. Le « tajine-de-la-mort-qui-tue », et sa semoule aux amandes. Timothy Black-hills était assis dans le salon, devant le « mezze de tapas » que l'enfant-homard avait concocté en apéro. Il n'y avait pas touché, encore. Il se leva quand elle entra. Il ouvrit la bouche, elle lui coupa la parole en se tournant vers Shariff :

— Salut mon grand. Ça sent rudement bon, tu as fait le «tajine-de-la-mort»?

Elle n'eut ni un mot ni un geste pour l'autre, et ne vint s'asseoir dans le grand canapé semi-circulaire que lorsque leur hôte fit de même, ayant ajouté les dernières épices.

Shariff les regardait s'éviter du regard, de la parole. Il grimaça à l'intention de Flora, un truc du genre : «Bon sang, fais un effort, sacrebleu…» Il allait ramer, il le comprenait; mais tant pis pour lui, il l'avait voulu…

— Bon, pendant que vous étiez occupés à vos affaires, je suppose que vous n'avez eu aucune nouvelle de la guerre contre les chasseurs… J'ai eu l'occasion de m'entretenir sur ce point avec saint Paul, puis avec notre-maître-à-tous, et leurs avis divergent… Ça vous branche, un résumé contradictoire?

Ils hochèrent la tête, l'un et l'autre. Shariff n'avait sans doute jamais concentré autant d'attention exclusive et feinte; du moins n'avait-il jamais autant regretté de le faire.

— Donc, il appert que notre bibliothécaire est le principal tenant du camp des jusqu'au-boutistes, qui estiment que le sang appelle le sang, et que l'Institut doit profiter de l'occasion qui s'offre pour supprimer définitivement la menace cynégétique. En gros, et pour faire simple, puisque les chasseurs sont venus jusqu'à notre territoire, on en profite, on les extermine jusqu'au dernier, discrètement, et cela nous fera des vacances. Saint Paul argue que nous avons la supériorité du terrain, que le nombre des protagonistes est *grosso modo* similaire, que nous savons utiliser nos armes, et qu'il faut également mettre à profit certaines des métamorphoses, en créant des animaux-combattants. Je grossis bien sûr le trait, mais en son for intérieur, c'est ce qu'il pense.

— Et le professeur ?

Flora tressaillit, en réentendant pour la première fois la voix de Tim… Elle eut une impression de haut-le-cœur. La dernière fois, c'était dans sa chambre – ces paroles. Alors qu'il la prenait dans ses bras.

— Notre-maître-à-tous se veut plus mesuré, d'aucuns diraient munichois. Il estime qu'il ne faut se servir des armes que pour se défendre et résister, en aucun cas attaquer. Et il refuse que quiconque utilise des compétences métamorphiques dans le combat : tous les anthropes doivent selon lui être consignés dans leurs pièces basses, durant les transformations. Il espère encore pouvoir négocier quelque chose, à condition de s'adresser au Taxidermiste en personne, pour obtenir leur départ définitif.

— Contre quoi ?

Cette fois, c'est elle qui avait posé la question, avant l'autre.

— Il ne me l'a pas dit, et j'ignore si des pourparlers ont déjà abordé la question. Je me contente de vous présenter les deux options, telles qu'elles se confrontent actuellement en conseil de guerre. Je sais aussi que Bjorn est le principal soutien de saint Paul, et que Kate défend l'option des négociations. Le sabre contre le bistouri, la vieille histoire.

— Je suppose que Timothy Blackhills ignore qui est Kate.

— Bien vu, Flora.

Il se tourna vers Tim.

— Kate est la directrice de la clinique, le bras droit du professeur dans les recherches sur...

— Et tu devrais aussi expliquer à Timothy Blackhills que le fond de la querelle est ancien, et idéologique, entre les deux fondateurs. Une vieille histoire.

Shariff la regarda, stupéfait qu'elle l'interrompe ; puis il se tourna vers l'autre, balbutia deux fois... Flora le coupa de nouveau :

— Oui, tu devrais le lui expliquer, parce qu'il est nouveau, et qu'il ignore encore tout des choses de l'Institut. Il ne sait pas que Paul Hugo est convaincu que la métamorphanthro-pie est une élection, et qu'il défend l'idée d'une suprématie des initiés, d'un rôle qu'ils auraient à jouer. Et

Timothy Blackhills ignore aussi sûrement que, parmi les anthropes, Paul Hugo établit une hiérarchie entre ceux dont les métamorphoses en font des prédateurs pour l'homme, et ceux qui ne sont que des proies.

Elle sentait la colère monter, dans sa voix, au fur et à mesure qu'elle énonçait les inepties du bibliothécaire. Mais la rage n'était pas dirigée contre Paul Hugo.

— Et vu qu'il en ignore tellement, tu devrais lui dire que, en tant que grizzly, Timothy Blackhills fait partie des anthropes supérieurs, ce qui lui donne un rôle... éminent, selon Hugo. Et que cela l'autorise sûrement à entrer et sortir de la chambre d'autres êtres plus négligeables, comme il l'a fait voici deux jours, pour piétiner tout ce à quoi tiennent ces inférieurs.

Sa voix avait tremblé, mais elle n'avait pas élevé le ton, comme elle l'espérait.

Shariff s'était dressé brusquement, sa chaise était tombée à la renverse – elle déclarait la guerre dès les premiers instants. Et pourquoi pas ? Elle avait promis de venir, pas de se taire. Tim la regardait, blême, et semblait vouloir disparaître dans le canapé. Mais il eut le courage de parler.

— J'ai... j'ai des torts terribles envers toi, Flora. Et toi, tu as profané tout ce qui m'était cher, pour me le faire payer. Le professeur m'a proposé de quitter le mazot, aujourd'hui, quand il a vu le spectacle, mais je lui ai dit que j'allais rester ici, jusqu'au bout de mon mois, pour me... me rattraper et me... faire pardonner... si cela était possible.

— Shariff, tu devrais dire aussi à Timothy Blackhills que ce geste est vraiment admirable, et *tellement généreux* de sa part. Tu devrais lui dire qu'il est trop bon de me pardonner, alors que j'ai osé lui rendre la pareille. Mais que c'est inutile : ce qu'il a fait, il ne peut pas le rattraper. Parce que personne ne savait, parce que personne ne devait savoir, et que maintenant tout le monde est au courant. Dis-le-lui, Shariff.

— Flora, je...

— Dis-le-lui.

— Non.

Tim et Flora fixèrent le jeune garçon, écartelé entre ses deux fidélités, et qui venait de trancher. D'une voix ferme, sûr de lui.

— Non, je ne lui dirai pas, parce que nous avons fait un serment, tous les trois, et que...

— Oublie ton serment. Ce sont des gamineries et...

— Non, ce ne sont pas des gamineries. Parce que tu étais heureuse que nous soyons trois, et moi aussi. Et Tim aussi. Et que ce n'est pas une erreur qui... doit te rendre...

— Une *erreur* ? *Me* rendre ? C'est ma faute, peut-être ? *Ma* faute ?

Elle s'était levée, hors d'elle. Tim se leva aussi, il semblait ne plus savoir quoi faire.

— Ce n'est pas ta faute, c'est ma...

— Si. C'est ta faute, Flora, le coupa Shariff en se tournant vers elle. Ta faute de ne pas vouloir être heureuse, ta faute de souhaiter ton malheur, ta faute de bondir sur la première occasion pour te renfermer dans ta coquille, comme il y a dix-huit mois, quand tu es arrivée.

— Si c'est ça, je m'en vais.

— TU NE BOUGES PAS!

Shariff avait hurlé. C'était tellement inattendu qu'elle en resta pétrifiée.

— Tu me dois une vie, depuis hier. Et moi, je dois une vie à Tim. Alors, tu vas me faire le plaisir de t'asseoir, et d'écouter jusqu'au bout ce que je vais dire.

Il se tourna vers Tim.

— Et toi, tu es prié de ne pas m'interrompre. OK?

Ils retombèrent tous les deux dans le canapé.

— Ce qui s'est passé avant-hier ne va pas nous tuer. Et «Ce qui ne nous tue pas nous rend plus fort», Friedrich Nietzsche. Tim, mesures-tu ce que tu as fait?

Timothy Blackhills secoua la tête, entre approbation et dénégation – pas sûr de savoir ce qu'il devait répondre...

— Non seulement tu as vu ce qu'est Flora deux jours par mois, ce qu'elle t'aurait déjà difficilement pardonné. Mais en nous obligeant à entrer dans sa piaule, tu l'as révélé à tout l'Institut, ce qui la fait souffrir aussi, peut-être autant… peut-être plus. Ça, je ne sais pas.

Qu'essayait-il de faire, le petit frère, avec sa crise d'autorité ? La guérison par la parole ? Une thérapie de groupe ?

— Ce que je sais, c'est que tu as vu ce que Flora entendait cacher, et que c'était son droit. Mais que cela ne va pas vous dresser l'un contre l'autre, comme des ennemis, parce que ses raisons de vouloir se cacher sont mauvaises. Humaines, bien sûr, compréhensibles, même, mais pas pertinentes.

De quel droit il…

— Parce que ce qui la gouverne depuis presque deux ans, notre Catwoman, c'est la honte. La honte de devenir ce qu'elle est, une chatte : un animal qui évoque au mieux les sorcières et le pouvoir maléfique, mystérieux des femelles, au pire dans certains idiomes, et plus vulgairement, la sexualité féminine. Une chatte, un *pussy cat*, si tu veux. Et qu'en plus, cela se déclenche lorsque…

— SHARIFF !

— Cela se déclenche tous les mois, au moment de ses règles. Depuis ses premières règles, voici deux ans. Et qu'elle pense, consciemment ou non, que c'est un motif de honte supplémentaire.

— Shariff, espèce d'enfoiré, tu…

— Excuse-moi, Flora, mais là… Il faut que tu m'écoutes.

Elle était de nouveau debout, et elle pleurait, sous le coup de l'humiliation, de ce qu'il était en train de lui faire. Lui, son allié, son petit frère, son seul ami.

— Je vais partir, fit Flora.

— Eh bien tu vas partir. Juste après m'avoir laissé finir, parce que tu me dois encore cela, et qu'ensuite c'est moi qui aurai contracté une dette.

Il se tourna vers Tim.

— Cette honte, vis-à-vis de tous, l'enferme, Tim, tu comprends? Et je crois qu'elle ne doit pas l'avoir vis-à-vis de toi, en dépit de ton intrusion mal venue d'avant-hier, parce qu'elle t'avait jugé digne de nous deux, en une seule journée. Parce que je suis convaincu, en fait, qu'elle te juge plus digne que moi, encore, de partager ses secrets, tous ses secrets. Mais elle s'est enfermée, sous le choc, dans l'attitude de fierté outragée où tu la vois. Pas par orgueil, non; mais par honte.

Il parlait d'elle comme si elle n'était pas là, elle ne faisait qu'assister à la conversation. Elle percevait l'immense gêne de Tim devant cette psychanalyse sauvage.

— Et lorsque la honte de soi nous gouverne

elle ne permet aucun salut, aucune élévation. Tu peux avoir honte d'avoir commis ce que tu as fait, Tim, tu aurais bien raison. Mais Flora ne doit pas avoir honte de ce qu'elle *est*. Tu saisis la nuance ?

Timothy Blackhills hocha la tête, cette fois en claire approbation. Mais tandis qu'il répondait, c'était elle qu'il regardait. Il y avait dans ses yeux des nuances trop complexes pour être lues, comprises, analysées, mais dominait une impression de tristesse infinie – à cause de ce qui les séparait, de ce qu'elle était ?

— Quant à moi, je viens de trahir l'amie qui m'est la plus chère, ma sœur. Je t'ai livré son secret le plus secret, le plus intime, celui que j'avais juré cent fois de ne jamais dévoiler. Et je n'en éprouve aucune honte, parce que je l'ai fait en étant convaincu que je la sauve. Mais je me suis créé ainsi une dette envers elle, qui va me coûter très cher, quand elle me présentera l'ardoise. J'en suis sûr.

— Petit con.

Elle continuait de pleurer, mais sa voix n'avait pas davantage tremblé que sous le coup de la colère, tout à l'heure.

— Je peux m'en aller, maintenant ? Tu as fini ?

— J'ai fini.

# 36.

## NE RIEN CONCLURE

— Nous savons désormais que votre métamorphose dure vingt-cinq heures environ, et comment elle survient. Mais vous, à titre personnel, qu'avez-vous appris avec cette découverte, Timothy ?

Vingt-neuf juillet. Le professeur attaquait de but en blanc, sans préambule cette fois.

— À titre personnel ?

— Oui, à propos de votre *luxna*. Cela lève tout doute concernant votre rôle dans l'accident, l'avez-vous compris ? Puisque vous saigniez avant de vous transformer, et puisque ce sang est consécutif au choc de l'accident, vous n'avez en aucune façon provoqué la sortie de route.

— Sauf si je saignais...

— Avant ? Très improbable. Vous étiez sujet aux hémorragies nasales dans votre sommeil ?

— Non... Cela dit, excusez-moi, mais je me méfie de ce genre de conclusions. Le docteur Moresby m'avait déjà démontré une fois que je ne pouvais y être pour rien, et puis vous êtes arrivé...

— Le docteur Moresby ignorait le Grand Secret, Timothy. Vous ne pouviez pas plus que lui en tenir compte. Mais désormais, il n'y aura plus de nouvelles révélations d'une telle ampleur. Vous avez toutes les cartes en main pour...

— Toutes les cartes? Toutes, sauf la mémoire.

— Non seulement vous conservez des souvenirs, mais vous avez été capable de maîtriser vos instincts de prédateur dès la deuxième occurrence. Ce qui est remarquable, Tim.

— J'ai relâché Shariff, parce qu'il a su ce qu'il fallait me dire... et parce qu'il m'avait expliqué auparavant la méthode. Mais j'étais prêt à le tuer, professeur, alors que mon cerveau me donnait son nom.

— Et donc?

— Donc, j'ai pu tout aussi bien tuer Ben, professeur. J'y ai d'ailleurs songé, alors que je m'apprêtais à tuer Shariff: tu as tué Ben, et maintenant, tu vas faire de même pour ce garçon.

— Cela n'indique rien: c'était peut-être la mémoire de l'ours; c'étaient peut-être les craintes ou les remords de l'homme. Ce qui est certain, c'est que vous avez assimilé remarquablement les conseils et la méthode de Shariff... Un garçon dont je finirai par me demander, soit dit en passant, si je ne dois pas lui laisser ma place.

— Mais je me fous de ce que j'ai su faire, cette fois, professeur... Je veux dire... Je suis heureux, soulagé plutôt, de ne pas avoir tué Shariff... Et

Flora... Mais cela ne signifie en rien que j'aie su faire la même chose, voici un mois.

— En rien, effectivement. Cela ne signifie ni cela ni son contraire.

— Sauf que j'ai mesuré la puissance de ma colère, quand je suis grizzly. Une colère effrayante, qui vous submerge et vous...

— Transfigure ? Défigure ? Quel mot utiliseriez-vous, Timothy ?

— Qui me déshumanise... Et j'ai appris aussi autre chose, dans l'épisode. C'est lorsque la rage m'a définitivement envahi, lorsque je lui ai cédé, que j'ai perdu toute mémoire de la suite... Or, précisément, une plage de temps me manque, dans la voiture. Entre le cri de ma mère et le moment où il a fallu que je sorte. Une plage dont j'ignore la durée et les conséquences. Une plage de rage.

— La plage de temps qui vous manque, dans la chambre de Flora, a été celle de la rage, mais aussi celle de la clémence. Celui qui tue et celui qui épargne. N'en concluez rien, Timothy. Vous ne pouvez savoir.

— Faut-il que je vérifie l'hypothèse de la *luxna* ?

— Vous le pouvez, si vous le souhaitez... Mais il convient de le faire de façon réfléchie et organisée, pour vous et pour votre entourage, pour la sécurité de nous tous. Je suis désolé, mais tant que vous ne maîtriserez pas certains aspects de votre personnalité, dans ces moments, il faudra s'y livrer derrière des barreaux. C'est impossible ailleurs dans le domaine, tant que les chasseurs sont là.

— Je comprends.

— Mais j'espère obtenir qu'ils quittent les lieux rapidement, et nous pourrons alors expérimenter à loisir. De même que j'aurai alors le temps de vous proposer l'hypnose dont je vous avais parlé. Mais à l'heure actuelle, je ne...

— Oui. Vous vous devez à tous.

— C'est cela. Et au fait, comment s'arrangent les choses avec votre colocataire ?

— Justement...

# 37.
## FAILURE

Il avait frappé à la porte, puis :

— Flora, c'est Tim. Je vais entrer, sauf si tu me l'interdis.

Il attendit une réponse négative. Elle ne lui avait pas adressé la parole depuis l'incident, et ne répondait même pas à Shariff depuis trois jours, depuis le tajine-de-la-mort. Elle ne sortait plus de sa chambre, tout simplement, et ses rideaux étaient tirés en permanence, pour interdire qu'on surprenne ce qui s'y passait, du dehors. Recluse.

Elle ne dit rien, et il entra.

Elle était assise à son bureau, devant les deux nouvelles machines, qui semblaient occupées à remplir des fonctions complémentaires. Des centaines de lignes de codes défilaient sur l'une, tandis que l'autre affichait une carte des réseaux mondiaux. Sur cette carte, des adresses IP successives s'affichaient. Flora utilisait les adresses d'autrui pour voyager.

— Tu pirates ?

— Barre-toi.

— Je me barre. Je suis venu te le dire.

Il vit à un brusque raidissement de son dos

qu'elle ne s'attendait pas à cette réponse. Mais les doigts continuèrent de pianoter d'un clavier à l'autre, sans une seconde d'interruption. Et elle ne se retourna pas.

— Je quitte le chalet aujourd'hui. J'en ai parlé au professeur, il m'a trouvé une autre chambre pour les dernières semaines. À l'Alpage, dans le mazot de Véronique. Comme ça, tu pourras te retrouver au moins dans votre espace privé, avec Shariff, et sortir de ta...

— Ce que je fais dans ma chambre et en dehors me regarde.

— Oui. Mais puisque tu ne veux plus sortir, désormais, par ma faute, je voulais que tu retrouves au moins le plus tôt possible l'usage de ta maison, et de la table de Shariff...

Les doigts continuaient leur travail, imperturbables.

— Et je quitterai l'Institut dans moins de trois semaines, à l'issue de mon mois de probation... J'en sais assez sur mes métamorphoses pour me débrouiller, et sans moi dans les parages, tu pourras peut-être... ressortir.

— OK.

Il aurait voulu lui dire quel sacrifice c'était : renoncer à cette nouvelle famille ; reprendre la route, seul ; revenir dans les pattes des flics de Missoula, entendre leurs questions ; simplement pour faire place nette, puisqu'elle ne supportait plus son existence. Mais il ne voulait pas lui demander fût-ce un peu de pitié. Et elle ne donnait pas l'air d'en avoir quoi que ce soit à faire.

— Shariff a cru bien faire, l'autre soir... Je ne savais pas qu'il...

— T'occupe. Je le connais.

Cela non plus ne le regardait pas. Il n'avait pas à essayer de faire le ménage en sortant, moins encore de prétendre réconcilier deux amis inséparables. Entre Shariff et Flora, les choses reviendraient. Entre eux deux, seulement ; quand lui, le troisième, serait loin.

— Je voulais te dire encore une chose, Flora, même si c'est... déplacé.

De nouveau, la raideur dans le dos. Il lui sembla que cette fois, les doigts avaient légèrement ralenti, comme si elle se préparait à une dernière épreuve, avant d'être débarrassée. S'attendait-elle au pire ? Il avait tourné ces mots, ces phrases dans sa tête depuis deux jours, depuis qu'il avait pris sa décision. Mais il ne s'était pas préparé à les prononcer devant un dos tourné – dans toutes les versions qu'il avait envisagées, de la plus violente à la plus triste, elle le regardait. Et il eut, malgré tout, l'impression de se jeter dans l'eau froide et sombre, sans savoir nager.

— Les mots que je t'ai dits, l'autre jour... quand je croyais parler à ton chat. Je... Ceux-là, je ne les regrette pas. Parce que je les pensais vraiment, et que… Que je n'aurais peut-être pas osé te les dire, si tu avais été… Je veux dire… Si j'avais su que…

Un fiasco absolu. Un naufrage. Une noyade.

— Mais je suis content malgré tout d'avoir pu te les dire… Parce que… je les pensais. Voilà.

— Moi aussi, je pensais comme toi. Mais c'est fini.

Quelque chose s'étrangla dans la voix de Flora. Ce ne fut qu'à cet instant qu'il réalisa qu'elle ne tapait plus sur les claviers, les mains suspendues comme la pianiste attend la réponse de l'orchestre, pour reprendre le concerto. Comme on suspend son souffle, aussi.

Un message apparut sur l'écran de gauche, encadré de rouge – FAILURE.

— Et merde ! dit-elle, dans un sanglot.

Il vit, aux tremblements saccadés de son dos, qu'elle venait de fondre en larmes.

Il revint dans sa chambre, prit son sac. Il avait déjà salué Shariff qu'il reverrait sans doute souvent du côté de la bibliothèque.

— De toute façon, si tu te barres dans deux ou trois semaines, tu n'as rien d'autre à faire qu'à en apprendre un peu plus dans les livres…

Tim ne comptait pas trop là-dessus. Il espérait plutôt reprendre son souffle, digérer toutes les nouvelles informations. Et profiter quelques jours de la montagne pour se remettre en condition. Il avait changé son billet de retour vers les États-Unis, en accord avec le professeur. À l'issue de son mois, il irait faire le mont Blanc, en solo – comme un hommage aux promesses qu'ils s'étaient faites, avec Ben. Puis, il retournerait vers Missoula et vers ses questions.

Il laissa ses clés, tout le trousseau, sur la porte de son appartement. En claquant la porte du mazot, il eut le sentiment d'abandonner derrière lui ce qui avait failli être un miracle.

—

Flora vérifia une nouvelle fois sur ses ordis, en pénétrant dans l'espace protégé des communications de la DEA : l'enquête concernant l'accident de Missoula était définitivement classée. Tim rentrerait chez lui libre, innocenté.

Elle ne lui parlerait jamais des résultats de l'autopsie : les *lacérations* sur le corps de Ben, les *fluides animaux* sur la victime.

La *Tiger Eye* avait provoqué quatre nouvelles crises meurtrières, dans les mêmes villes de la côte est et de Californie. Les dealers jusqu'auxquels on était remonté indiquaient que le produit était déjà sorti de la circulation. Selon les premiers éléments rassemblés par les enquêteurs, il semblait qu'il était arrivé en avion, par toutes petites doses, depuis la Suisse. Nulle part en Europe, on ne signalait la présence de cette dope aux effets effrayants.

# 38.

## LA PEUR

L'attaque des chasseurs eut lieu exactement trois nuits plus tard.

En entendant les cris qui le réveillèrent, Timothy Blackhills crut d'abord, dans un demi-sommeil, que Véronique retrouvait un copain ou un amant, puis à une engueulade dans la chambre de sa tutrice – cela pouvait arriver, cela arrivait de plus en plus entre les anthropes, avec la nervosité qui gagnait les troupes.

Puis il identifia le bruit de meubles et d'une fenêtre qui se brisaient.

Deux coups de feu éclatèrent dehors.

Il sortit dans le couloir pour voir ce qui se passait. Au même instant, deux hommes vêtus comme ceux du col de Bénand, treillis noirs et tenues de commandos, et tout aussi barbus et chevelus, apparurent. L'un d'eux portait une Véronique inconsciente sur l'épaule.

Les chasseurs.

Que faisaient-ils ici, avec leur...

— *There! There's another one!*

Celui qui ne portait pas l'otage blonde fit mine de pointer son arme de poing sur lui. Tim se rua dans sa chambre, claqua la porte. Il n'y eut pas le bruit de la détonation qu'il attendait, à travers la cloison de bois. Ils ne défoncèrent pas sa porte, ne vinrent pas le chercher, là où il avait plongé – sous le lit.

Les chasseurs de trophées, les tueurs du col de Bénand. Ici. En pleine nuit, et en plein cœur de l'Institut.

Dans le noir, il entendit son cœur battre comme une pompe de sang irrégulière, bien après que les lourds bruits de pas se furent évanouis dans le couloir. Et bien après les derniers coups de feu, dans la nuit sans lune.

# 39.

## UN HÉROS

— Qu'avez-vous vu exactement, Timothy?

Le professeur, Paul Hugo, Bjorn et une jeune femme d'une trentaine d'années, d'apparence un peu sèche, les cheveux noués en un chignon un peu strict, dont il devina l'identité : Kate, la directrice du labo. Le conseil de guerre restreint, en demi-cercle autour de lui. Les deux gardiens qui l'avaient amené depuis le mazot avaient quitté la pièce pour les laisser seuls avec lui.

Cela avait un aspect officiel, sinon inquisiteur ; une audition de témoin, disons. Cela témoignait surtout de la gravité de ces instants – à la hauteur de sa sidération tout à l'heure, quand il avait vu les chasseurs dans le mazot. Tout le monde savait que c'était la guerre, mais personne ne pensait que les choses basculeraient si vite, que l'ennemi pourrait pénétrer aussi profondément, aussi intimement sur leur territoire. Les premiers gardiens qui étaient entrés après l'attaque n'en revenaient pas plus que lui. Stupéfiés. La vitesse, la précision, l'engagement de l'ennemi les avaient tout simplement pris par surprise.

— Ils… ils étaient deux… Ils ressemblaient à ceux que j'ai croisés sous le col… Les mêmes vêtements, les mêmes barbes, le même accent. Mais cette fois, ils étaient armés de revolvers. L'un d'entre eux avait aussi un arc en bandoulière. Celui qui ne portait pas Véronique.

— Lorsqu'ils l'ont emmenée, à votre avis, elle était… ?

— Inconsciente. Assommée, endormie…

— Ou morte ?

— Oui, c'est possible. Je n'ai pas pu voir, l'un des deux l'avait chargée sur son épaule. Il la portait comme un sac.

— Je ne pense pas qu'ils l'auraient tuée… Ça n'aurait aucun sens, ils venaient chercher du gibier.

— Alors, n'attendons pas, Ronald. Allons la récupérer tout de suite. Tant que nous pouvons suivre leurs traces…

— Non. Cela supposerait d'y aller au flair, et je refuse que des anthropes sous métamorphose soient…

— Mais vous n'avez pas le choix, professeur. Sinon, vous faites une croix sur la vie de Véronique. Une des nôtres. Nous sommes tous prêts à…

— Je n'en doute pas, Bjorn. Vous êtes prêt à déclencher les hostilités, vous ne rêvez même que de ça.

— En attendant, tu étais censé éviter que cela se produise.

Kate venait de moucher le responsable de la sécurité. Les deux camps dont Shariff avait parlé. Le professeur reprit de façon plus froide :

— Que savez-vous du commando, Bjorn ?

— Ils étaient six, peut-être sept. Armés assez lourdement. Et ils savaient ce qu'ils venaient faire. Ils sont entrés dans un chalet, ont assommé Véronique, et sont repartis sans s'attarder.

— Pourquoi n'ont-ils pas croisé nos gardiens ?

— Parce que nous ne pensions pas qu'ils oseraient pousser si loin, si vite. Nous n'étions pas encore prêts. Parce qu'empêcher une poignée d'hommes d'entrer dans un domaine aussi vaste que le nôtre est strictement impossible, professeur. Surtout si nous ne sommes que vingt à monter la garde, à tour de rôle, et si vous refusez d'utiliser nos capacités de flair et d'ouïe pour prévenir les attaques.

— Vous estimez que je suis responsable de l'échec de notre sécurité ?

— Oui, professeur. Ce que vous me demandez de faire est strictement impossible si...

— TIM !

Ils se retournèrent tous vers la porte qui venait de s'ou-vrir en grand. Dans l'encadrement, un très jeune garçon revêtu d'un peignoir et une jeune fille de quinze ans en T-shirt sombre, décoiffée comme quelqu'un qu'on réveille en pleine nuit. Ils avaient l'air tous les deux bouleversés, mais deux sourires identiques de soulagement, de gratitude apparurent sur leurs visages, quand ils virent Tim au milieu du conseil.

— Ceci est un conseil de guerre restreint, vous ne devez...

— Laissez, Bjorn. Bien, à ce que je vois, il est inutile de vous demander le silence sur l'enlèvement, Timothy. Tout le monde est déjà au courant.

Shariff et Tim étaient déjà dans les bras l'un de l'autre. Flora les regardait en souriant timidement.

—

— Quand on nous a dit que les chasseurs étaient venus dans ton chalet, on a cru que... qu'ils t'avaient eu, tu vois...

— Ils ont enlevé Véronique. Vivante, je pense.

Ils marchaient tous les trois vers le mazot. Shariff ouvrait la marche, volubile et nerveux, surexcité par la brutalité des événements. Il se retournait sans arrêt, en bondissant comme un cabri. Flora était à côté de Tim, dans le noir. Il sentait sa main qui frôlait la sienne, lorsque leurs pas les rapprochaient. Ils s'écartaient aussitôt, comme électrifiés.

— Tu vas aller chercher tes affaires, dit Shariff, et tu vas revenir dormir chez nous... De toute façon, je pense qu'ils vont tous nous regrouper au Hameau, pour pouvoir surveiller tout le périmètre... C'est ce que disent les autres, et... Je n'en reviens pas... Des chasseurs, dans l'Alpage.

Flora ne disait toujours rien. Stupéfaite ? Sur la réserve ? Shariff reprit :

— Tu les as vus de près, tu as vu à quoi ils ressemblaient ? Tu sais si on s'attend à une autre attaque ? On nous a dit qu'ils étaient six, peut-être dix... Tu crois qu'il y en a d'autres, dans le coin ?

Tim secoua la tête en signe d'ignorance. Il ne pouvait répondre aux questions de l'enfant-homard. Il se contenta de ce qu'il savait :

— Bjorn pense que certains d'entre nous devraient se métamorphoser, pour utiliser leurs capacités animales et les entendre venir.

Il se tourna vers Flora.

— Cet imbécile de Bjorn, comme tu dis.

Il s'arrêta pour la regarder. Elle lui sourit, un sourire pauvre, un peu tordu, un peu tremblant.

— J'ai eu si peur, Tim... Si peur...

Elle n'avait rien dit, depuis l'entrée dans le bureau. Elle n'avait pas commenté l'événement, pas davantage son retour au chalet, avec eux. Ils ne s'étaient pas touchés.

Mais à cette seconde, ils furent dans les bras l'un de l'autre.

Tim la tenait contre lui. Il sentait l'odeur de ses cheveux, l'odeur de sommeil sur son T-shirt et sur sa nuque. Elle pleurait, contre lui, à gros hoquets. En dépit de leurs tailles presque identiques, elle était étonnamment menue, fragile, dans ses bras. Il sentait la finesse des épaules, la clavicule à fleur de peau, sous le T-shirt. Il avait le sentiment qu'elle voulait disparaître en lui, là. Une larme de Flora lui coula dans le cou, c'était une inondation, un raz-de-marée, qu'elle ne semblait plus pouvoir ni vouloir arrêter. Il passa sa main dans les cheveux de la jeune fille, lentement, régulièrement, comme une caresse de grand frère. Shariff les regardait, Tim vit une lueur goguenarde dans ses yeux.

— Tout va bien, Flora, je suis là… On est là, tous les trois… Tout va bien.

—

— Et je n'ai rien fait pour essayer de la sauver.

Ils étaient dans le salon, volets fermés selon la consigne qui avait circulé, mais toutes lumières allumées. Dans les canapés, comme autrefois – dix jours plus tôt. Shariff préparait des sandwiches : le homard n'a pas d'heure pour ses repas.

— J'ai vu ce qu'ils faisaient, et je n'ai strictement rien fait pour les en empêcher. Je n'ai pensé qu'à ma peau, et je suis allé me planquer.

Shariff cessa de jouer du couteau sur son plan de cuisine, ils se turent tous les trois. Ses amis accueillaient sa confession, sa faute. Finalement, c'est Flora qui rompit le silence, mais la question qu'elle lui lança était tout à fait inattendue :

— Et si ç'avait été moi, tu te serais planqué ?

— Je… Je veux croire que non, Flora.

— Cela ne peut pas être le hasard… C'est dingue, quand même…

— Tu parles, Shariff ! Qui aurait pu s'attendre à ce que…

— Non non, je ne te parle pas de ça. Mais… Écoutez…

Le maître zen saisit un opuscule sur la table basse, chercha une page, la lut à voix haute.

— « Concentré sur son objectif, il s'évertue à oublier sa propre histoire, à nier son destin. Mais celui-ci le rattrape, lui rappelle un oubli, une faute, et le rattache à une hérédité, à son corps, à son remords, à son devoir… »

— Qu'est-ce que tu racontes, Shariff ?

— Je cite, mon pote. Jean-Marie Domenach, *Le Retour du tragique*. Je suis en train de t'expliquer que tu es un héros, que tu le veuilles ou non…

— Un… héros ? Le type planqué sous son lit ?

— Cela n'a rien à voir. Depuis l'*Odyssée*, on sait bien que le héros n'a rien de fantastique… Il n'est ni plus courageux, ni plus malin, ni plus beau que les autres, sinon j'en serais un… Il a juste un destin, et il affronte ce destin-là. Tu comprends ce que je veux dire?

— Personne ne peut comprendre ce que tu dis, Shariff...

— Merci du compliment, ma belle. Je dis que Tim, en deux semaines à l'Institut, a rencontré deux fois les chasseurs. Alors que personne d'autre, jusqu'ici, ne les avait croisés, et que personne ne pensait qu'ils pourraient venir jusqu'à l'Alpage. Ça ne peut pas être le hasard. Le destin frappe à sa porte, et de toute évidence, c'est lui qui doit les vaincre. C'est écrit, c'est le destin, *mektoub*[1].

— Sauf que tu oublies une chose : sur ces deux rencontres, l'une s'est soldée par un massacre dans lequel je ne suis pour rien, vu que je m'enfuyais, et l'autre par un enlèvement où je me suis planqué...

— Pas terrible, hein. Mais l'histoire n'en sera que plus belle... Le type un peu lâche, un peu trouillard, pas bien doué, qui finalement triomphe de ses peurs en même temps que des ennemis. Un truc de fou.

— Arrête, Shariff, on n'est pas en train de parler de légendes antiques, ou de romans, on est en train de parler de Vér...

— Je sais. N'empêche, écoute-moi. Crois-moi.

---

1. En arabe, « C'est ta destinée ».

Tu es désigné, il n'y a pas de doute. Parce que tu es le dernier arrivé dans notre communauté, parce que tu n'es ni le plus fort, ni le meilleur. Et qu'en plus, ton meilleur ami est un sage conseiller, et que tu as la plus jolie fille du lot.

Cette fois, Tim ne répliqua pas. Il regarda Flora, attendant la protestation. Non, il ne l'«avait» pas. Aux dernières nouvelles, ils étaient même fâchés à mort – du moins trois heures plus tôt. Il avait fallu une attaque, un enlèvement, et sa propre lâcheté au moment où il aurait dû agir, pour qu'ils se retrouvent de nouveau tous les trois : le «héros», le «sage conseiller», et la «plus jolie fille». Flora vit qu'il la regardait, elle haussa les yeux au ciel, «laisse-le dans ses délires», et lui sourit. Mais elle ne démentit pas. Au contraire, elle coupa Shariff qui s'apprêtait à continuer, et dit :

— Non seulement la plus jolie fille, mais une pirate, une fille-chatte. Catwoman.

Tim sut qu'il était pardonné, et bien plus encore.

# 40.
## LE PÉRIMÈTRE

On les tint hors des opérations en cours, de gré ou de force, pendant les quatre jours qui suivirent. Seuls mineurs de l'Institut, ils n'avaient pas le droit de s'entraîner au maniement des armes, ni de prendre leur tour dans les gardes, permanentes désormais, autour du Hameau – dans lequel tous les anthropes s'étaient provisoirement regroupés. Il aurait fallu qu'ils continuent de vivre comme si de rien n'était, parmi tous les autres. Plus que jamais, on les voyait comme des enfants, dans un monde trop cruellement adulte…

Une fébrilité dangereuse, inquiète, semblait s'être emparée de l'Institut. On s'était découvert plus vulnérable qu'on ne le pensait. On avait eu des pertes. La guerre ne pouvait plus être un jeu, ou une perspective un peu virtuelle, et chacun devait se situer, choisir : négocier ? répliquer ? au risque de perdre l'otage ?

Chacun savait qu'il aurait pu être à la place de Véronique.

Le professeur n'avait plus une minute à consacrer aux séances avec Tim. Le conseil de guerre était réuni deux fois par jour, même si la situation ne semblait pas évoluer. Des bruits indiquaient qu'il y avait eu contact avec le Taxidermiste, qu'il avait posé des conditions : il voulait échanger Véronique, mais contre quoi ? D'autres rumeurs démentaient les premières. On était dans le brouillard, on ne savait rien. Une colère couvait dans l'esprit collectif, mal dirigée, contre les carences de la sécurité, contre leurs illusions, contre l'événement et l'ennemi.

La seule certitude qu'établit Flora, en allant vérifier dans les dossiers informatiques de McIntyre, était le compte à rebours : la prochaine métamorphose de Véronique aurait lieu à la pleine lune. Le 14 août.

— Et elle se transforme en quoi ? demanda Tim.

— En daim. En biche, quoi... Mais je te rappelle que tu n'as pas à le savoir.

— Mais toi, tu le sais, non ?

Un regard assassin de Flora le fit taire. De l'incident qui les avait si violemment opposés, il ne restait que ces allusions, parfois, explicites.

Pour le reste, ils menaient une vie «normale», autant qu'il était possible, malgré ces heures dramatiques : Flora, dès le lendemain de l'attaque, ressortit avec lui au soleil, d'abord sur la terrasse du chalet, puis sur les sentiers, entre les chalets – comme une convalescente. Ils devaient théoriquement rester dans le «périmètre de protection totale» défini par «cet imbécile de Bjorn», comme tous ceux qui circulaient sans armes, sur un espace d'un demi-hectare, parmi les arbres, au cœur du Hameau, et à quelques centaines de mètres tout au plus du chalet principal. Amputation de l'espace personnel, aurait dit un grizzly.

Mais Tim ne pensait pas en ours.

Ses questions tournaient autour d'autres espaces personnels. Celui qui le séparait encore parfois de Flora Argento. Celui qui l'en rapprochait, à d'autres moments, sans qu'il l'ait anticipé. Elle n'était pas venue une seule fois dans ses bras, depuis la crise de larmes, dans la nuit, après l'enlèvement. Ils ne s'étaient même pas pris la main, prenant garde toutefois de se frôler souvent ; jouant avec les lignes, sans jamais les franchir. Quand elle s'asseyait en face de lui, aussi loin que possible, dans le canapé semi-circulaire, elle le regardait d'un air rieur. Mais d'autres fois, sans que rien ne le laisse deviner, elle venait se blottir contre lui, sur le canapé, ou reposer la tête sur son épaule. Que faire de son bras, dans ces cas-là ? Le passer autour de l'épaule de Flora ? Et si elle fuyait cette étreinte, insaisissable ?

Il débutait.

Elle aussi, peut-être, mais elle avait l'air de connaître certaines règles du jeu, qui lui échappaient encore. Le chat et la souris, sans doute : Catwoman était en avance là-dessus.

Et quel que soit l'espace personnel entre eux, ils passaient tout leur temps ensemble, à deux, puis à trois dès que la marée le permettait à Shariff. Flora avait presque entièrement laissé tomber ses ordis, provisoirement. Et lui parvenait à oublier plusieurs heures, parfois toute une demi-journée, les questions du 2 juillet. Deux fois, ils avaient même contrevenu aux consignes qui voulaient que chaque anthrope accomplisse ses métamorphoses dans sa chambre basse. Ils avaient installé le homard dans une grande bassine emplie d'eau, sur la terrasse de plein air, avec eux, pour continuer la discussion – Tim évita de penser qu'il s'adressait en même temps à la jeune fille qu'il aimait ET à un crustacé. Les deux fois, Shariff les prévint charitablement, en s'agitant soudain lorsque la marée s'inversa. Humain, il l'aurait sans doute dit ainsi :

— Si vous ne voulez pas vous retrouver dans cinq minutes avec un garçon entièrement déshabillé pataugeant dans une bassine à vos pieds, il va falloir me ramener chez moi... « La nudité, c'est de se voir nu », Victor Hugo.

Avec l'inquiétude, puis l'angoisse, les rumeurs enflèrent.

Les bruits disaient que des désaccords violents agitaient le Conseil. Les bruits prétendaient qu'au terme d'une réunion de conseil élargi, où il avait été mis en minorité, le professeur avait menacé de quitter définitivement l'Institut plutôt que de permettre à des anthropes d'utiliser leurs instincts bestiaux, fût-ce pour leur défense. Les bruits disaient que Paul Hugo lui opposait leur nature, leurs dons. McIntyre redoutait que ceux qui tueraient l'ennemi, à l'état de totem, deviennent incontrôlables pour eux-mêmes et leurs proches. À cause du goût du sang.

Les rumeurs racontaient qu'ils étaient dans l'impasse. Les conditions posées par le Taxidermiste étaient inacceptables, quelles qu'elles soient – et on en ignorait tout –, mais on ne savait pas comment les contrer. On ignorait aussi où se terraient les chasseurs depuis leur opération commando, et s'ils attendraient la chasse et la mise à mort de Véronique, avant de se manifester de nouveau. Les bruits disaient qu'ils avaient tout leur temps, que l'Institut allait leur servir de réserve, qu'ils n'étaient pas pressés d'en épuiser le gibier.

Beaucoup étaient d'avis que seul un flair inhumain permettrait de retrouver leur piste.

— Tu en penses quoi, Tim ? lui demanda un jour Shariff. Je veux dire, tu es notre seul expert…

— Expert en quoi ?

— En prédation. En carnivore de guerre. En anthrope de combat, *et cætera*. Si saint Paul a raison, c'est des types comme toi qu'on enverra en première ligne… Et c'est précisément des mecs comme toi qui risquent de prendre le goût du sang, à mutiler les chasseurs, ce qu'a l'air de craindre notre-maître-à-tous. Alors, tu en penses quoi ?

— Rien. Je n'en pense rien. Je pense que lorsque j'ai cru t'avoir tué, j'ai voulu en finir avec moi-même. Je pense que je ne sais toujours pas si j'ai blessé ou tué mon propre frère, et ça me tue.

— Donc Shariff, mon grand, moi j'en pense que tu devrais apprendre parfois à fermer ta grande g...

— Attends, Flora, Shariff a raison de poser la question... Ça n'a rien à voir... Je ne sais pas si je devrai utiliser mes dons, comme ils disent, pour sauver la vie de Véronique. Et je comprends ceux qui veulent la retrouver par n'importe quel moyen, pour la sauver avant la pleine lune... Fût-ce au risque de perdre leur âme.

Elle grimaça – elle ne semblait avoir aucune envie qu'il perde son âme pour cette fille-là.

— Ouais... Mais ce qu'oublie le bibliothécaire, c'est qu'il y a d'autres moyens que le flair et les crocs. Les êtres humains ne laissent pas des traces seulement dans la forêt... On va essayer autre chose...

Elle les emmena chez elle. Dans le sanctuaire. Devant ses ordis.

— On aurait dû y penser plus tôt, pesta Flora. Pour se contacter et battre le rappel, les chasseurs utilisent forcément des codes… Et donc des communications électroniques.

— Tu fais quoi? demanda Tim.

— J'utilise à notre profit les scanners, les satellites et les ordinateurs de recherche de la police scientifique… En France, et en Allemagne, Tchécoslovaquie, Hongrie, Autriche, Pologne, puisque tu as dit que les mecs qui ont enlevé Véronique avaient des accents d'Europe centrale.

— Ajoute la Roumanie, ma belle. C'est un peu romantico-gothique, mais ils ont des gueules à fréquenter les mânes des amis de Vlad l'Empaleur, à ce qu'a dit Tim.

— *Yes, sir.*

Elle tapait à une vitesse inouïe, pénétrait déjà des systèmes manifestement archicryptés, verrouillés.

— On va utiliser les grandes oreilles françaises et britanniques, et aussi celles des États-Unis. En introduisant de nouveaux mots-clés dans leurs systèmes de recherche aléatoire concernant la détection du terrorisme, des crimes informatiques et de la pédophilie… On balaye tous les forums privés, les groupes de discussions, les blogs, les intranets, les groupes Facebook, les conversations MSN…

— Tu… tu peux faire ça d'ici?

— Oh non, bien sûr. Ce n'est pas moi qui vais le faire, et je ne suis pas ici. Je suis dans l'ordi d'un flic de la brigade de lutte contre le crime organisé et le trafic des êtres humains, en poste à Rotterdam, Pays-Bas, et qui exécute une requête urgente auprès de ses alliés d'Interpol[1] et d'Europol, concernant un groupe utilisant les mots de code... Quels mots de code, Shariff?

— Ça dépend de leurs références culturelles... Bon, allons-y, essayons. En noms propres, références et pseudos, et par ordre alphabétique, quelques chasseurs célèbres ou mythiques: Apollon, Arduinna, Armel, Artémis, Blade (Eric Brooks), Bonham (L. T.), Camaxtli, Cody (William), Derc'hen, Diane, Diana, Djurdjevdan, Djurdjic, Georges de Lydda, Hickok (Wild Bill), Horned God, Iochéairê, Jordi, Joris, Kontron, Kristensen (Eva), Kurnous, Loxley (Robin), Mixcoalt, Morosgovanyi (Larojslav), Neventer, Podag, Sanènè, Summers (Buffy), Sveti Georgije, Train Heartnet (Black Cat), Van Helsing, Vanzan, Zaroff. Pour une première liste... Il y en a pour tous les goûts, non?

Flora éclata de rire, et se tourna gaiement vers Tim:

— C'est à ça qu'il sert, tu vois. Et pour les mots-clés?

---

1. Organisation internationale de police criminelle (OIPC), instance de coordination des polices du monde entier. Europol est son équivalent européen.

— Chasse, *of course*. Et tous les termes qui s'y rapportent… Dans le désordre, cynégétique, vénerie, battue, saignée. Braconnage. Gibier. Trophée, taxidermie, naturalisation. Chimère. Massacre…

Shariff s'interrompit dans sa liste, se tourna vers eux :

— … C'est le nom qu'on donne en vénerie aux bois du cerf, quand ils sont présentés avec la tête entière, empaillés.

— Merde, Shariff… On se passe de ces précisions.

— Excusez-moi… Bon, tu ajoutes lycanthropie, métamorphoses, monstres, hybrides, garous, totems, dans une vingtaine de langues européennes. Mais avec priorité à l'anglais, puisqu'ils communiquent entre eux dans cette langue.

— Monstres ?

— C'est ainsi qu'ils nous voient, Tim. Ainsi qu'ils nous pensent, et qu'ils justifient leur droit de nous traiter comme des animaux. Et pire, comme des bêtes nuisibles, du gibier. Flora, tu commences par demander des recherches en croisant au moins trois des occurrences, pour les premiers résultats ?

— Yep !

Ils reproduisirent le même dispositif, émanant d'autres brigades de flics, dans d'autres pays, vers d'autres systèmes de surveillance. Cela prit deux heures de plus.

— Et ça y est, Big Brother Europe Inc. travaille pour nous.

Elle était manifestement fière d'elle, fière de Shariff aussi – et de lui montrer ce qu'elle savait faire.

— Maintenant, on poireaute jusqu'à l'annonce des résultats… «Une petite impatience ruine un grand projet», Confucius. Et moi, vu l'heure, je vais aller me nager une petite brasse.

Shariff se leva, les laissa tous les deux. Seuls, dans le sanctuaire. Pour la première fois.

— Et maintenant ?

— Maintenant, Shariff l'a dit… On attend. Au moins vingt-quatre heures. Et ensuite, on déroute l'info qui parvient aux flics que j'ai piratés, et on dépouille. Autant dire qu'on va passer quelques heures ensemble devant mes écrans. En attendant, ce ne serait pas forcément idiot d'aller prendre l'air…

Ils envoyèrent balader les consignes concernant le périmètre de sécurité, qui les auraient obligés à rester pour ainsi dire au pied de leur chalet, ou de la dizaine d'autres, au vu et su de tous. Ils avaient envie de solitude à deux, d'intimité forestière. En une demi-heure, ils s'étaient éloignés d'environ deux kilomètres, marchant sous les frondaisons, s'arrêtant parfois pour discuter joyeusement, ou plus gravement, ayant oublié tout à fait Véronique, Big Brother, l'humaine et l'animale natures, même Shariff dans son bain salé, ne songeant plus qu'à eux-mêmes... lorsqu'une silhouette surgit du rideau d'arbres qui les séparait maintenant du Hameau.

— Qu'est-ce que vous foutez ici ?

La jeune femme qui avait parlé portait un gilet orange sans manches, et un fusil à lunette. Elle semblait ne s'adresser qu'à Flora.

— Tu sais pourtant que nous devons garder un périmètre. Retourne au Hameau.

— On a besoin d'un peu d'air, là, Ines... Juste une heure.

— Tu postules, pour prendre la place de Véronique ? Tu as envie de la remplacer chez les chasseurs ? Tu le dis, dans ce cas, et j'organise l'échange...

Ils se retournèrent, sachant déjà qui venait de parler ainsi d'une voix cassante. Bjorn. Même gilet orange, même fusil.

— Ton copain fout la merde dans notre dispositif, toi tu fous la merde dans nos ordis, et ça ne te suffit pas ? Vous cherchez quoi, Flora ?

— Pauvre con !

S'il avait été plus proche d'eux, Tim était certain qu'elle l'aurait giflé.

# 41.

## FORUM DE DISCUSSIONS

Tout passait par elle, elle était provisoirement le centre des flux – elle déroutait puis filtrait, par le biais de ses écluses : elle ne renvoyait vers les différents flics que ce qui ne concernait pas les chasseurs – les *Blackmen*, disait-elle.

À un moment, bien sûr, il y aurait des appels téléphoniques, des questions formulées par d'autres canaux, des réactions de procureurs, des consignes écrites des parquets ; et les huit flics qui hébergeaient ses demandes d'enquêtes électroniques découvriraient l'un après l'autre qu'ils avaient émis des mandats, sans le savoir, commandé des recherches, déclenché des instructions. À ce moment, avec un minimum de chance, elle aurait trouvé l'aiguille dans la botte de foins et elle détruirait toute trace derrière elle.

Il y avait cinq adresses successives, entre Catwoman et chacun d'eux – organisées en portes étanches, piégées. Chacune ne s'ouvrait que dans un sens, elle les avait cryptées. Toutes se détruiraient, l'une après l'autre, en cas d'exploration par les brigades : cinq personnes, au Mexique, aux États-Unis, en Europe ou en Inde, constateraient la destruction de toutes leurs données, de leur système, au cas où on chercherait à savoir; ils auraient tout perdu bien avant de recevoir la visite des flics.

Au pire, si les meilleurs limiers étaient mis sur le coup, s'ils parvenaient à restaurer d'anciennes communications, ses deux ou trois premiers hébergeurs auraient quelques soucis pour expliquer qu'ils avaient téléchargé illégalement de la musique, des films, et autres vols à l'étalage qu'ils osaient appeler piraterie. Pirates de pacotille. Dans tous les cas, on ne pourrait remonter jusqu'au quatrième hébergeur, moins encore au cinquième – et jamais jusqu'à elle.

Mais il fallait en revanche exploiter au fur et à mesure. Du non-stop.

Les premiers résultats tombèrent au bout d'une journée. Ils s'y plongèrent, à deux ou à trois, selon les flux et reflux des mers de Bretagne nord, selon les caprices de la lune. Dans l'infini compte-rendu des conversations de fédérations de chasseurs, des négociations des naturalistes et de leurs clients, des petites annonces de trophées ou d'armes de chasse, ils finirent par trouver, après trente-six heures de tri; grâce aux pseudos:

ZAROFF.

ARTEMIS.

SVETI GEORGIJE.

Et aussi:

MANHUNTER
LE JIVARO
BLACKSTRENGTH

Un forum privé. Un espace clos et protégé dans un recoin de la toile.

Flora y accéda.

Des membres qui discutaient depuis la Serbie, la Bulgarie, l'Allemagne, le Luxembourg, la France, l'Angleterre, la Flandre belge et néerlandaise. Ce qu'on y lisait était extrêmement explicite, et avait de quoi les horrifier. Les termes employés, les photos échangées, les conseils pratiques pour *conserver et naturaliser les têtes*; pour *congeler les restes sans altérer les chairs* jusqu'à la venue du Taxidermiste; pour *se débarrasser des corps* en ne gardant que les trophées; pour *décapiter nettement l'animal en une seule fois*, avec une série de photos des *outils à utiliser* pour *pratiquer l'opération*; pour choisir un mobilier de chasse, incluant des vitrines, ou des bois, afin *d'accrocher les trophées*...

Une meute de malades, d'aliénés.

Les dernières nouvelles indiquaient aux membres qu'on avait trouvé une réserve, que l'Institut était bien un nouveau territoire de chasse. Les dernières nouvelles avaient été postées d'une adresse IP qu'on avait dû utiliser depuis un endroit proche, ces tout derniers jours.

Pour Catwoman, la recherche et la localisation géographique d'une adresse IP relevait du jeu d'enfant, pourvu que le possesseur de l'ordi qui avait envoyé ce *post* se connecte, rien qu'une fois. Or, connecté, il l'était, à cette minute.

Le repérage satellite permit à Flora et Tim de *voir* l'endroit, depuis le ciel : l'adresse IP émettait depuis une grotte dans la montagne. Elle demanda un repérage et un descriptif : un ancien bunker, bâti en 1931, lors de l'érection de la première ligne Maginot alpine, quand l'armée française pensait devoir se défendre plutôt contre l'Italie fasciste que contre l'Allemagne nazie.

— M'étonnerait qu'ils aient des lignes téléphoniques là-dedans.

— Non. Ils émettent avec une clé 3G. Depuis un réseau de portables. Tu veux le nom du titulaire du compte ?

Elle pouvait tout faire, elle voulait le lui faire savoir :

— Pas indispensable, du moins pas tout de suite… Tu peux superposer ta carte satellite avec une carte topo, plutôt, qu'on note exactement les coordonnées ?

Ils attendirent le retour de Shariff pour aller informer le professeur de leur découverte : ils savaient où se trouvaient Véronique et Zaroff.

—

Ils n'eurent même pas à attendre devant le chalet principal.

On leur dit que le professeur n'était pas là. Absent pour trois jours. Bjorn n'était pas là non plus. Même durée d'absence. Matthew, idem... Ceux qui leur répondirent semblaient supposer qu'on n'avait pas de temps à perdre avec leurs questions, pour l'instant. Des gamins...

— Cela a été discuté en conseil de guerre élargi, commenta l'un des gardiens, tout le monde en a parlé, on a voté... Il ne reste que quatre jours. Il faut payer la rançon.

—

Ils revinrent au mazot. Le téléphone portable du professeur sonnait dans le vide. Son ordinateur était éteint. Des demandes de repérage électronique, pour savoir où il se trouvait?

— Inutile... On sait où il est, du moins on sait pourquoi; et c'est déjà presque trop tard. Ils sont absents pour trois jours, et Véronique se transforme dans quatre. Ils ont décidé de procéder à un échange... De céder devant les revendications des chasseurs.

— Sauf qu'ils ignoraient jusque-là où était leur repaire, dit Flora. Et notre découverte peut...

— Tout changer, oui. À condition qu'il soit encore temps, et qu'ils le sachent assez tôt. Mais on ne peut rien faire d'autre que laisser un autre message sur le portable du professeur. Si d'aventure il l'a emporté…

Le bunker était à deux jours de marche, maximum, avait dit Tim. Ils avaient la clé. Les trois «gamins» pouvaient faire remporter la guerre, éviter qu'on paye la rançon.

— On en parle à saint Paul? demanda Shariff.

— Tu déconnes… Tu imagines ce qu'il en fera, avec ses rêves de tuerie? En plus, il est seul aux commandes, ici.

— Alors on fait quoi?

— On va sur place, et on se démerde pour retrouver le professeur avant l'échange. Ou pour libérer Véronique avant que l'Institut ne cède à leurs exigences. Quelles qu'elles soient.

Sur le moment, cela parut à Flora la meilleure chose à faire. Et les deux garçons approuvèrent. Dans l'après-midi, ils volèrent deux pistolets et des munitions dans l'armurerie de l'Institut. Deux, parce que Tim ne voulait pas que Shariff soit armé, malgré ses récriminations – trop jeune. Puis ils s'équipèrent, préparèrent des vivres pour quatre jours, et profitèrent de la nuit pour violer le périmètre et partir vers le sud.

# TROISIÈME PARTIE

# LA SALLE DES TROPHÉES

—

Timothy Blackhills
Flora Argento
Shariff

—

# 42.

Flora et Tim partirent quand la pénombre leur parut suffisante, Shariff le homard sous le bras… En dépit de ce qu'elle avait craint, elle se sentait en forme, et elle suivait le rythme qu'il donnait – ils couraient pendant une demi-heure, puis marchaient pendant une heure, d'un bon pas, récupérant et reprenant leur souffle. Sans pause. Cela n'avait rien d'une course d'orientation, tout d'un commando fondant sur le point P. Tim aurait pu s'orienter sans cartes, elle l'avait vu apprendre l'itinéraire, une courbe de niveau après l'autre. Aussi à l'aise sur le terrain qu'elle l'était dans les arcanes numériques.

Elle admirait sa certitude, son esprit de décision, maintenant qu'ils étaient sur son aire de jeu. Parfois, en avançant dans la nuit, lui revenaient quelques phrases volées dans le blog des frères Blackhills.

Était-elle à la hauteur ?

Ils s'arrêtèrent tout de même plusieurs fois, à partir de la première aube, puis carrément durant quatre heures, au crépuscule de la deuxième nuit, pour que les coureurs puissent dormir et que Shariff fasse trempette dans un ruisseau d'altitude. Le reste de son temps crustacé, le homard était dans une gibecière de pêcheur, étanche, avec un fond d'eau salée. Tim, qui le portait, le secouait comme un bagage. C'est Flora qui leur avait énoncé le deal :

— Tim, tu ne le bouffes pas. Shariff, tu ne le pinces pas.

Dont acte.

Avant chaque retour de Shariff à l'apparence humaine, ils s'arrêtaient, et Flora lui sortait ses vêtements qu'elle posait avec le homard dans un fourré, pour qu'il redevienne présentable. Elle devinait combien cette dépendance était une humiliation pour le petit frère. À dire vrai, c'est quand la marée était descendante, et le garçon dans son sac, qu'ils avançaient le plus vite – le reste du temps, Shariff peinait à suivre.

Au bout de trente-trois heures, ils furent sur l'objectif.

Ils s'installèrent presque sur l'arête d'un contrefort boisé, à un kilomètre environ au nord du bunker, mais le dominant et l'embrassant du regard, vers 6 heures du matin. Dans l'aube naissante, on distinguait nettement l'ouvrage de béton, accroché à la montagne, et qui offrait de remarquables possibilités de contrôle sur le col de Bise, voisin. Tim regarda longuement avec ses jumelles, puis les passa à Flora ; elle ne vit, elle non plus, aucun garde.

— Ils n'ont pas besoin de se montrer, chuchota le jeune homme. Ils peuvent voir sans être vus.

Effectivement : un glacis d'herbes rares dégageait tous les abords du nid d'aigle, permettant à ceux qui se cachaient sans doute derrière la longue meurtrière horizontale de béton de prévenir toute approche.

— Qu'est-ce qu'on fait ?

— On observe, on attend qu'ils se montrent, on se prépare… et on improvise.

Tim passa plus de deux heures, jumelles en mains, à regarder, tandis qu'elle discutait avec Shariff, à voix basse. Elle voyait que « le Coureur des bois » (son nouveau surnom) cherchait à comprendre le terrain ; il lui avait expliqué comment surveiller en se méfiant du soleil levant, car les premiers rayons, en se reflétant dans les optiques, pouvaient indiquer leur position aux chasseurs.

Elle prit le tour de garde suivant.

Une route en lacet passait à environ cent mètres en contrebas du repaire de l'ennemi, et sinuait vers le col. Alors que le soleil montait encore, il lui sembla distinguer un reflet, et du mouvement, dans un bosquet que longeait la route, à environ deux kilomètres encore vers le sud et le col : c'était là, sans doute, qu'ils avaient dissimulé leurs véhicules. Avaient-ils laissé des gardes?

Tim la rejoignit, s'allongea dans l'herbe à côté d'elle, sur le ventre. Elle se tourna vers lui :

— Je crois que j'ai repéré leurs voitures...

— Oui, dans le bosquet. Shariff est retourné à l'état de homard pour six heures, mais on ne tentera rien avant la nuit, de toute façon... Et je préférerais le laisser ici, si on tente quelque chose. Il n'a que douze ans...

— Et moi quinze, et je ne suis qu'une fille. Et toi, seulement dix-sept. On est venus ici ensemble, on agit ensemble, sauf si tu arrives à le convaincre du contraire.

— Oui, chef.

Il semblait s'amuser, trouvant sans doute naturel de commander, moins qu'elle le fasse, elle. Un peu macho, le Coureur des bois.

— Bon, je ne suis pas sûr qu'on apprendra grand-chose de plus en restant plantés là, reprit-il... On va manger?

# 43.

## 12 AOÛT, 11H30 – ARÊTE NORD, AU-DESSUS DU COL DE BISE

Tim l'avait trimballé dans la gibecière, et maintenant Shariff reposait sous un buisson. Une légère impression de malaise, une suffocation ténue: logique – cela faisait presque deux jours qu'il n'avait pas renouvelé son eau de mer… Il ignorait combien de temps il pouvait encore s'en passer: le homard européen ne survit théoriquement que trente-six heures hors de l'eau, mais chaque métamorphose humaine lui permettait de réalimenter son sang en oxygène, de gagner un délai supplémentaire… L'alternance des marées, dans les jours qui suivraient, allait être une longue course contre l'asphyxie.

« L'eau seule est éternelle », Yun Son-Do.

Trimballé, posé. Il n'était que ça, la moitié du temps: un meuble, un objet. Quelque chose à quoi on tient, éventuellement, ou qui encombre, parfois; mais qui dans tous les cas n'est doué d'aucun pouvoir propre, d'aucune autonomie.

L'humiliation d'être inutile, inerte, comme un jouet dans leurs mains.

Cela faisait plus de quatre ans qu'il n'était pas

335

sorti des limites de l'Institut, qu'il se confinait à un rayon de quelques centaines de mètres carrés, entre la bibliothèque, sa cuisine, son aquarium; parfois une promenade dans le sous-bois qui entourait le Hameau – lorsque Flora en avait vraiment besoin. Il s'était enthousiasmé à l'idée de sortir, et de partir jouer les héros sur les lieux de l'action. Mais il comprenait maintenant qu'il en était incapable, empêché. Par sa condition. Par son inaptitude. Il n'était qu'un boulet dans une besace, qui obligeait à des arrêts fréquents, qui ralentissait la progression, et qui ne servirait sans doute pas à grand-chose au moment de l'action.

Un objet posé dans l'herbe, parce que l'eau douce ne lui valait rien, qu'il préférait encore se retrouver à l'air libre.

« La sagesse fait durer, les passions font vivre », Chamfort.

Vivait-il ou durait-il ? « Tant que nous ignorons ce que nous devons faire, la sagesse consiste à rester dans l'inaction », Rousseau. Maintenant, ils savaient ce qu'ils devaient faire, ils l'avaient décidé. Était-il donc sage, lui que sa nature condamnait encore à l'inaction ? Du même Rousseau : « La volonté parle encore quand la nature se tait », Rousseau ne parlait certainement pas d'une *nature* arthropode.

À quoi bon le lire, alors ?

Il y avait des dizaines de citations dans sa tête

de homard, des centaines, qui lui auraient permis de méditer des années et d'accepter, qui sait, son statut de shaolin impuissant, philosophe empêché. Mais elles avaient été des carapaces, pendant quatre ans, comme son exosquelette chitineux; des boucliers et des mensonges pour lui dissimuler la simple vérité, qui éclatait maintenant. Hors de son cocon, dans la vraie vie, l'enfant-homard, l'homme-homard est un inadapté. Un handicapé. Un inutile.

Lui, bien sûr, rêvait comme tous les philosophes d'être un homme d'action. Mais « Quiconque prétend brûler d'être ailleurs que là où il se trouve, ou de faire autre chose que ce qu'il fait, se ment à soi-même », Jack London.

Il revint parmi eux vers 15 heures. Jeu des marées, commandements de la lune, soumission pleine et entière de sa liberté à la nature. Ils avaient pris un peu de recul, craignant sans doute qu'à rester tout le temps sur la crête, et en pleine journée, on finisse par les repérer. Entre Flora et Tim, des choses se nouaient à chaque heure, il le voyait bien – des choses qui lui étaient interdites à tout jamais. Qui accepterait de lier sa vie avec celui qui est un crustacé la moitié de son existence, et qui s'en trouve infirme l'autre moitié ? Qui en pincerait pour un homard ?

La sagesse aurait dû lui dire de contempler et

d'accepter, d'accueillir entièrement ce qu'il voyait se jouer entre ses deux amis. Mais sa liberté, ses désirs, ses passions contredisaient cette sérénité. Pourquoi ne pas leur obéir ?

—

Crépuscule du soir.

— Je ne vois aucun moyen d'approcher le bunker sans se faire repérer, constata Tim... Même de nuit, ça risque d'être compliqué... Mais on n'a pas le choix si on veut faire sortir Véronique.

— L'autre option consisterait à prévenir notre-maître-à-tous de l'emplacement du bunker, pour organiser une attaque concertée, avec des gens qui savent se servir d'armes, des explosifs, et une colonne blindée...

— Ouais, gamin. Et de faire tout ça avant l'échange.

— On ne sait même pas si l'échange a eu lieu, à cette heure, Tim, répliqua Flora. Si ça se trouve, ta tutrice n'est plus ici.

— OK, mais dans la mesure où le professeur n'est pas joignable, et vu qu'ils risquent de prendre leurs bagnoles pour emmener Véronique vers le lieu de l'échange, vous proposez quoi ? À part attendre ?

— On prévient saint Paul et ceux de l'Institut,

dit Shariff en sortant son téléphone portable. En fait, ici, on ne sert à rien, alors qu'eux pourraient...

— Ils ne pourraient rien du tout. Le bunker est imprenable, aussi bien pour des hommes que pour des animaux-combattants... Hugo et Bjorn nous conduiraient au massacre.

Flora grimaça :

— Je suis d'accord avec Tim. On attend. On espère que, à un moment donné, ils sortent, si possible avec Véronique, et qu'ils nous donnent à ce moment une occasion.

— Si elle n'est pas déjà morte...

— Non, Shariff, ça, c'est certain... Ils la gardent en vie. Au pire, on reste là encore deux jours, et si l'échange n'a pas eu lieu, on s'organise pour leur pourrir leur chasse à courre.

— Et si je m'introduisais dans le bunker, à la seule force de mes p'tites pattes ?

Quatre heures du matin. Le disque lunaire qui poursuivait sa course, et bientôt la terminerait, allait vers sa plénitude. Plus que deux jours, et Véronique serait...

Shariff était retourné à sa condition crustacée. Il avait longuement argumenté, espérant les convaincre de la possibilité qu'il y avait, pour un décapode, de trouver une issue, quelque part, une galerie, une faille, qui permettrait de pénétrer dans le repaire. Flora avait dû trancher, en lui exposant les risques : s'il se perdait dans ces crevasses, et se retrouvait à revenir à une condition humaine, il y demeurerait coincé, mortellement. Le risque valait-il le simple gain de prévenir Véronique qu'ils étaient là – car qu'espérerait faire de plus le jeune garçon ?

Tim ne dormait pas. Les images du cauchemar lui revenaient, le corps de cervidé décapité, la tête de Véronique fichée au mur, parmi tous les trophées. Puis l'image en surimpression du visage de Flora, qui pleurait... Comment pouvaient-ils empêcher cela ? Était-il raisonnable de risquer leurs vies, celle de Flora ?

Il entendit la jeune fille bouger, à côté de lui. Elle non plus ne parvenait pas à dormir. Il se tourna vers elle, elle s'était redressée sur son coude, dans son duvet, et le regardait, ses yeux noirs brillant comme deux obsidiennes dans la nuit. Sous la lueur de la lune, sa peau paraissait bleutée, son visage celui d'un autre peuple, dans d'autres mondes.

— Tu ne dors pas ?

Elle secoua la tête.

— Je pense à elle, et aux chasseurs... À ce qu'ils vont lui faire...

Il approuva, sans un mot. Bien sûr, qui dormirait ?

— Et si c'était moi, dans le bunker, tu ferais quoi, cette nuit?

— Je ferais la même chose, Flora. Je chercherais un moyen de te sauver la vie.

— La même chose...

Elle eut l'air contrarié, et se recoucha, en lui tournant le dos. C'était la deuxième fois qu'elle lui posait ce genre de question. Quel sens cela avait-il? Que cherchait-elle à lui faire dire?

—

Ils restèrent ainsi encore une demi-journée à patienter. Il n'y avait aucune raison d'espérer provoquer quelque chose. Ils n'avaient aucune chance d'entrer, ou simplement d'approcher, et rien à faire tant que les chasseurs ne bougeaient pas. N'auraient-ils pas pu faire mieux ailleurs, eux qui connaissaient l'emplacement du bunker? Ils avaient choisi trop vite de partir, sur un coup de tête.

À 16 heures, ce 13 août, Shariff fit un énième retour parmi eux. À chacun d'eux, son teint devenait plus blême, ses séjours dans le monde des homards l'épuisaient. Le manque d'eau de mer? L'asphyxie progressive?

Le maître zen prit le relais de Tim, aux jumelles. Presque aussitôt, il s'écria:

— C'est la voiture du professeur...

Ils se précipitèrent, Flora et lui. Le break gris métallisé qui l'avait amené depuis l'aéroport de Paris, voici moins d'un mois, sinuait sur la route en lacet, en direction du sud et du col de Bise. À cette distance, la voiture ressemblait à un gros jouet, et glissait, presque absolument silencieuse. Elle s'éloigna d'eux, passa sous le bunker accroché à la montagne sans le deviner, sans doute; Tim avait repris les jumelles, il vit au même moment deux Hummer 4x4, de type militaire, entièrement noirs, qui sortaient des fourrés où ils étaient cachés, au niveau du bosquet d'arbres, des deux côtés de la route. À deux kilomètres de là.

— C'est ici qu'ils vont procéder à l'échange !

— Qu'est-ce qu'on fait ?

— On improvise… On essaye de permettre au professeur de repartir avec la rançon, dès qu'ils ont récupéré Véronique.

Dans les jumelles, à deux kilomètres, le break ralentissait en vue des deux Hummer, qui formaient un barrage au milieu de la route.

— Tim, il y a du mouvement du côté du bunker…

Flora avait étouffé son cri. Tim braqua les optiques vers le blockhaus : cinq chasseurs, lourdement armés, barbus et chevelus eux aussi, venaient de sortir, menés par un colosse – et il y avait une jeune femme au milieu de leur escouade, une jeune femme blonde qui paraissait frêle, fragile, cernée par les guerriers hirsutes et lourdement équipés : Véronique.

— Il faut y aller... Maintenant.

Il prit l'un des deux pistolets posés dans l'herbe devant eux, le glissa dans la poche de son blouson. Il en ressentit le poids de plomb, inquiétant, mortel ; c'était le moment de ne pas flancher, et d'être un héros. Heureusement, il avait eu le temps de se familiariser avec le terrain.

Il y avait une forêt qui remontait sur tout le flanc nord de la montagne, et qu'ils dévalèrent, invisibles aux yeux des chasseurs, vers l'ouest. La route la traversait. Quelque cinq cents mètres plus loin, ils atteignirent l'orée des bois. Avec ce détour, ils étaient à environ un kilomètre et demi encore du bosquet où l'échange aurait lieu. Mais les chasseurs n'avaient plus que cinq cents mètres d'avance sur eux, avançant au pas, très lents, comme une patrouille aux aguets.

Le terrain qu'il leur restait à franchir était désormais à découvert.

Là-bas, du côté des voitures, le professeur, Bjorn et Matthew devaient avoir vu le bunker, désormais, et les hommes qui descendaient avec leur monnaie d'échange. Les premiers ignoraient qu'ils avaient des alliés, dans le dos de leurs ennemis. Et il fallait qu'ils l'ignorent presque jusqu'au bout... Le plan était évident, dicté par les événements, la configuration, le terrain: avancer à revers, hors du champ de vision des chasseurs, arriver dans leur dos, intervenir précisément au moment de l'échange, pour les braquer dès qu'ils auraient relâché Véronique, en les obligeant à restituer la rançon qu'on venait de leur payer. Le tout avec deux flingues dont ils savaient à peine se servir, et face à une dizaine de types, disposant d'armes de guerre, qui n'hésiteraient pas à tirer pour tuer. Un truc de héros…

Tim expliqua en trois mots aux deux autres ce qu'il avait imaginé pendant leur descente, le mouvement tournant qu'il fallait réaliser en profitant d'un mamelon herbeux qu'ils placeraient entre eux et le bosquet, et qu'ils utiliseraient pour se dissimuler, en courant courbés en deux.

— Flora, tu prends l'autre flingue, et tu pars dans une minute, en marchant sur mes pas; mais tu ne t'en sers pas, sauf si je tire. Si je tire d'abord.

— OK.

— Si j'ai un problème, vous plongez dans les herbes, et vous attendez la nuit pour vous tailler, et rejoindre l'Institut.

— Et moi?

— Toi, Shariff, tu restes derrière nous. Et tu t'arranges éventuellement, lorsque nous intervenons, pour qu'ils nous croient plus nombreux.

Ils hochèrent la tête, encore essoufflés par la descente. Ils ne semblaient pas songer à discuter ses ordres, il était le héros. Leur chef. Le Coureur des bois, disait Flora, à moitié ironique.

Il reprit sa course, cassé en deux, prenant environ deux cents mètres d'avance en une minute…

Il mit moins de huit minutes à parcourir presque toute la distance, puis plongea dans l'herbe, et avança en rampant. Il sentait son pouls reprendre un rythme normal, veillait à ses réactions physiologiques – rythme cardiaque, souffle lent – qu'il était capable d'estimer, de contrôler, comme pendant une varappe ; et comme lors des varappes, cette surveillance était un excellent dérivatif contre les toxines de stress qui auraient dû l'envahir.

Sa chance était que les chasseurs embusqués dans le bosquet avaient tous le regard tourné vers le groupe qui arrivait, les cinq chasseurs et Véronique. Il n'était plus, pour sa part, qu'à une cinquantaine de mètres des véhicules et évalua la situation : les deux Hummer en travers de la route, le break gris à une dizaine de mètres d'eux. Dans les 4x4 aménagés en pick-up, en plus des deux conducteurs, deux hommes armés braquaient ceux de l'Institut depuis les plateformes arrière de leurs véhicules. Face à eux, Bjorn et l'autre type qu'il avait vu au col de Bénand, Micha, armés de fusils, eux aussi, mais qu'ils tenaient simplement à la main, manifestant par là une absence d'intentions hostiles. Tournés vers l'escorte de Véronique, le professeur et Matthew, apparemment sans armes – Tim savait que le rouquin avait un holster à la hanche, sous sa veste. Mais à quatre contre onze, des ennemis devant et derrière eux, un otage dans le camp d'en face, la situation des négociateurs de l'Institut serait très vite intenable.

Tim se retourna, vit Flora qui avançait vers lui dans l'herbe, en rampant. Il lui fit signe de s'arrêter à une vingtaine de mètres et, surtout, de ne plus faire aucun bruit.

— J'espérrrais vous voirrr venirr sans arrrmes, prrrofesseurr.

Le colosse qui menait les ravisseurs de Véronique avait parlé avec un accent slave presque attendu – grand, chevelu, barbu, une caricature de «méchant». Zaroff? Le Taxidermiste? La voix de McIntyre, quand il répondit, ne fut pas celle que Tim connaissait – froide, dure, méprisante :

— Et vous vous trompiez. Ne nous prenez pas pour des naïfs. C'est l'erreur qu'ont commise trois de vos amis il y a peu, et ils en sont morts.

— Je vois… Vous êtes le prrrofesseurr, n'est-ce pas? Avez-vous ce que nous vous avons demandé?

— Évidemment. Vous obtiendrez les disques dès que Véronique sera en lieu sûr, avec nous… Quant aux dépouilles de vos compagnons de chasse, vous les retrouverez sous le col de Bénand. Nous avons marqué l'endroit précis d'une croix sur la carte, avec les coordonnées GPS.

Le professeur lança vers leur chef la carte qu'il avait sortie de sa veste. Elle atterrit aux pieds du géant barbu.

— Vous comprrrenez que nous ne pouvons libérrrer notrrrre gibier contrrre de vagues prrro-messes, j'imagine ?

— Il va le falloir, pourtant. Nous n'avons pas les disques avec nous. Et je ne vous indiquerai l'endroit où ils se trouvent que lorsque nous aurons récupéré Véronique.

— Je vous avais pourrrtant dit de les prrren-drre avec vous !

Le chasseur venait de faire deux pas vers ceux de l'Institut, en saisissant Véronique par les che-veux.

— Vous n'allez pas m'obliger à fouiller votrrre voiturrre ?

— Faites, je vous en prie. Mais vous perdrez votre temps, dans ce cas… Nous nous doutions que vous voudriez prendre la rançon sans rendre l'otage.

— Et quelle garantie nous offrrrirrez-vous, alorrrs, prrrofesseurrr ?

— Ma parole.

Le colosse éclata de rire, puis, un à un, tous les hommes en noir…

— Votrrre parrrole? Mais elle ne vaut rrrien à mes yeux… pas davantage que la vie de cette… de ce gibier.

Sans que rien ne prévienne, l'immense type tourna son arme vers Véronique et tira. La tête de la jeune femme explosa sous l'impact, tachant de rouge le visage de son meurtrier. Puis son corps tomba lourdement sur le sol. Un silence stupéfait flotta dans l'air, avec une forte odeur de poudre qui revint vers Tim, portée par une brusque bouffée de vent.

Matthew avait sorti son flingue et braquait le tueur. Les deux autres – Bjorn et Micha – ne s'étaient même pas retournés, ils continuaient de fixer les hommes des Hummer mais leurs fusils étaient désormais armés, en position de tir.

Tim vit distinctement des larmes envahir les yeux du professeur, qui avait pâli d'un coup; McIntyre fit un pas hésitant vers la jeune femme morte, entre lui et l'assassin. Tim sentit une colère glacée l'envahir.

— Et maintenant, prrrofesseurrrr, souhaitez-vous que nous prrrocédions de la même façon avec vos autrrres compagnons, ou allez-vous enfin me donner ces disques?

Il fallait y aller. Tout de suite.

— Levez les mains, tous! Lâchez vos armes et levez les mains très, très lentement!

# 44.

Flora vit Tim se lever brutalement, puis crier son ordre, pistolet braqué vers les chasseurs. Elle se leva à son tour et verrouilla le bout du canon de son arme sur deux autres *blackmen*, ceux qu'il ne pouvait tenir en joue. Mais les tueurs en treillis noirs ne firent pas ce qu'il venait d'ordonner. Ils se retournèrent en les regardant, les fusils bien en main, à la hanche, braqués vers eux. Tous, sauf leur chef, le colosse.

— Haw haw haw, prrrofesseurrr, j'avais sous-estimé votrrrre générrrosité… J'abats votrrrre gibier, et au lieu de m'en tenirrrr rrrigueurrr, vous m'en fourrrrnissez d'autres, plus juvéniles, encorrrre… Bien entendu, désorrrmais, ces deux jeunes gens sont à moi.

Flora comprit que si les choses avaient tourné normalement, ils auraient dû *déjà* avoir tiré sur les cinq *blackmen* – avant qu'ils se retournent. Maintenant, à cinq fusils contre deux pistolets, ils avaient perdu la partie.

Elle sentit son doigt glisser sur la queue de détente, raffermit sa prise sur la crosse striée. Ils ne devaient pas voir qu'elle tremblait.

— À moins que… Mais oui, c'est cela… Vous ignorrriez qu'ils se trrrouverraient là, n'est-ce pas ?

— Police ! Rendez-vous, vous êtes cernés ! cria une voix, derrière le tertre.

Une voix qui trahissait trop sa jeunesse.

Le chef lança trois ordres gutturaux vers deux des hommes de son escorte, qui partirent aussitôt dans la direction d'où Shariff avait crié, sans paraître se soucier une seconde des jeunes gens qui les braquaient.

— Alorrrrs, prrrofesseurrr, qu'allez-vous fairrrre maintenant ? Une chose est de mourrrrirr en hérrros, une autrrre de laisser pérrrrirr des jeunes gens de votrrre… réserrrve…

Les deux chasseurs revenaient déjà, l'un tenait Shariff par le cou, il le portait au bout de son bras comme un animal gesticulant, capturé à la chasse.

— Vous savez ce qui nous intérrrresse, prrrofesseurrr… Et qui sait, si vous venez me le livrrrer en mains prrroprrres, peut-être éparrrgnerrrrai-je l'un de ces trrrrois perrrdrrreaux.

Il fallait faire quelque chose. Maintenant. Avant que la situation, déjà dramatique, ne soit totalement compromise. Flora sentait l'acier froid dans sa paume moite, sous son doigt trempé de sueur.

— Reculez, tous, et lâchez vos armes avant que je tire !

— Eh bien, notre prrremier hérrrros a perrrrdu la parrrole, mais pas la jeune femelle !

Ils éclatèrent tous de rire. La seconde suivante, le chef écarquillait les yeux et regardait un trou dans le haut de son bras droit ; là où la balle de Flora venait de le transpercer, et par où le sang sortait en flot discontinu.

Elle n'avait pas attendu le signal de Tim.

Déjà, elle en braquait un autre. Mais tout explosait à cette seconde autour d'elle.

Deux des types perchés sur les plateformes basculèrent, projetés par les détonations du flingue à canon scié de Bjorn, tandis que les deux autres avaient sauté et s'abritaient derrière leur véhicule, en tiraillant. Micha sembla tourner sur lui-même, d'abord au ralenti, puis il fut secoué comme un pantin de paille par deux impacts qui le projetèrent au sol, la nuque et le dos sanglants.

En même temps qu'il arrosait les deux *blackmen* de l'escorte d'un feu de barrage, Matthew avait ouvert la portière conducteur et poussé McIntyre à l'intérieur. La lunette arrière de leur break gris explosa sous un impact.

Fumée, détonations. Flora tenta de se ressaisir : depuis le siège du conducteur, Matthew tirait à travers le hayon explosé sur ceux de l'escorte. Bjorn longeait le premier Hummer, celui dont il avait abattu les deux tireurs, Flora le vit plonger le canon par la fenêtre et tirer – l'éclair de la détonation illumina la cabine. Du sang repeignit le pare-brise, juste avant qu'il ne tombe en une pluie de verre. Fin du premier conducteur.

— Garrrdez-les vivants... les gibiers... et le prrrofesseurrr!

Le géant qu'elle avait touché venait de plonger par terre, et avait roulé hors du centre de la bagarre. Il hurlait ses ordres. Le canon du revolver de Flora le suivit, elle tira trois fois, vit les impacts à moins d'un mètre de lui, chaque fois, dans la terre; elle le ratait. Trop à gauche, toujours trop à gauche.

— Tire, Tim, tire, bon Dieu!

— *Don't move, honey, hands up*[1] !

Une voix suave, derrière elle, avait parlé dans un anglais oxfordien. Elle se retourna, vit l'un des deux chasseurs qui étaient allés chercher Shariff à moins de deux mètres d'elle. Un type au visage maigre, à la peau de roux, dont la longue barbe noire semblait un postiche.

— *Don't move!*

Elle tenta de lui échapper, vit la crosse du fusil de l'Anglais lui arriver dans la figure, sentit que sa pommette droite éclatait, puis sombra dans l'inconscience.

—

1. «Ne bouge pas, chérie, les mains en l'air!»

Le deuxième type avait assommé Flora, mais Shariff ne pouvait rien y faire.

Son propre chasseur le tenait par la nuque, comme un lièvre, de la main droite, et sa main gauche était plaquée sur sa bouche. Chaque fois qu'il agitait les pieds, essayait de donner un coup de poing, aussi maladroit qu'une tortue retournée, le type remontait la main sur son nez, pour l'asphyxier.

Alors, seuls ses yeux travaillaient. Enregistraient.

Tim ne tirait pas.

Bjorn tirait à l'économie, il venait d'abattre un quatrième ennemi – le conducteur du deuxième 4x4. À travers la cabine, le gardien pouvait maintenant atteindre les deux chasseurs qui avaient abattu Micha. Ils se replièrent, s'abritèrent derrière des troncs, reprirent le feu contre lui.

Bjorn, gardien, chien de guerre, machine à tuer.

Le géant que Flora avait blessé continuait de hurler ses ordres, à terre.

L'homme qui avait estourbi Flora la releva, inconsciente, en protection devant lui, et se mit à tirer contre le break gris, avec les deux autres de l'escorte. Feu nourri, concerté. Une portière et les deux pneus arrière explosèrent, la voiture s'affaissa. Elle n'était plus qu'une épave démantibulée.

Par le trou béant du hayon, la main de Matthew apparut, son revolver cracha à l'aveugle. Les ennemis reculèrent ou plongèrent par terre.

L'homme qui tenait Shariff par le cou comme un lapin de garenne dégagea sa bouche et lui colla une arme froide sur la tempe. Otage. Bouclier.

Tim ne tirait toujours pas.

Shariff vit Bjorn courir du Hummer vers leur break en faisant feu, trois fois seulement. Un autre tueur mourut, un de ceux de l'escorte qui s'était jeté à terre sous le feu de Matthew. Il fut touché deux fois en pleine tête à une seconde d'intervalle.

La position était intenable. Deux tireurs avec des otages, des tueurs devant et derrière, une puissance de feu inférieure : Bjorn plongea à l'avant du break, qui bondit en marche arrière l'instant d'après en faisant hurler l'embrayage, sous l'orage de feu des chasseurs. En dépit de deux pneus crevés, la voiture força le passage, hurlement des jantes, dans la fumée de l'embrayage et le vacarme des déflagrations.

—

Deux hommes relevèrent Flora en la saisissant sous les bras. Elle essuya le sang qui avait coulé sur sa joue, sentit la chair ouverte, une longue coupure, sur l'os de la pommette. Sous ses doigts, cela avait doublé de volume. Étrangement, cela paraissait anesthésié.

Puis elle regarda le spectacle.

Deux *blackmen*, sans doute ceux qui étaient tout à l'heure sur le deuxième Hummer, traînaient les corps de Véronique et de Micha vers le sous-bois. Les cadavres des chasseurs morts avaient déjà disparu. Outre le chef, qui se tenait le bras droit, replié, et donnait ses consignes dans sa langue gutturale d'Europe de l'Est, il restait quelques types : les deux qui étaient allés chercher Shariff ; les deux qui avaient abattu Micha ; plus un des deux de l'escorte, qui tenait Tim et Shariff en joue... Six sur onze, cinq de chute.

La voiture de McIntyre avait disparu.

Elle essaya de comprendre ce qui s'était passé pendant son évanouissement. Ils étaient partis. Ils les avaient abandonnés, eux trois, aux mains des chasseurs.

Lorsqu'on les regroupa, tous les trois, elle se tourna vers Tim et dit :

— Ils... Ils sont partis ? McIntyre ?

Il hocha la tête.

— Pourquoi tu n'as pas... pas tiré ?

— *Come on, honey... Let's get you to your new home*[1] !

_____

1. « Viens, chérie... Je t'emmène dans ta nouvelle maison ! »

L'Anglais la poussa dans le dos en direction du blockhaus, nettement visible, à un kilomètre, sur le flanc de la montagne. Là-haut, trois autres silhouettes étaient sorties, et maintenant immobiles, elles semblaient surveiller leur progression vers leur prison.

# 45.

Les trois assassins chargés de les escorter les jetèrent là, après les avoir longuement fouillés, mais sans explication supplémentaire; ils refermèrent la porte blindée sur Tim, Flora et Shariff.

La salle se trouvait en sous-sol, après une volée de marches. Pendant la drôle de guerre, elle avait dû faire fonction de casernement pour les servants du bunker – un sol de béton dur, des murs lépreux, gris, une ampoule nue au plafond. Et dans un coin, Shariff repéra immédiatement un trou pour évacuer l'eau, des latrines peut-être, ou une ancienne douche. Il consulta sa montre – il lui restait trois heures avant la prochaine métamorphose. Tout son corps confirmait cette information, il avait appris ce rythme comme l'organisme réglé connaît les courses du soleil, et sait réclamer le sommeil avec la nuit.

Il se pencha sur le trou, en estima la largeur, la profondeur.

— Tu peux passer par là? demanda Tim.

— Ça devrait le faire… À condition que ça ne soit pas bouché plus loin, je dois pouvoir circuler.

— Pas question de «circuler». Si ça n'est pas bouché, tu te barres, Shariff... Il y a beaucoup trop de risques pour toi. Imagine que nos geôliers soient là au moment d'une inversion de marée.

Shariff regarda Flora, qui approuva gravement.

Quelques minutes après, comme pour confirmer les craintes de Tim, le chef des tueurs entra, seul – mais on entendait les conversations d'autres gardes, dans la pièce voisine qui les séparait de l'escalier.

Le géant que Flora avait blessé au bras portait désormais un bandage qui lui maintenait l'épaule en écharpe. Il se dégageait de lui la même sauvagerie, la même puissance brutale que tout à l'heure, au milieu des balles qui sifflaient – à tel point qu'il avait semblé alors immortel à Shariff.

— Je viens de parrrrler au prrrrofesseurrr. Il vient demain. Il apporrrrte ce que nous lui avons demandé. Mais n'en espérrrrez rrrien. Nous vous chasserrrons malgrré tout, vous trrrrois.

L'ogre éclata d'un rire cannibale, puis, les yeux étrécis de haine :

— Quant à la jeune fille, qu'elle sache que le Taxiderrrrmiste m'a accorrrrdé cette faveurrrr – je garderrrai le trrrophée de sa tête, en échange de mon brrrras perrrrdu.

Il ne vint heureusement plus personne pendant les deux heures qui suivirent.

Ils essayèrent d'imaginer ce qu'il pouvait se produire, au dehors. Il n'y avait cependant pas de miracle à espérer : l'Institut savait maintenant où se trouvait le bunker, mais le bunker restait imprenable ; le professeur devait se douter que les chasseurs ne procéderaient pas à l'échange, mais il n'y avait qu'une alternative, livrer la rançon ou les laisser mourir sans rien faire.

Il fut l'heure de la métamorphose, la marée commandait. Shariff demanda à ses amis de se retourner tandis qu'il se dévêtait. Il en ressentit encore plus de honte, là, dans cette cellule nue, sous cet éclairage artificiel, mesurant le froid du béton sous la plante de ses pieds.

« Après tout, ce n'est qu'un retour à la vie sauvage... Un peu vaseuse, mais sauvage. »

Ses amis se retournèrent quand ils entendirent le cliquetis que faisaient ses pinces et ses pattes de décapode, sur le sol dur. Il était prêt à prendre la fuite. Tim se leva, Flora ne bougea pas, accroupie, le regardant intensément, *comme s'il avait été un humain*.

— Ne le touche pas, dit-elle à Tim. Laisse-le aller... Si tu le portes comme un objet, ça l'humilie.

Ce fut avec ses minuscules yeux pédonculés qu'il regarda Tim et surtout Flora, peut-être pour la dernière fois. Puis il se glissa dans la bonde et rejoignit la tuyauterie de plomb et de cuivre, sentant des copeaux de métal rouillé ou de peinture sèche lui tomber dessus tandis qu'il s'y frayait une route.

# 46.

— Il… Il est parti.

Flora avait parlé d'une voix lugubre. Tim essaya de mettre un peu de chaleur dans sa réplique inquiète :

— J'espère qu'il parviendra à regagner la forêt sans être vu. La visibilité doit être bonne pour les chasseurs, c'est la pleine lune… La nuit où nous devions intervenir pour éviter la mort de Véronique.

— Tu… Tu m'en veux d'avoir tiré ?

— Tu plaisantes… Véronique était morte. Et ton intervention a permis au professeur de s'enfuir, avec Bjorn et Matthew. Ils sont plus importants que nous.

La façon dont Tim la regarda indiquait suffisamment qu'à ses yeux elle était plus essentielle que quiconque – la formule était rhétorique, elle concernait une importance lointaine, stratégique, abstraite.

— Mais je m'en veux de ne pas avoir tiré, j'aurais pu abattre ce type. Et peut-être un ou deux autres.

Il se tourna de nouveau vers elle, les yeux plus

clairs que d'ordinaire, le regard parfaitement sincère.

— J'ai été paralysé... Par la peur. Tu parles d'un héros!

— Et moi d'une tireuse... Il était à vingt mètres, et j'ai raté sa poitrine ET sa tête. Tu... tu crois que c'est qui?

— Zaroff. Le maître du forum, et sans doute le leader des chasseurs. Le premier lieutenant du Taxidermiste. Tu peux te vanter de choisir tes ennemis.

Elle frissonna, malgré l'évidente ironie que Tim avait essayé de mettre dans ses propos. Il le remarqua, sans doute, car il lui demanda d'une voix incroyablement douce et retenue:

— Tes... Ta prochaine métamorphose... C'est pour quand?

— Le 19 ou le 20. Dans une semaine.

Elle vit qu'il se raidissait, à son tour.

# 47.

Shariff se sentait nu comme un ver, aussi vulnérable qu'un nouveau-né. Il s'était extrait de la tuyauterie par une évacuation qui béait à une cinquantaine de mètres en contrebas du bunker, et avait avancé en claudiquant, en homard, dans l'herbe rase, pour s'éloigner le plus possible. Mais la métamorphose, son retour parmi les humains, était intervenue trop tôt. À cette distance, il entendait encore les voix des deux sentinelles postées devant la meurtrière, qui devaient fouiller le paysage de leurs jumelles, guettant l'arrivée de ceux de l'Institut. Si par bonheur ils pouvaient éviter de regarder presque sous leurs pieds, et continuer de surveiller la vallée, la route du col, les contreforts, ils éviteraient également de voir ses fesses au clair de lune…

Il commença de ramper, se plaquant au sol. La nuit était incroyablement dégagée, la lune, l'astre de son malheur, brillait haut – disque blanc, irréfutable, dont la lueur pouvait le trahir. La lune et les marées le trahissaient toujours. Et il avait moins de deux heures avant le lever du soleil, pour rejoindre le couvert de la forêt, l'endroit escarpé par où ils étaient arrivés.

Il entendit de nouveau du bruit au-dessus de lui, des mots échangés, de nouvelles voix – changement de la garde, ou l'avaient-ils repéré? À moins qu'ils n'aient déjà découvert sa fuite, dans la cellule du bunker? Il n'avait pas le choix, il fallait continuer d'avancer, en espérant qu'ils ne le stopperaient pas d'une balle dans sa fuite.

# 48.

## MÊME JOUR, 7H30 – CACHOT

— Où est-il? Où se cache votrrrre ami?

Zaroff parlait sur un ton d'autant plus mena-
çant qu'il n'avait pas haussé la voix; mais ses
yeux flamboyaient vers eux dans une contre-
plongée effrayante – même s'ils étaient debout,
il les dépassait facilement de deux têtes. Ne pas se
dégonfler, pas cette fois, comme lors de la fusillade.

— Parti. Par la porte. Quand vos sbires l'ont
ouverte pour nous apporter à manger. Ils ne l'ont
pas remarqué, vu sa taille…

L'ogre aux airs de Raspoutine secoua la tête,
puis éclata de rire:

— Vous nous prrrenez pourrr des imbéciles,
des amateurrrs, comme on dit chez vous? Nous
n'ouvrrrons jamais votrre porrrrte avant d'avoirrr
ferrrrmé celle de derrrrièrrre… Il y a un sas, nous
n'en sommes pas à notrrrre prrremière chasse…

Sa langue passa sur ses lèvres, puis elles se
retroussèrent, dégageant des dents qu'il limait.
Qui était vraiment cet homme? Un «simple»
assassin, ou pire encore?

— Vous êtes peut-être très malins. Mais Shariff

est parti en claquant des doigts. Et vous avez été incapables de le retenir…

Tim rentra la tête dans les épaules, convaincu que son insolence lui vaudrait des coups. Mais rien. Le géant avait reculé de deux pas. Il les considéra quelques instants en silence, puis son regard tourna dans la pièce entièrement nue, hermétique. Avant de s'arrêter sur le trou des latrines.

— Trrrès bien, je vois… C'était un rrrrat, ou quelque chose d'apprrrochant… Il ne nous manquerrra pas, parrrrmi les trrrophées, mais j'espèrrrre que vous serrrez moins… décevants.

— À votre place, je ne parierais pas là-dessus. Je suis une drosophyle et Flora, une bactérie. Un enzyme glouton.

La jeune fille à sa droite éclata d'un rire bref. Zaroff le regarda de nouveau, d'un œil aiguisé – il le toisa comme un insecte.

— Tu fais de l'humourrrr, petit gibier. Prrrrofite tant que tu as la parrrrole humaine, pour fairrre rrrirre la demoiselle… Ta tête bavarrrderrra moins, quand le Taxiderrrrmiste s'en occuperrrra.

Il tourna les talons, alla vers la porte, l'ouvrit. Ils entendirent ses ordres, dans un anglais tout aussi slave.

— Rrrrebouchez le trrrrou, et donnez-leurrrr des seaux. Il ne serrrrt à rien qu'ils se souillent, avant la chasse.

Ils cimentèrent le trou des latrines, leur offrirent deux seaux d'eau chaude, une cuvette, du savon, du linge – pour qu'ils puissent se laver.

— Gardez le seau, ensuite, pour vos besoins, ordonna un homme au visage grêlé de vérole.

Son ton n'était pas hostile, seulement technique, ferme, froid.

Les gardiens repassèrent un peu plus tard, pour leur apporter le petit déjeuner. Tim se leva pour le partager avec Flora, qui restait assise contre le mur de ciment. Quand il déposa l'assiette devant elle, elle dit :

— Tu réalises qu'ils prennent soin de nous comme un éleveur prend soin des visons qu'il fait grandir avant de les dépouiller ?

— En l'occurrence, c'est plutôt du gavage d'oies... Un truc très français. Mais profitons-en, c'est mieux que de se faire affamer, non ?

# 49.

## MÊME JOUR, 17 H – ARÊTE NORD,
## AU-DESSUS DU COL DE BISE

Shariff revenait de nouveau à lui-même, échappé de sa prison de crustacé. Il quitta les buissons dans lesquels le homard s'était réfugié voici six heures, à deux pas d'un filet d'eau douce.

La tête lui tourna, l'asphyxie... Combien de temps tiendrait-il encore? Il avait lu toutes les études, mais il n'en existait aucune sur la survie du homard anthropique hors de son milieu naturel. Et il n'était plus dans le monde des études, celui des livres; pas davantage sous la protection familière de l'Institut – ce hors-du-monde qui était devenu son monde: sa chambre, sa bibliothèque, son aquarium de mille litres...

«T'étais comme un coq en pâte, mon pote. Un homard dans son court-bouillon.»

Dans la vraie vie, il se trouvait aussi démuni qu'un enfant de six ans. Fallait-il essayer de retrouver la route de l'Institut? Attendre ici?

Une heure plus tard, il avait arrêté sa décision de rester dans les alentours, cachant sa nudité dans les bosquets et guettant les mouvements autour du bunker – pour se rendre éventuellement utile, si l'occasion se présentait; et aussi parce qu'il était certain de ne pouvoir retrouver seul le chemin de l'Institut.

Du haut du contrefort, il vit comme la veille arriver par la route nord une voiture qu'il connaissait; un autre break allemand et gris, l'autre véhicule de l'Institut. Elle s'arrêta devant le bosquet. Il n'y avait plus de Hummer, les chasseurs avaient nettoyé les lieux, craignant sans doute qu'on ait surpris la fusillade en dépit du caractère désertique de l'endroit; craignant peut-être que la maréchaussée héliportée de montagne vienne s'intéresser de près aux auteurs de la fusillade. Fallait-il l'espérer?

L'homme qui sortit du break était seul. À son éternelle mise, même veste grise, même pantalon noir que toujours, il reconnut sans mal le professeur McIntyre, en dépit de la distance. Son mentor. Notre-maître-à-tous. Qui allait affronter les chasseurs, sans escorte.

Le professeur entama la montée en pente douce qui menait au bunker. Quelques instants plus tard, trois tueurs armés de fusils dévalaient vers lui, depuis le nid d'aigle.

# 50.

## 15 AOÛT, 2 H – CACHOT

Le professeur entra dans leur cellule, un garde-chiourme derrière lui. Flora ne l'entendit pas ou feignit de ne rien entendre : elle dormait toujours, enroulée dans la couverture à même le sol, comme un chat. Mais en le reconnaissant, et pour la première fois depuis trente-six heures, Tim sentit qu'il s'allégeait du poids de la situation. Cet homme avait le pouvoir de les faire sortir d'ici, il était probablement le seul dans ce cas – et il était venu les chercher.

Le visage de McIntyre s'éclaira un instant, de les voir tous les deux. Mais dès qu'on eut refermé la porte sur eux, son front se barra d'une ride d'inquiétude, et Tim comprit que leur protecteur n'était pas certain de détenir la solution – qu'il les rejoignait plutôt dans la nasse.

— Shariff ?

— Il est parti, dès la première nuit… Par le trou, là, qu'ils ont cimenté depuis.

Un sourire radieux. Puis, de nouveau, le pli de gravité.

— Et nous ? Vous avez apporté la rançon ?

— Oui. Et vu leur psychologie sommaire, je me

doutais qu'ils ne vous échangeraient pas, et me garderaient en sus. Disons que je leur ai donné de quoi faire durer un peu notre espoir, entreprendre une sorte de chantage.

Un clin d'œil, sans joie toutefois, plutôt teinté d'inquiétude. Puis :

— Les chasseurs nous ont demandé l'ensemble des recherches scientifiques menées par l'Institut, concernant le processus biologique et biochimique de la métamorphanthropie. J'ignorais qu'ils avaient les capacités de s'intéresser à ce type de travaux, mais ils n'ont rien exigé d'autre, ni argent ni rien.

— Et vous leur avez livré ces infos ? Vous parliez d'un chantage ?

— Oui et non. Les disques que j'ai apportés sont cryptés, et moi seul peux leur donner les mots de passe. Je viens de leur en faire la démonstration, pendant des heures, à partir d'une première série de disques – dont le contenu s'est détruit sous leurs yeux. Et je ne consentirai à leur ouvrir la seconde série de données que lorsqu'ils vous auront relâchés.

— Et vous ?

— Moi, je trouverai bien un moyen, ensuite…

— Et s'ils vous torturent ? Ou s'ils nous torturent pour que vous donniez les codes ?

— Oui, c'est un risque auquel j'ai pensé, un risque à courir.

Le visage qu'il tourna vers Tim était transparent, mais dénué des certitudes paisibles qu'il semblait posséder en toute chose.

— Je n'avais pas le choix, c'était la seule option, Timothy. Et il fallait que je tente cela pour vous, vous comprenez.

— Les autres, dehors... Ils se préparent?

— Bjorn a réuni toutes les équipes, et nous avons étudié les possibilités qui s'offraient à nous pour prendre d'assaut leur position. Mais elle est inexpugnable. Et à ce que j'ai vu durant les dernières heures, ils disposent encore d'une dizaine d'hommes et de suffisamment d'armes pour tenir plusieurs semaines. De toute façon, nous ne pouvons prendre le risque d'un assaut prolongé au grand jour... Notre guerre privée finirait par se remarquer très vite.

— Alors, il ne faut rien attendre du dehors?

— Rien, j'en ai peur. À moins que quelqu'un, à l'Institut, trouve une solution miraculeuse, mais j'ai tendance à douter des miracles. Nous ne sortirons pas d'ici autrement que par nous-mêmes.

Tim ne retint que la partie de l'affirmation qui incitait à l'espérance.

— Si votre chantage ne marche pas, vous... vous envisagez de nous faire enfuir?

— Je ne suis pas sûr d'être très qualifié pour cela, non plus. Disons que je n'avais pas le choix: ou bien nous vous abandonnions à votre sort sans rien faire, ou bien je me livrais – en espérant sauver au moins vos trois vies et, qui sait, la mienne.

Un sourire, cette fois pleinement sincère, celui d'un père fier de son fils.

— Mais je constate que Shariff n'avait pas besoin de moi... Bien entendu.

— Et... Et sinon ? S'ils ne négocient pas les mots de passe ?

— Je suppose qu'ils vont attendre que l'un de nous se métamorphose, et ils procéderont à leur rituel morbide d'abattage. Sauf si nous trouvons une idée d'ici là.

Tim chuchota encore plus bas.

— De nous trois, Flora sera la première... La seule qui n'ait pas la maîtrise de sa *luxna*.

— Bien sûr. Selon ce que j'en sais, il lui reste cinq jours, c'est cela ?

Tim hocha la tête. Il aurait offert n'importe quoi pour que le professeur lui explique, précisément à cette minute, le plan qui permettrait à Flora de fuir, d'ici là. Mais le professeur se tut. Il n'y avait pas de solution ; il y avait simplement un prisonnier de plus dans la cellule.

—

Lorsque son amie se réveilla et qu'ils lui eurent expliqué la situation, elle dit:

— C'est stupide. Vous avez sciemment sacrifié votre vie, et les secrets qu'ils vous demandaient, contre une très illusoire possibilité de nous sortir de là... Et vous dites que vous vous en doutiez.

— Oui.

Le professeur eut une pauvre grimace d'impuissance.

— Que voulez-vous, je suis effectivement un homme stupide. Un vieil homme, déjà sur le déclin, et qui s'est attaché à vous comme à ses enfants... Enfin, disons, aux enfants de son Institut.

Il les regarda alternativement, puis:

— Par ailleurs, je vous ferai remarquer, Flora, que vous avez fait preuve du même panache stupide, lorsqu'il s'est agi de nous permettre de fuir l'embuscade dans laquelle les chasseurs nous tenaient, avant-hier... Vous n'aviez pas une chance sur dix d'en réchapper, vous-même. Nous sommes, je crois, à égale stupidité.

—

De la tête, Flora désigna à Tim l'homme qui dormait maintenant d'un sommeil serein. McIntyre.

— Tu... Tu as entendu ce qu'il a dit?

— À propos de quoi?

— Du fait que nous étions ses... enfants.

Il opina du menton. Elle voulut dire autre chose, mais elle ne sut pas quoi, et elle sentit que les larmes la submergeaient. D'émotion, sans doute, de savoir qu'elle avait une famille; mais aussi de peur. Jusque-là, elle n'avait pas paniqué: elle était sûre de cet homme-là, qui avait toujours su lui sauver la mise, même contre son gré; elle était certaine qu'il inventerait un moyen... Mais il n'y avait aucun moyen, et la seule chose qu'il avait eue à leur offrir, c'était son impuissance, et un chantage insensé.

— Tim?

— Oui, ma belle...

Il utilisait pour la première fois le qualificatif que Shariff lui réservait. Qu'en dire?

— Tu crois que c'est vrai, ce que racontait Shariff à propos de la chasse? Des trophées?

— Les têtes coupées? Je suppose... Tu as lu comme moi leurs discussions sur le forum, et leur chef a parlé du Taxidermiste.

Un temps. Une très longue pause.

— Mais cela n'arrivera pas, Flora. Je te jure que ça ne t'arrivera pas.

Elle aurait voulu désespérément le croire; mais elle avait beau chercher, elle ne voyait aucune raison de le faire.

# 51.

## MÊME JOUR, 19 H – ARÊTE NORD, AU-DESSUS DU COL DE BISE

Shariff sortit du buisson à quatre pattes, avala goulûment l'air frais. Cela lui fit tourner la tête un très long moment – il sentit que son sang humain se réoxygénait, que sa peau trop sèche de jeune garçon cherchait à respirer par tous ses pores. Désormais, les cinq dernières heures de chaque vie crustacée se déroulaient en état d'extrême fatigue, d'inertie presque totale, de catalepse. Sa condition animale se détruisait lentement, avec le manque d'eau salée. Il avait tenté de se reposer dans l'eau douce, cette nuit, mais cela avait été une erreur terrible – son corps s'était ankylosé, lui échappant encore plus vite. Techniquement, il en était à plus de quarante-huit heures passées dans la condition d'un homard hors de l'eau.

«Comme arthropode, tu es en train de battre un record… Dommage qu'on ne puisse pas l'homologuer.»

Y aurait-il un jour de plus?

Toujours à quatre pattes, lentement, prudemment, il alla jusqu'au bord de la falaise, pour essayer de voir si du nouveau s'était produit. La voiture du professeur était toujours garée derrière le bosquet d'arbres, dissimulée tant bien que mal, sous des branches, à ceux qui passaient sur la route. Il n'était pas parti.

Il mâcha lentement les quelques baies et les racines qu'il avait ramassées tout à l'heure, avant de devenir crustacé, en prévision de son retour. Il avait besoin de sentir le sucre et les fibres, longtemps, pour trouver la force de repartir en quête de nourriture.

Moins d'une heure plus tard, il vit un type sortir du bunker, puis un deuxième. La nuit tombait, les deux hommes avançaient prudemment, puis de plus en plus franchement, sur le terrain découvert qui redescendait vers la route.

Deux détonations assourdies, comme deux coups de poing dans un sac de sable, retentirent à sa gauche. Il vit au moment même où le son lui parvenait, les deux hommes en noir culbuter en avant, l'un après l'autre, et rouler le long de la pente pendant quelques secondes, avant de s'arrêter, freinés par l'herbe et les cailloux, immobiles, désarticulés.

Morts?

Il se tourna vers l'endroit d'où venaient les déflagrations. À deux cents mètres de lui, sur la crête, une silhouette se releva légèrement, armée d'un fusil de sniper. L'homme à la stature familière portait un gilet orange.

— Bjorn... fit-il à mi-voix, le palais encore desséché.

Il entendit du bruit derrière lui, se retourna. Marco et Ines, eux aussi portant le gilet orange sans manches des soldats de l'Institut, étaient debout, à trois mètres, et le braquaient de leurs deux fusils, comme un ennemi.

— Shariff, c'est bien toi? dit finalement Ines dans un soupir soulagé.

En voyant son air incrédule et le sourire léger de Marco, il réalisa qu'il était entièrement nu, et leur montrait probablement sa lune depuis plusieurs minutes.

Ils l'avaient vêtu avec une chemise de rechange de Marco, qui aurait pu lui servir de chemise de nuit. Il avait passé par-dessus le gilet sans manche d'Ines, et ils l'avaient enroulé dans une couverture de survie. Le maître zen, frigorifié encore, se sentait mieux, ainsi, protégé pour la première fois depuis des jours. Il mâchait l'une après l'autre les barres de céréales qu'ils lui passaient, se sentant déglutir et saliver, mesurant ce qui se produisait dans son estomac, qui n'osait croire qu'on le rassasiait. Une partie de son extrême fatigue provenait sans doute de ses lentes hypothermie et hypoglycémie humaines – pas seulement de la dégradation de sa condition de homard.

La nuit était entièrement tombée.

Bjorn, un genou à terre à côté de lui, une lampe frontale allumée, patientait en le regardant s'alimenter, se réchauffer. Ines avait pris sa place sur la crête, avec le fusil à lunette infrarouge de vision nocturne, muni du silencieux. Si d'autres chasseurs tentaient une sortie, ils rencontreraient les balles expansives, à leur tour.

Finalement, Shariff cessa de tendre la main pour saisir encore une barre de céréales. Alors il releva la tête de sa gangue d'aluminium, regarda Bjorn. Il était prêt pour leurs questions.

— Comment et quand es-tu sorti, Shariff?

— Il y a presque deux jours, la nuit de notre capture. Par les canalisations de notre cellule. C'est le seul avantage d'être un homard, mais...

Il chercha une citation, qui ne vint pas.

— Avant l'arrivée du professeur, donc?

Shariff hocha la tête. Bjorn déplia deux plans sur l'herbe humide, entre eux deux, qu'il éclaira avec une puissante lampe torche militaire.

— Tu pourrais me dire précisément où ils sont enfermés?

Shariff se pencha sur les deux plans. C'était une vue en coupe et une vue d'ensemble du bunker. Toutes les canalisations, le système électrique, les systèmes d'aération y figuraient, pièce par pièce.

— Où avez-vous...?

— Archives militaires. Il n'y a pas que ta copine qui sache pirater, quand il le faut. Alors ?

Shariff regarda le plan, essaya de se rappeler le chemin qu'ils avaient parcouru au moment de leur entrée dans la prison, puis celui qu'il avait suivi, dans la tuyauterie, lors de son évasion. Le niveau supérieur était organisé autour d'une galerie en ovale, qui distribuait une dizaine de pièces – plus un étroit corridor menant au PC de commandement. Le niveau du dessous, au pied de l'escalier, était de taille plus réduite.

— C'est au sous-sol, l'une de ces trois pièces, là... Mais je ne peux pas te dire avec certitude laquelle. Il y en a une autre, un sas, en enfilade, et je ne le vois pas.

— C'est déjà une information précieuse. Si nous minons l'entrée, ils n'ont aucun risque d'être touchés...

— Vous allez... ?

— Nous n'en savons rien. Nous allons avancer pas à pas. Ce soir, les chasseurs ont appris qu'ils ne pouvaient plus sortir sans se faire descendre. Nous avons aussi brouillé le réseau de leurs portables, ils n'ont plus accès à rien, ni Internet, ni communications... Dans les tout prochains jours, nous allons essayer de trouver où ils ont installé leur groupe électrogène... Tu sais s'ils l'ont relié à l'ancien système électrique ?

— Je pense. Toutes les pièces que nous avons

traversées étaient éclairées par les plafonniers d'époque, et les interrupteurs fonctionnaient.

— OK. Cela veut dire qu'ils ont dû faire leur branchement à l'emplacement de l'ancien générateur... ici. Nous pourrons couper l'électricité quand nous le voudrons. Et s'il le faut, nous obstruerons progressivement les voies d'aération pour les forcer à sortir. Ils ont des réserves ?

— Des... réserves ?

— D'eau ? De nourriture ? Tu as pu voir leurs stocks ?

Shariff secoua la tête, désolé.

— Bien, tant pis. Pour l'instant, nous allons te ramener d'urgence à l'Institut, pour que tu te restaures. Le professeur pensait que, hors de l'eau de mer, tu n'en avais pas pour plus de six jours.

Bjorn regarda sa montre.

— Cela en fait cinq que vous êtes partis... Comment te sens-tu ?

Shariff indiqua de la main qu'il se sentait... sombrer.

— OK, Julien attend avec du matos de médecine, à un kilomètre. On va te porter jusque là-bas. Et à deux bornes, il y a le 4x4. Nous te ramènerons ici dans deux ou trois jours, si le siège n'est pas fini...

Il n'y avait rien à discuter. C'étaient des ordres.

— Autre chose. Le professeur pensait que ta

copine, Flora, n'en avait que pour une semaine avant sa métamorphose. Tu confirmes ?

— Oui. C'est entre le 19 et le 21 que ça va commencer…

— OK. Ils savent maintenant qu'ils ne pourront pas mener leur chasse à l'extérieur. Et si nous parvenons d'ici là à les priver d'électricité, elle aura une chance, dans les galeries.

— Mais s'ils tentent de s'échapper par l'autre sortie, au bout de la galerie ?

— Nous avons deux snipers, là-bas. John et Sophia.

— Et… Et s'ils décident de tenter la sortie en masse, en se servant de Tim, Flora et du professeur comme de boucliers… humains ?

— C'est probablement ce qu'ils vont faire. Mais pas tout de suite. Et dans ce cas, nous essaierons d'empêcher que tes amis et le professeur ne meurent… Mais ce qu'il faut sécuriser avant tout, ce sont les disques. Ordre de Paul Hugo.

Jusqu'à présent, Shariff avait perçu une lueur dure mais bienveillante dans les yeux de Bjorn. Mais désormais, il ne restait que la dureté, et une décision inébranlable.

# 52.

Zaroff entra à l'aube, ou peut-être était-ce encore la fin de la nuit? Ils commençaient déjà à perdre toute notion de temps, privés de leur montre, sous cette lumière artificielle permanente. Seul le décompte des repas leur permettait de se situer encore: il ne fallait pas perdre le fil des minutes, des nuits, des jours, pour savoir quand Flora risquait de...

— Vos amis sont passés à l'attaque. Peut-êtrrrrre estiment-ils qu'il y a urrrgence?

Derrière le géant au bras en écharpe, deux autres hommes en noir, dont l'Anglais, parurent à leur tour, presque malingres à côté de son immense carrure. Ils traînaient derrière eux des fers.

— Ils nous attendent dehorrrrs, avec leurrrs fusils. Nous sommes désorrrrmais empêchés de toute possibilité de sorrrtirrr ou de communiquer avec l'extérrrrieurrrr... Mais vous le saviez déjà, prrrrofesseurrr, n'est-ce pas?

McIntyre ne sembla même pas conscient que la question puisse lui être adressée. Il donnait le sentiment de se désintéresser totalement de ces péripéties.

— Et comme vous êtes convenus avec vos amis, le derrrnier message apparrru surrr notre forrrum, avant la fin des communications, nous invite à nous rrrrendrrre. Le Taxiderrrmiste m'a dit de vous confirrrmer que cela n'arrrrrriverrra jamais.

La voix enfla dans un rugissement.

— Vous mourrrrez, et nous ne nous rrrendrrrons pas.

D'un geste, il ordonna à ses deux hommes de ferrer les prisonniers, aux pieds et aux poignets. Ils serrèrent les anneaux, de telle sorte qu'il soit impossible de s'en dégager.

— Bien entendu, cela rrrend caduque votre intérrressante prrroposition d'échange, prrrofesseurrr… Nous ne pouvons même plus en discuter parrr téléphone avec les commanditairrrres de votrrre rrrançon, afin d'obtenirrrr leurrr aval.

Ils passèrent les chaînes dans des anneaux fichés au mur. En s'approchant de Flora, l'Anglais sussurra :

— *You smell so good, honey. You'll have the taste of fear*[1]…

— Quelles que soient vos apparrrrences bestiales, vous ne devez pas songer à nous échapper. Nous avons de quoi tenirrr un mois, et le Taxiderrrrmiste veut que vous sachiez ceci : nous vous

1. « Tu sens si bon, chérie. Tu auras le goût de la peur. »

chasserrrons. Nous vous chasserrrrons dans ces galerrrries imprrenables, l'un après l'autrrrre, jusqu'à ce que vos trrrois têtes orrrrnent sa collection. Puis, nous parrrtirrrons, avec la même facilité que nous sommes venus.

Tim avait essayé jusque-là de conserver l'impassibilité, le désintérêt hautain qu'affichait le professeur. Mais il craqua à cette minute. Il cracha au visage de l'Anglais, puis lança à l'intention du géant :

— Eh ben vous direz à votre Taxidermiste qu'on ne se laissera pas faire… Et aussi que c'est une belle crevure.

— Haw haw haw.

Le colosse ne répondit rien d'autre qu'une gigantesque quinte de rire, qui retentissait encore quand les trois geôliers sortirent.

— Vous… Vous saviez pour le siège ?

— Non, Timothy. Nous avons eu des discussions assez dures, avec Bjorn et Hugo, pendant les vingt-quatre heures qui ont séparé notre premier accrochage et mon retour ici. À vrai dire, ils avaient accepté qu'on grave les disques d'informations demandés pour la rançon de Véronique, mais cette première rançon n'était qu'une véritable bombe informatique à retardement, qui vous aurait sûrement beaucoup séduite, Flora. Certains anthropes, dont Bjorn et Hugo, n'ont pas accepté en revanche l'idée que je me livre avec tous nos secrets, cette fois correctement gravés, et pour un gain fort douteux. Il a fallu un vote de tout l'Institut, qui s'est joué à quelques voix…

La voix baissa, préoccupée :

— … Et je doute que Bjorn et Hugo auraient pris cette décision, même s'ils avaient eu la *certitude* que cela permettrait de sauver vos vies.

Le professeur avait répondu à côté. Tim avait remarqué qu'il appelait désormais saint Paul par son nom de famille. La rupture était-elle consommée ? Que pensait-il de l'action armée qui s'annonçait ? Lisant une fois de plus dans les pensées secrètes du garçon, l'homme aux yeux d'acier enchaîna :

— Effectivement, je crains que ce siège n'ait d'autre but que d'empêcher les chasseurs de quitter cet endroit avec votre rançon. Et je ne suis pas sûr qu'elle soit pour nous d'une quelconque utilité. Jamais ceux qui nous retiennent ne nous rendront vivants, Bjorn et Hugo le savent parfaitement. Et jamais les nôtres ne parviendront à entrer dans le bunker autrement que sous une forme animale, ce qui serait une folie…

Flora prit la parole :

— Vous… Vous croyez qu'ils vont lancer des anthropes de combat ?

— Hugo y pense sûrement. Et maintenant, c'est

lui qui décide… J'espère que les autres membres de l'Institut sauront s'y opposer.

— Et s'il y renonce?

— Alors, les nôtres vont attendre. Le temps qu'il faudra. Une patience suffisante à coup sûr pour empêcher les chasseurs d'emporter notre rançon… Peu importe ce qu'il adviendra de nous dans cet intervalle.

Il y eut ensuite un long silence, pendant lequel les deux plus jeunes prisonniers digérèrent la nouvelle de cette trahison. Ils étaient plus que seuls; leurs «amis» jouaient contre eux.

Plus tard – deux heures, trois? Impossible d'en tenir le compte –, le professeur s'assoupit contre le mur, la main maintenue en l'air par l'anneau de fer qui le gardait désormais prisonnier. Ils entendirent sa respiration paisible. Puis des petits ronflements, ténus. Et ils ne purent s'empêcher de se regarder en souriant, comme lorsque la chose arrive dans un train, dans un avion. Seconde d'insouciance.

Ils restèrent ensuite les yeux dans les yeux, comme suspendus l'un à l'autre par le fil de cet échange de regards, quelques minutes. Il sembla à Tim que petit à petit, la détresse qui revenait dans les yeux noirs de Flora les rendait presque violets. Et l'image des yeux jaunes de la chatte noire se superposa. Plus que deux ou trois jours, et elle serait entre leurs mains, livrée à la curée.

— Tu penses que ta patte passera à travers l'anneau, quand tu seras… Catwoman ?

— Sans problème… Mais je ne vois pas comment je pourrais sortir de la pièce. Tu as vu comment ils ouvrent prudemment, chaque fois. Et il y a le sas, derrière. N'oublie pas qu'ils ont une bonne expérience des… des animaux.

Elle avait dit cela avec un dégoût horrifié. Tim chercha une parole apaisante à proposer, n'en trouva pas. Il dit simplement :

— Cela n'arrivera pas, Flora. Je te l'ai juré.

Elle détourna le regard. Il était attaché, impuissant, et il lui promettait l'impossible de nouveau, il le savait lui-même. Tim ferma les yeux. L'image de la tête de Flora, vivante, accrochée comme un trophée au-dessus de la cheminée du Taxidermiste, s'imposa.

—

Qu'auraient-ils dit d'autre que ces serments rassurants et ces craintes partagées, s'ils avaient été seuls, sans le professeur ? Y aurait-il eu des aveux, des élans, des regrets ? Flora considéra la question avec un étrange intérêt, distancié.

Elle allait mourir, devant lui, ou presque.

Dans trois jours, sans doute, elle deviendrait

une chatte. Ils la trouveraient là, au petit matin ou au soir, puis ils l'acculeraient dans un coin de cette cellule. Ils la prendraient dans leurs sales mains, par la peau du dos, la jetteraient dans une boîte, une cage sans doute, le temps d'organiser la chasse, d'en fixer les règles, dans les galeries qu'ils estimeraient sûres, pour ne pas la perdre.

Quelles armes utiliseraient-ils, pour être sûrs de la blesser seulement, et pouvoir conserver ainsi sa tête empaillée – une tête de chatte ? Que feraient-ils de son corps, une fois le meurtre commis ?

Ses pensées avaient tourné depuis trois jours autour de ces questions, et pour l'heure, elle s'en désintéressait. Elle songeait à Tim, Timothy Blackhills. Le garçon qui s'était endormi d'épuisement, enfin, après presque quatre-vingt-seize heures de veille.

Contrairement à Catwoman, il existait une probabilité, infime mais réelle, que Tim survive à cette situation. Comme le professeur, il était le maître de sa *luxna*. Il savait ce qu'il devait éviter à tout prix pour ne pas se transformer, et il le pourrait peut-être… Que feraient les *blackmen*, au bout de longues semaines de siège ? Ils négocieraient une reddition ? Ils les abattraient avant de sortir ? Ils tenteraient de les utiliser comme monnaie d'échange ?

Et eux deux, Tim et Flora : que devaient-ils se dire, l'un à l'autre, durant leurs trois derniers jours? Devait-elle lui avouer ce qu'elle avait découvert dans les ordinateurs de la police de Missoula, sa probable responsabilité dans la mort de son frère? Devait-il apprendre la vérité de sa bouche, ou l'ignorer, s'il ne la découvrait pas par lui-même?

Devait-elle lui avouer, surtout, qu'elle l'aimait, comme elle n'avait pas cru cela possible, qu'elle l'avait aimé dès qu'elle l'avait vu entrer dans leur salon, le premier jour, puis qu'elle l'avait aimé avec toute la fureur de la haine, quand il l'avait trahie et avant pillé ce secret qu'elle lui aurait offert, un jour? Qu'elle l'avait aimé follement d'avoir cru le perdre, quand il était parti, puis la nuit de l'attaque contre son chalet; et qu'elle l'aimait encore plus de l'avoir vu en coureur des bois intrépide, en héros courageux mais faillible, pendant la fusillade; qu'elle aimait son visage et ses mains, mais aussi toutes ses erreurs, et la honte qu'il en avait, lorsqu'il ne se trouvait pas à la hauteur de ce que sa morale inflexible lui fixait?

Elle l'aimait, elle mourrait, et moins d'un mois après l'avoir rencontré. Le seul vrai chagrin semblait être de perdre ce qu'elle n'avait jamais cru pouvoir exister. Avant même d'y avoir goûté. Fallait-il lui dire tout cela, pour le supplier de ne rien faire, le jour où elle serait chatte – alors qu'il lui promettait de la défendre? Il n'y pourrait rien, le

390

sort de Flora était scellé. Et elle ne voulait pas qu'il meure, lui. Elle ne voulait pas que cette lumière aussi s'éteigne, il lui semblait que tant que Tim respirerait, elle survivrait dans ce souffle.

Mais peut-on dire ces choses-là ?

# 53.

Chaque veinule gorgée de sang oxygéné, toute son anatomie s'emplissait d'air filtré, se rétablissait. Il sentait les branchies, comme des algues flottantes à l'intérieur de son corps, capturer, emprisonner, emmagasiner l'air. Il en avait trop manqué pour ne pas en goûter la saveur, qu'ignorent ceux qui n'ont pas connu l'asphyxie.

Shariff avait dormi durant toutes ses heures humaines, pour jouir de ces longues plongées salées dans le liquide presque amniotique – un retour à la vie d'avant, à la protection des parois, de l'aquarium, du liquide, de son *biotope*. Comme l'animal qu'il n'avait jamais cessé d'être, et qui était avant tout *biologie*. Sa vision était brouillée dans l'eau troublée, pleine des résidus de poissons qu'il déchiquetait et dévorait, légèrement jaunâtres. Une myriade de fines bulles l'entourait, dès qu'il se mouvait dans cet univers transparent et opaque à la fois, dans ce mensonge. La vraie vie était ailleurs, dehors, la vraie vie était cruelle, et il était moins armé que quiconque pour se défendre, moins encore pour défendre les siens.

Sa famille. Les trois personnes qui allaient mourir dans ce cachot, dans une prochaine chasse au fond des galeries sombres ; mourir comme des boucliers humains sacrifiés pour que Paul Hugo et son bras droit, Bjorn, puissent récupérer leurs disques.

Quelque chose peut-il valoir davantage que trois vies ?

Oui. Peut-être. Dans une guerre, certains secrets, certains savoirs méritent qu'on se sacrifie. Mais pas qu'on sacrifie ces trois vies, précisément celles-là.

Ne se trouvait-il personne ici pour en être aussi convaincu que lui ?

Dans la voiture qui les avait ramenés, Julien, le biologiste qui servait d'assistant à Kate, avait simplement dit :

— C'est Hugo le cofondateur, c'est le seul qui puisse se prévaloir d'une autorité sur les anthropes, depuis que le professeur est prisonnier. Et dès le premier soir, ses ordres ont contredit ceux du professeur. Depuis trois jours, il n'y a plus de conseil de guerre, il décide et communique les consignes directement à Bjorn.

Sa voix semblait accablée, mais apparemment il ne songeait pas à se révolter, ou tout simplement à désobéir. Beaucoup d'humains sont ainsi devant leurs chefs, même parmi les meilleurs.

La sagesse bouddhiste disait : «Ne fais aucun mal, fais le bien avec obéissance, vide ton esprit de toi-même, voilà l'enseignement de Bouddha.»

Il emmerdait désormais à tout jamais la sagesse bouddhiste.

Il regarda sa pince s'ouvrir et se refermer avec une sorte de curiosité distanciée, comme s'il ne s'agissait pas de son propre corps – comme si ce n'était pas son cerveau qui lui ordonnait ces mouvements, par le réseau de nerfs qui couraient dans sa chair, sous son exosquelette.

Il allait retourner là-bas, maintenant. Et il saurait trouver un moyen de changer le cours de la tragédie. Ses dix pattes grinçaient sur le fond de l'aquarium, il bougeait en crabe sans même y songer, avec des grâces d'araignée. Il avait retrouvé assez de forces. Désormais, il pouvait être utile, et il ne viderait plus son esprit de lui-même. Il était décidé – il serait le salut de ses amis. Contre leur gré, contre le blocus des anthropes, contre les défenses des chasseurs.

—

Il avait enfilé un sweat noir trop grand, dont la capuche lui tombait presque au menton. Il portait un bermuda trop large et des chaussures montantes, qu'il avait lacées pour une fois. Il devait être ridicule. Un petit garçon ridicule et illusoire, dans une guerre où l'on tuait vraiment.

Il cogna à la porte du labo, Julien ouvrit, l'emmena jusqu'à la salle où Kate travaillait – comment pouvait-elle avoir la tête à travailler ? Elle se tourna vers lui, lança :

— Tu vas mieux, tu as retrouvé ton intégrité respiratoire et sensorielle ?

Il n'aurait pas formulé cela comme ça, mais il comprit ce qu'elle voulait dire. Oui, il était intègre, de nouveau. Intègre. Il souleva sa capuche et la regarda dans les yeux. Son regard brûlant fit baisser celui de la sèche biologiste.

— Je dois retourner là-bas. Maintenant. Et il n'est pas indispensable que Bjorn ou saint Paul le sachent. Saurez-vous devenir des désobéissants ?

# 54.

## MÊME JOUR, 9 H – CACHOT

Tim savait qu'il n'avait plus le choix. Plus que quelques heures, mais combien? S'il en croyait le rythme des repas, qu'il utilisait comme horloge et calendrier, on était à l'avant-veille de la métamorphose.

Catwoman.

S'il voulait que Flora vive, il fallait qu'il le fasse, c'était la seule solution. Une issue qui lui faisait horreur, et lui enlèverait sans doute, à jamais, l'estime qu'il avait de lui-même. Mais il voulait que Flora vive, plus que tout; plus encore que de survivre. Empêcher que le cauchemar se réalise. Arrêter la traque avant qu'elle commence.

Flora ne serait pas un gibier qu'on humilie puis qu'on mutile. Il ne le permettrait pas, et pour cela il savait qu'il n'avait pas le choix. C'était aujourd'hui, ou demain, pas après. Cette nuit, sans doute, la nuit est l'alliée des coups bas.

# 55.

Ils avaient tout préparé en trois heures. Avec deux autres collègues du labo, Julien et Kate avaient hissé un bac de trois cents litres d'eau de mer à l'arrière du véhicule forestier. Maintenant, Matthew conduisait, la biologiste était à ses côtés, Shariff derrière eux. Pour tous, c'était un acte de désobéissance, une rupture – le garçon leur avait rappelé leur affiliation à d'autres fidélités, à la figure tutélaire du professeur, le père du labo, et leur ami; et ils étaient tous entrés en résistance.

Matthew les avait rejoints au labo dès 9 heures, sur un coup de fil de Kate. L'assistant du professeur semblait n'attendre que cela, mais il avait fallu Shariff pour décider les alliés du professeur à se parler, à comploter. Enfin. Le rouquin avait pris aussitôt la tête des opérations clandestines, dont le labo était le QG. Tous les biologistes avaient donné leur accord, voici trois jours, pour qu'on livre leurs recherches contre la vie des otages. Et maintenant ils se ressoudaient et s'organisaient pour essayer de libérer McIntyre.

Ils avaient fait vite, mais Shariff ne pourrait pas intervenir avant le cœur de la nuit – une journée de perdue, et il n'en restait que deux à Flora, tout au plus.

— Nous t'attendrons à trois ou quatre kilomètres du bunker, derrière la ligne des anthropes. Il ne faut pas que tu passes plus de deux ou trois métamorphoses sans y revenir. Ton corps ne supporterait pas un nouvel épisode d'asphyxie dessicatoire, précisa Kate.

— Ne t'inquiète pas, maman... Je serai de retour dans les vingt-quatre heures. Cru ou cuit.

— Et moi, je t'accompagnerai aussi près qu'il est possible du bunker.

Shariff ne répondit pas en plaisantant, cette fois : quelque chose dans la voix de Matthew, une résolution, indiquait que si quelqu'un voulait les en empêcher, il était prêt à utiliser toute la force nécessaire. Y compris contre ceux de l'Institut. Matthew s'était armé.


Ils furent sur place, à l'endroit où ils planqueraient leur véhicule et leur trahison, vers 17 heures. À ce moment, celui qui les avait décidés à rompre leur serment tentait tant bien que mal de survivre aux cahots que connaissait son aquarium débordant d'eau de mer. Quand le 4x4 stoppa, il laissa l'eau retrouver son calme, après sa tempête de baignoire.

Son plan était simple, pauvre même. Profiter de sa forme humaine pour parcourir le dernier kilomètre qui le séparerait du bunker une fois qu'ils seraient parvenus à la crête. Retourner dans le cachot, par les mêmes tuyaux qu'il avait utilisés voici six jours pour le fuir. Et là-bas, ma foi... improviser.

Il plissa ses yeux pédonculés, et entreprit de dormir trois heures, avant l'action. «Tout le succès d'une opération réside dans sa préparation», disait Sun Tzu. Eh bien, dans ce cas, il allait à l'échec.

Mais: «Pour réussir, il ne suffit pas de prévoir. Il faut aussi savoir improviser», Isaac Asimov.

—

«Veux-tu apprendre à bien vivre, apprends auparavant à bien mourir», Confucius.

Une heure du matin. Matthew avait assommé Marco, quand ils étaient arrivés sur l'arête du contrefort. Shariff se déshabilla entièrement, bascula dans la pente sans un mot d'adieu, et sans attendre, pour ramper dans l'herbe jusqu'à la tuyauterie, à cinquante mètres en contrebas de la meurtrière. Il allait être une cible mouvante pendant un kilomètre de reptation – pour ceux de l'Institut, comme pour les chasseurs.

En avançant, il se demandait s'il valait mieux mourir d'une balle amie, ou de celle de ses ennemis. Quelle différence, lorsque l'on meurt?

—

Ines quitta la lunette de visée à infrarouge des yeux, se tourna vers Bjorn.

— J'ai quelque chose qui bouge dans mon champ de tir. Je crois que c'est Shariff...

— Fais voir.

— À 2 heures.

L'homme au gilet orange prit l'arme, chercha quelques instants dans l'herbe, repéra la tache verte plus dense, la source de chaleur: le gamin qui se tortillait comme un vermisseau. Il parla tout en suivant sa cible du canon, un sourire méchant ou ironique aux lèvres.

— Il va vers le bunker. Regarde-le... Ce serait tellement simple de l'abattre...

Bjorn releva la tête, repassa le fusil à Ines. Il prit des jumelles de vision nocturne et continua de suivre la progression, pendant que la jeune femme reverrouillait la cible dans sa ligne de mire. Bjorn continuait de penser à voix haute, comme s'il ne dialoguait qu'avec lui-même.

— Tellement simple, pour nous comme pour lui... Ils ne pourraient pas l'utiliser comme bouclier, celui-là...

— Tu veux que je… ?

— Non. On le laisse faire, et on regarde par où il passe. Si nous lançons des anthropes demain contre le groupe électrogène, autant laisser le homard nous indiquer le passage.

Bjorn se mit debout sur la crête. Il sortit de sa poche les amphétamines qui leur permettaient de tenir pendant les longues heures de guet. Trois comprimés orange vif, dans une boîte. Il en goba un, but un peu d'eau.

—

Shariff atteignit l'entrée de la tuyauterie moins de dix minutes avant que la lune ne commande à la marée montante le début de son reflux. Il n'y avait plus rien à faire qu'attendre, maintenant. Dès qu'il serait opérationnel, il pénétrerait dans les conduits et retrouverait sa route vers ses amis.

# 56.

Tim se leva soudain. Il avait le sentiment d'avoir tout arrêté, tout planifié – il ne pensait plus qu'à cela depuis ce matin, il avait examiné toutes les possibilités, essayé de prévoir toutes les chausse-trappes.

En traînant sa chaîne derrière lui, il alla frapper du plat de la main sur la porte blindée. Des coups violents, répétés.

Cela dura pendant presque dix minutes, avant qu'on l'entende. Pendant tout ce temps, derrière lui, Flora et le professeur, qu'il avait réveillés, essayaient de lui adresser la parole, mais il ne leur répondait pas, ne se retournait même pas vers eux.

C'est pour elle qu'il faisait ça, mais il ne voulait pas affronter leurs regards.

—

Pourquoi Tim ne leur répondait-il pas? Que faisait-il? Devenait-il fou?

Un *blackman* ouvrit finalement la porte blindée.

402

Le type au visage vérolé. Il les regarda tous les trois et lança à Tim :

— Qu'est-ce que tu fous ? On dort ! Tu as intérêt à…

— Appelez votre chef. Tout de suite. J'ai quelque chose d'important à lui dire, quelque chose qui pourrait l'intéresser suffisamment pour qu'il me l'échange contre la vie de la fille.

— Et c'est quoi, ton truc tellement intéressant ?

— Le secret de la nature animale du professeur. Et la façon dont vous pourrez provoquer sa métamorphose, pour le chasser.

Flora se mit à hurler qu'il était fou, qu'elle n'accepterait jamais qu'on achète sa vie contre une autre, qu'il…

— Tais-toi, ferme-la ! Et toi, viens avec nous à côté.

Le vérolé libéra Tim de l'anneau et l'entraîna, au bout de son arme, vers le sas. En franchissant la porte blindée de leur cellule, le garçon se retourna vers le professeur – qui ne disait rien.

Flora cria :

— Tim, regarde-moi… Regarde-moi… Je t'en prie, ne fais pas cela !

Mais ils franchirent la porte sans que le garçon lui adresse même un regard.

Quand il lui avait juré la vie sauve, au cours des derniers jours, elle n'avait pas imaginé que

ce serait à ce prix-là. Beaucoup trop élevé, tellement qu'elle ne voudrait pas vivre s'ils la laissaient
partir. Non. Comment Tim avait-il pu penser
qu'elle accepterait cela ? Pour qui la prenait-il ?

Si c'était l'estime qu'il avait d'elle, il…

— Ne le jugez pas, Flora. Faites comme moi,
attendez le résultat de la partie…

Elle se tourna vers le professeur qui, assis contre
le mur, n'avait pas dit un mot pour empêcher Tim,
depuis le début.

— Ce sont nos deux vies qu'il joue. La mienne
contre la vôtre. Mais la sienne est aussi sur le
tapis, et il le sait.

# 57.

## MÊME JOUR, 5H40 – TUYAUTERIE

Shariff y était presque, il le sentait, il le devinait. Il avait pensé qu'il retrouverait sans encombre, mais en réalité, il avait erré pendant plus de trois heures, une fois parcourus les quelques mètres du gros tuyau d'évacuation principale. Tous les réseaux se ressemblaient, et il avait débouché une première fois dans une bonde, au milieu d'une cellule plongée dans le noir, apparemment vide.

Au bout de quelques instants, il avait entendu la lourde respiration d'un, puis de deux dormeurs – il venait d'émerger dans la chambre des chasseurs!

Il avait replongé aussitôt, avait refait le parcours à l'envers jusqu'à l'intersection précédente, avait choisi cette fois la droite plutôt que la gauche, avait hésité au coude suivant... Son erreur avait été d'évoluer dans le réseau de plomberie du rez-de-chaussée, alors que la cellule était au sous-sol.

Finalement, il avait compris. Maintenant, il savait qu'il approchait.

# 58.

Tim et le vérolé avaient patienté pendant plus d'une heure dans le sas, sans un mot ou presque ; ils attendaient le retour de l'Anglais, qui était allé chercher Zaroff.

En plus du gardien qui l'avait libéré, il y avait un autre homme au visage de fouine sous sa barbe épaisse, et qui tenait Tim en joue en permanence. Le vérolé fumait cigarette sur cigarette, de plus en plus nerveusement. Inquiet d'avoir pris la décision de réveiller son chef ?

Derrière la porte blindée, au début, Flora l'avait supplié plusieurs fois, une ou deux minutes de cris, d'imprécations. Mais maintenant, elle se taisait. À deux ou trois reprises, il lui sembla entendre qu'elle parlait à voix basse avec le professeur.

Tim réfléchissait à ce qu'il allait accomplir. Que faisait Zaroff ? L'offre n'était-elle pas assez grosse, assez conséquente ? Il n'avait rien d'autre à offrir, c'était le plus qu'il pouvait faire, le pire, aussi.

Finalement, on cogna à la porte du sas, trois fois, puis elle s'ouvrit. Le géant en treillis noir entra, l'Anglais dans son dos. Zaroff portait une trique de plomb qu'il serrait dans sa main gauche, le bras droit toujours en écharpe. Manifestement, il avait mis le temps pour se réveiller, ou il avait longuement réfléchi avant de décider. Un conciliabule avec le Taxidermiste ?

Le colosse alla droit au but.

— Alorrrrs, comme ça, tu me livrrrres le prrrofesseurrr ? Pourrrquoi je te crrroirrrais ?

— Parce que vous n'avez pas le choix. Sans moi, il ne se transformera pas. Ce n'est pas une métamorphose spontanée, c'est une «mutation volontaire», Zaroff, comme vous dites sur votre forum.

En entendant son nom, ses mots, l'ogre le dévisagea – plus méfiant encore.

— Tu es entrrrré surrr le forrrrum ?

— Bien sûr. Vous êtes Zaroff, et je suppose que d'autres dans cette pièce sont Manhunter ou le Jivaro.

Le vérolé releva la tête, stupéfait. Zaroff, lui, s'était déjà ressaisi.

— Trrrès bien. Je vois… Je suppose que c'est ainsi que vous nous avez trrrouvés, tous les trrrrois.

Parrr le forrrum.

— Bien sûr. Et je pourrais vous dire que je vous ai balancés à la police, mais ce serait faux. Si nous parlions plutôt de mon offre ?

— Parrrlons. Pourrrquoi me la fais-tu maintenant ?

— Vous le savez comme moi. La métamorphose de Flora aura lieu d'ici deux jours.

— Oui, je m'en doutais. Et pourrrquoi selon toi devrrrais-je la libérrrrer ?

Cela sonnait comme un interrogatoire planifié à l'avance. Le type avait réfléchi, il avait pris son temps. Peut-être avait-il pesé chaque question, chaque réponse possible, avec le Taxidermiste ?

— Parce que le trophée qu'elle représente n'a aucun intérêt pour vous. Elle n'est qu'un animal ordinaire. Alors que vous n'avez jamais chassé un anthrope comme le professeur. Un carcajou, *Gulo gulo*, *wolverine*.

Les yeux de Zaroff s'enflammèrent. L'Anglais, le vérolé et la fouine fixèrent Tim avec une incrédulité fascinée. Tout se passait comme il l'avait prévu – en disant ce simple mot, il les avait convaincus. Il fallait maintenant s'assurer qu'ils feraient exactement comme il le leur dirait.

— Je pourrrais te torrrturrrer, pourrr obtenirrr ce secrrret. J'attends deux jourrrrs, je chasse la fille, je l'empaille, puis je te fais parrrrler ensuite, pourrrr que tu me dises ce que tu sais du prrrrofesseurrr.

— Oui, vous pourriez. Mais si je me métamorphose avant ? Ou si je meurs sous la torture sans parler ?

— Eh bien je peux commencer l'interrrrogatoirrre dès maintenant. Et soumettrrrre aussi la fille, ou le prrrrofess…

— Elle ne sait pas le secret de McIntyre, et lui ne parlera pas. À sa place, vous feriez pareil : plutôt mourir en être humain que d'être chassé.

— Mais elle, tu tiens à elle. Si je la fais souf-frrrrirrr, tu…

— Je ne dirai rien. De toute façon, si vous n'acceptez pas ce marché, elle est morte dans deux jours. J'essaye simplement de lui sauver la mise.

— Et de sauver la tienne ?

— Non. Moi, je reste dans le bunker, jusqu'à la transformation du professeur, en gage de sincérité. Et vous ne me laisserez partir qu'après, lorsque vous l'aurez tué. Si vous me laissez partir. Je cours le risque.

— Parrrrce que nous allons laisser la fille parrrtirrr avant ?

— Bien sûr. Je ne dirai rien tant que je ne l'aurai pas vue dans les mains de nos amis, qui font le guet dehors. C'est à prendre ou à laisser.

Il connaissait d'avance toutes les questions, et il avait toutes les réponses. Zaroff réfléchissait, on pouvait lire dans ses yeux l'insatisfaction et la convoitise, le doute et l'indécision. Il n'était pas le cerveau des chasseurs, juste leur bras armé.

— Et si j'en rrrrestais à ma solution de te torrr-turrrer, finalement ?

— Vous faites comme vous voulez. Mais si je meurs sans parler, sous vos tortures, je ne suis pas sûr que votre chef appréciera de savoir que vous lui avez fait rater une chasse pareille.

— QUEL CHEF??? Je suis le chef!

— Bien sûr que non. Vous avez parlé pendant plus d'une heure avec le Taxidermiste avant de venir ici, et il voudra savoir le résultat de notre entrevue. Vous commandez les chasseurs, mais demandez-leur ce qu'ils penseront, si vous leur faites rater cela.

Zaroff se tourna instinctivement vers ses trois hommes, qui détournèrent le regard. Le géant tendit la matraque plombée au vérolé, pour libérer sa seule main valide. Tim sut ce qui allait suivre.

— Quant à moi, j'en ai assez de discuter avec vous, et de perdre mon temps. Emmenez-moi voir votre chef...

— JE SUIS LE CHEF! hurla le géant, en lui décochant une gifle.

Tim sentit les larmes lui monter aux yeux, papillonna des paupières. Continuer, tenir le coup. Tout se déroulait comme prévu, il gagnait la partie.

— OK, OK... C'est avec vous que je négocie... Je vous ai donné mes conditions. Vous faites sortir la fille, je la vois partir, et je vous donne ensuite le secret. Qu'en dites-vous?

— Et si tu me mens ? Si tu ne me donnes pas le secrrrret ?

— Qu'aurez-vous perdu ? Un trophée de chat ?

Il vit une grimace de dégoût sur le visage de Zaroff, et aussi sur ceux des trois gardiens qui se regardèrent entre eux, à la dérobade.

— Un chat ?

— Une chatte, dans deux jours. Demandez à Flora, si vous voulez, vous verrez bien si je mens. Et réfléchissez... Ce que je vous offre, c'est cela : un carcajou, contre un chat. Et la possibilité de me torturer pour me faire parler, ou me tuer, si j'ai menti. Qu'avez-vous à perdre ?

D'un geste, Zaroff indiqua au vérolé d'entrer dans la cellule et de questionner la fille. Moins de trente secondes après, ils entendirent un cri.

— Tim, salaud, tu leur as dit ! Je te déteste ! Je te...

— C'est pour te sauver, Flora ! Je n'avais pas le choix... Il fallait qu'ils sachent que le professeur est infiniment plus... chassable que toi.

— Salaud ! Je ne veux pas que tu...

Il entendit le vérolé lui asséner une gifle, sèche, pour la faire taire. Elle pleurait, et Tim l'entendait à travers la porte entrebâillée. Il n'en fut même pas ému – il ne songeait qu'à la sauver, qu'à la prochaine étape du plan. Ne pas commettre d'erreur.

Il était si près d'emporter le morceau...

# 59.

## MÊME JOUR, 6H08 – CACHOT

Il avait tout livré, tout étalé. Pour la sauver, mais sans égard pour rien, sans même songer qu'elle préférerait peut-être mourir... Plutôt que de...

# 60.

Tim se rua soudain vers la porte du sas, celle qui menait vers la sortie, attrapa la poignée, l'ouvrit à la volée. L'Anglais avait bondi et le saisit par les cheveux pour l'empêcher de fuir. Il se débattit, s'arracha de son étreinte, recula dans la pièce du sas, sans lâcher la poignée de la porte qu'il ouvrit en grand, dans ce mouvement. L'Anglais lui interdisait la sortie et fouillait dans sa poche, à la recherche d'une arme. Le troisième type, la fouine, le braquait avec son fusil à pompe. Zaroff fit deux pas vers lui. Comme prévu.

— Alorrrrs c'était ça… Tu te foutais de notrrre gueule, et tu espérrrrais pouvoirrrr t'enfuirrr ?

— Tim ! cria Flora, de l'autre côté.

— Tu espérrrrais les abandonner et te fairrre la belle, c'est ça ? Jouer pourrrr ta sale petite gueule ?

Zaroff lui décocha une baffe gigantesque. En concentrant toute sa volonté, Tim réussit à ne même pas tenter de l'esquiver. Comme prévu. Projeté par cette gifle contre le mur du fond, il avait lâché la poignée de la porte, mais c'était gagné, maintenant – l'Anglais, sur le seuil, empêcherait qu'elle se referme.

Il secoua la tête, se releva lentement.

— Tim ? cria Flora, de l'autre côté, avec inquiétude.

Il frotta son crâne endolori par le choc contre le mur, sentit ce qu'il avait espéré – il y avait une plaie, une plaie ouverte. Son nez aussi coulait, un liquide chaud poissait sur sa bouche, son menton. En se relevant, il vit deux, puis trois gouttes tomber par terre, à ses pieds. Zaroff le lui avait sans doute cassé, mais cela n'avait pas d'importance ; c'était même exactement ce qu'il avait prévu.

Tout était prêt.

Les deux portes étaient ouvertes, et il pissait le sang.

Il regarda les doigts qui venaient de palper son crâne, et qui étaient à peine rougis par la plaie. Trop peu. Alors, il s'essuya le nez cassé du dos de la main, en dépit de la douleur fulgurante que cela provoqua, puis il ouvrit la bouche, sortit la langue et lécha son propre sang.

# 61.

## MÊME JOUR, 6H13 – TUYAUTERIE

Shariff retrouvait enfin sur son chemin les copeaux de rouille et de peinture qu'il avait arrachés lors de son voyage aller. Il reconnaissait aussi cette sensation de devoir se tasser, entrer en lui-même, pour parvenir à se glisser dans des tuyaux de plus en plus étroits, au fur et à mesure qu'il progressait vers le trou des latrines. Oui, c'était la juste voie, cette fois. Il le fallait, il n'avait plus guère la possibilité de se perdre.

À ce propos…

Il allait se concentrer, rechercher la maîtrise, une fois de plus, pour savoir combien la marée lui laissait encore de temps, quand il entendit les cris, au-dessus de lui. Assourdis, comme étouffés. Mais incontestablement, c'étaient des cris de terreur.

# 62.

## MÊME JOUR, 6H13 – SAS

Il sentit la colère l'envahir, une rage pure, sans mélange – animale. En même temps qu'il se redressait. Il devait garder le contrôle, encore un instant, quelques secondes, faire les choses dans l'ordre. Comme il l'avait prévu.

Les trois bipèdes le regardaient, incrédules, tous les trois, écarquillant les yeux, et reculant instinctivement. Un seul avait un bâton fumant. Un autre tenait un gros objet noir dans ses griffes. Il devait en frapper un, le premier, mais lequel ?

L'Anglais, frapper l'Anglais pour qu'il ne ferme pas la porte.

La patte avait jailli, aussi vive qu'elle semblait lourde et gauche l'instant d'avant. Les griffes entrèrent dans le visage, comme dans une matière meuble, molle, labourèrent jusqu'à la gorge dans le hurlement de l'homme – qui se termina en gargouillis, quand les griffes eurent ouvert le cou.

— Ton fusil ! Donne-moi ton fusil !

Il fit volte-face en retombant sur ses pattes de devant, retroussa les babines noires sur ses crocs. Le bipède qui avait crié était le plus redoutable, le plus grand, celui qui lui arrivait presque aux épaules. L'autre, plus petit, reculait, blanc, livide, les mains crispées sur le bâton.

Le bipède le plus grand... Cela lui revenait. Il s'appelait Zaroff. C'est lui qui avait blessé son museau, qui l'avait meurtri. Il semblait se reprendre, déjà, ne pas craindre sa rage. Pour qui se prenait-il ?

Neutraliser « Zaroff » et le bâton, maintenant. C'est ce que son esprit avait prévu. L'esprit dans son esprit, l'Autre.

« Lâche la bride, laisse faire l'instinct. » Il devait perdre ses moyens pendant quelques minutes, le temps de devenir un fou sanguinaire, un tueur.

Il voyait tout, entendait tout, sentait tout. Le râle de celui qu'il avait laissé derrière lui, comme une musique de fond. La terreur aigre de celui qui tenait le bâton et reculait, se collait contre un mur, puis tendait le bâton à l'autre. La colère, et la peur du grand, et la convoitise, aussi, cette folle envie de s'offrir ce tableau de chasse, ce gibier. Celui-là était un prédateur, un concurrent dans son espace personnel. Chaque émotion, chaque sentiment des bipèdes était comme ceux des ours, ils avaient leur odeur, leur parfum – et la peur des bipèdes l'excitait dangereusement, alimentait sa rage.

Ailleurs dans son esprit, une autre part de son cerveau analysait le béton nu sous ses pattes, sur lequel ses griffes raclaient, la lumière crue et jaune qui tombait du petit globe transparent, les murs fermés, les portes ouvertes. La voie était libre, pour lui; il la leur interdisait.

Il n'allait pas les éviter, il devait les punir.

Il hurla, un hurlement qui rappela toute l'espèce à lui, l'appel de sauvagerie, toutes les attaques portées par ses ancêtres; ces cris qu'ils avaient lancés lorsqu'on avait pénétré dans leurs espaces personnels, qu'on avait osé les défier, qu'on devait mourir.

Toute sa lignée avant lui.

Il sentit que cela déliait quelque chose au fond de sa gorge, et la salive afflua dans sa gueule – l'envie de mordre, d'arracher la chair. Il était fait pour cela. Tuer. Prendre les vies de ceux qui osaient. Le goût âcre du sang qui continuait de couler de ses narines se mêla à sa bave.

Le bipède le plus grand venait de saisir l'arme du tremblant. Tim se redressa, s'avança sur les pattes arrière, griffes avant grandes ouvertes dans une étreinte mortelle, offrant son poitrail.

Si le géant n'avait pas eu le bras droit bandé, empêché, peut-être aurait-il eu le temps de faire fumer le bâton. Peut-être aurait-il eu le temps de l'atteindre. Mais l'esprit de l'ours n'y pensa même pas, au moment où il retombait sur sa proie. Il n'y avait que sa rage, la fureur qui l'habitait, puis les cris fous de l'homme dont il laboura le dos, en sentant la viande s'ouvrir; en sentant le fluide vital couler dans sa bouche quand il mordit.

# 63.

Elle entendit les premières exclamations, puis le râle brutal achevé en gargouillis, et l'instant d'après le rugissement. Alors, quelque chose s'ouvrit dans le cerveau de Flora, et elle comprit – l'horreur de ce qu'il faisait, pour elle, pour eux. Toute la mécanique du plan, précise, la nécessité de se faire ouvrir les portes, de les faire tous entrer, puis...

— Ton fusil! Donne-moi ton fusil!

Zaroff venait de hurler.

Le professeur s'était levé, à côté d'elle. D'une pâleur de mort.

Dans le sas, Zaroff hurla de nouveau. Comme un dément cette fois. Un hurlement de colère qui vira au cri, au précipité de cri – à glacer la moelle dans les os. Figé par la même stupeur qu'eux, le vérolé se reprit, se rua vers la porte. Flora le vit jeter un œil dans le sas. Il eut un mouvement de recul horrifié, et repoussa leur porte blindée. Il s'appuya de toutes ses forces dessus, en s'arc-boutant.

Il y eut un choc, sourd, sur le blindage, et Zaroff cessa son hurlement. Flora comprit qu'*on* venait de projeter l'ogre contre la porte.

Le coup de bélier avait mis leur *blackman* sur

le reculoir. De l'intérieur, il n'y avait pas moyen de s'enfermer; les clés étaient de l'autre côté, et les chasseurs avaient fait sauter le verrou intérieur avant de les emprisonner ici. Tim le savait. Le vérolé avait laissé son arme sur le râtelier du sas, il n'en avait pas besoin pour gifler des prisonniers enchaînés. Tim le savait aussi.

Flora ne disait rien, et le professeur non plus. Le vérolé s'arc-boutait sur la porte, attendant le choc suivant.

De l'autre côté du mur, ils entendirent pendant de longues minutes la voix du troisième gardien, celui qui n'avait pas parlé jusqu'à présent, et qui maintenant suppliait, dans trois ou quatre langues, qu'on le laisse en vie, qu'on l'épargne. L'homme parlait de sa mère, l'appelait.

Que faisait Tim le grizzly en face de lui? Entendait-il ces pleurs, les comprenait-il? Allait-il être accessible à la pitié? Cela dura encore longtemps, interminablement. De temps en temps, sur les supplications, on entendait un grognement, sourd, et aussi un bruit horrible de mastication. Le râle de l'Anglais s'était définitivement tu.

Le *blackman* enfermé dans le sas avec l'ours priait maintenant à voix très basse, presque un chuchotement continu à travers la porte, comme s'il s'était agi d'une comptine pour bercer un enfant malade, et enfin le plonger dans le sommeil. Puis, au bout de dix minutes environ, il y eut un nouveau rugissement, et la psalmodie de supplications accéléra soudain, follement, monta dans les aigus, et se changea en cris.

Le silence était tombé, de l'autre côté. Tim était-il parti?

Le vérolé colla l'oreille à la porte, se tourna vers eux.

— J'entends ses griffes, son souffle… Il est là.

Il leur parlait comme s'ils étaient ses alliés, contre l'ours. Chaque mot chuchoté le mettait hors d'haleine.

Un coup de boutoir.

— Venez m'aider à tenir la porte… Je vous en prie…

Ses yeux exorbités, la pupille minuscule dans un blanc immense. Il avait *vu* sa mort, tout à l'heure, de l'autre côté de la porte. Qu'avait-il vu?

— Je vous jure… Je vous libérerai…

S'ils l'avaient voulu, ils auraient pu – leurs longues chaînes leur permettaient d'aller jusqu'à lui. Ils se regardèrent, et Flora vit la même décision dans les yeux du professeur: une confiance absolue, déraisonnable, dans l'instinct et la maîtrise de leur ami; la foi, et le désir de le laisser aller au bout de son plan, de le suivre jusque-là.

— S'il vous plaît… Je vous en supplie… Il va nous tuer…

Un deuxième coup de bélier ébranla la porte.

# 64.

## MÊME JOUR, 6H40 – TUYAUTERIE

Que se passait-il?

Shariff avait entendu les hurlements de terreur, puis les rugissements. Sauvages, fauves. Tim? Le professeur? Comment avaient-ils pu provoquer leur métamorphose? Lequel des deux chassaient-ils?

Et maintenant, il entendait la voix d'un des tueurs, juste au-dessus de lui, dans la cellule où ils étaient emprisonnés, quoique singulièrement assourdie, comme si on avait jeté un vêtement sur la bonde d'évacuation. Il ne comprenait pas les mots, du coup, mais seulement le ton: une supplication. De plus en plus forte. Il entendait aussi les coups, sourds, irréguliers, une masse frappait sur du métal.

Les assassins avaient lancé la chasse.

Leur gibier n'était pas Flora, mais l'un des deux carnivores d'Amérique du Nord.

Ils avaient mis une sentinelle *dans* la cellule elle-même, ce qui interdisait à Shariff de sortir comme il l'avait prévu. À ce que disait son instinct, il lui restait une heure et demie, sans doute – le type sortait-il, quelquefois? Comment prévenir ceux – celle? – qui restaient dans la prison, pour qu'on lui indique lorsque la voie serait libre?

Il n'était pas question de revenir en arrière. Il fallait sortir, quelque part, dans l'un des conduits du bunker, pour aider celui qu'on chassait, s'il était encore temps. Pour ouvrir la cellule des prisonniers, se débarrasser de la sentinelle et libérer ceux qui restaient. Flora, et qui d'autre? Flora, cela suffisait à justifier tous les risques.

Shariff commença à reculer dans le tuyau, essayant de rendre son corps aussi étroit que le conduit, de s'y frayer un chemin sans se blesser. C'est à ce moment qu'il y eut de nouveau un cri, au-dessus, et un bruit sourd.

— Nonnnn!

La sentinelle: cette fois, il comprenait ce qu'elle disait. Elle hurlait. Et elle suppliait.

# 65.

## MÊME JOUR, 6H45 – CACHOT

Le professeur s'était levé sans un bruit. Il fit un pas silencieux vers le vérolé, Flora comprit qu'il était animé de cette intention farouche : l'attaquer dans le dos. Mais l'homme avait perçu le mouvement, il se retourna, déjà prêt à se défendre. C'est à ce moment que l'ours lança une nouvelle charge. Dans son mouvement instinctif, le gardien avait relâché sa pression sur la porte. Aurait-il pu tenir encore longtemps, sinon ? L'ours aurait-il abandonné la partie, devant l'échec de ses coups de boutoir ?

Ils ne le sauraient jamais.

Ce que Flora vit, c'est que cette seconde d'inattention avait suffi. La porte s'ouvrit à la volée en repoussant le *blackman*. Il fit trois pas en arrière, en déséquilibre. Il tomba, sur les fesses, et elle l'entendit qui hurlait en même temps :

— Nonnnnn !

L'ours avait engagé sa tête et ses épaules dans l'embrasure. Flora avait oublié à quel point il était massif, gigantesque. Nul ne pourrait plus refermer la porte blindée.

Il tourna la tête vers eux, ses petits yeux bruns presque rouges, injectés de sang; il sembla les ausculter quelques secondes pour décider ce qu'ils représentaient – amis, ennemis, danger, gibier?

— Ne bougez surtout pas, Flora... Ne faites pas un mouvement qu'il pourrait interpréter comme hostile...

Flora tressaillit à la recommandation de McIntyre, toujours debout, à côté d'elle. Il l'avait énoncée d'une voix calme, impavide. Elle comprit à cet instant que ce n'était pas Tim qui entrait dans la cellule, mais un grizzly. Un tueur des forêts, prédateur capable de les mettre en pièces, comme il venait de le faire pour trois *blackmen* de l'autre côté de la porte.

L'ours retourna son mufle gris noirâtre vers le vérolé, grogna sourdement, sans toutefois faire un pas.

Le chasseur s'était traîné en reculant, lentement, silencieusement, toujours assis, vers le mur opposé de la pièce. Il ne criait plus, semblait vouloir se faire aussi discret que possible. Immobile, lui aussi. Avait-il entendu l'injonction du professeur? La terreur avait retiré tout le sang de son visage, ses yeux immenses mangeaient tous ses traits.

Le grizzly hésita encore, les regarda de nouveau, puis il parut choisir et se dirigea à pas lents, balourds, vers le chasseur plaqué contre son mur. Placide. L'ours semblait le maître du temps, il devait jouir de l'effroi qu'il leur inspirait, tous ces humains attendaient sa décision sans rien oser faire.

Puis il s'immobilisa de nouveau, tendit le cou, et lança son hurlement, la tête légèrement levée en l'air, découvrant probablement ses crocs – maintenant, Flora ne le voyait plus que de dos.

Elle vit toutefois la fumée de l'haleine sortir de sa gueule.

Le vérolé se releva lentement, le dos collé à la paroi, hypnotisé par la gueule qu'il avait devant lui, à moins d'un mètre cinquante. Il s'était mis à marmonner, et sa voix n'était plus la même – blanche, comme son visage, et suraiguë.

Peu importe ce qu'il disait.

L'ours s'était redressé sur ses pattes de derrière, et fit un pas vers lui.

De la même voix impassible, le professeur dit :

— Fermez les yeux, Flora, je vous en prie. Vous ne devez pas voir cela.

Elle essaya aussi de se boucher les oreilles, mais elle entendit malgré tout, malgré elle, le pire de ce qui se déroula ensuite.

—

Quand il n'y eut plus rien, plus un cri, plus un grognement, elle retira ses mains de ses oreilles. Alors, la voix de McIntyre lui intima :

— Il vient vers nous. Gardez les yeux fermés. Ne bougez surtout pas, Flora, faites comme si vous étiez morte… Les ours n'attaquent pas les charognes, soyez morte. Et surtout, surtout, gardez confiance. Timothy vous épargnera.

Ce furent les minutes les plus stupéfiantes et les plus obscures de son existence. Elle avait abandonné son corps, comme si toute vie s'en était retirée ; les muscles détendus, les membres inertes, la tête légèrement penchée sur le côté comme une poupée de chiffon, assise contre le mur, elle essayait de faire disparaître jusqu'à sa respiration, pour que le mouvement de sa poitrine, en inspirant et en expirant, devienne imperceptible.

Yeux fermés, dans le noir absolu.

Elle l'entendit arriver vers elle. L'ours. La respiration de plus en plus proche, des grognements, de temps en temps, qui semblaient étonnés, ou curieux. L'odeur, aussi, un effluve d'une puissance musquée, qui la saisit soudain aux narines – elle se souvint de la première fois qu'elle était entrée dans la galerie des fauves, au parc zoologique de Rome, petite fille avec son père et sa mère.

Son père. Sa mère.

Elle entendit les griffes qui raclaient le béton en s'approchant, et tout à coup, elle sentit son souffle. Sur elle. L'odeur tiède, carnée, écœurante. L'air chaud contre son visage, le long de son corps, se déplaçant le long de son bras, remontant dans ses cheveux, redescendant sur sa poitrine.

Un ours grizzly la reniflait pour décider s'il allait la tuer. Un fauve qui venait d'exécuter quatre êtres humains. Un prédateur devenu fou de colère sanguinaire, l'instinct brouillé par la rage, le sang, la peur aussi. Une machine à tuer, emballée.

Le souffle s'attardait maintenant sur son visage et sa gorge.

L'ours décidait si elle vivait encore, ou si elle n'était plus une proie. Comestible, ou non ? L'ours tranchait si elle devait mourir, parce qu'elle n'était pas encore morte. L'ours était le garçon qu'elle aimait, celui pour qui elle aurait donné sa vie, celui dont elle avait compris qu'il était le premier et le dernier amour.

L'haleine était sur elle, à quelques centimètres. Elle sentit sa respiration s'accélérer, sut que sa poitrine bougeait, la trahissait, que l'ours Tim allait percevoir l'étincelle de vie.

Alors, elle entendit la voix de McIntyre, au-dessus d'elle, une voix calme, chaude mais légèrement distante à la fois, presque désincarnée.

— C'est Flora, Timothy. Votre amie Flora…

Celle pour laquelle vous avez accepté cette métamorphose. Ne la touchez pas, Timothy, allez chercher les souvenirs dans votre cortex, sollicitez ce qui fait de vous un humain. C'est Flora. Flora, vous vous souvenez ?

# 66.

## MÊME JOUR, 6H55 –
## DANS CETTE PIÈCE INCONNUE

Quelque chose se rouvrit délicatement dans un recoin de son esprit, une pièce fermée de sa bibliothèque intérieure. Comme les ailes d'un papillon, quelque chose d'aussi discret qu'une page qui se tourne, et alors, de nouveau, il fut Tim. Il se vit. Il les vit.

Il était au-dessus du bipède abandonné contre le mur, inerte, les yeux fermés, le souffle oppressé. La jeune fille s'appelait Flora, lui disait la voix hypnotisante, la voix de chaman qui l'invitait à ouvrir son esprit. Le son, d'un ton égal, sortait de la bouche du bipède debout, immobile, dans une position qui ne montrait aucune hostilité.

L'aile de papillon, la page qui se tourne firent basculer des mots, qui s'insinuèrent dans d'autres pièces de sa bibliothèque.

Flora. Le professeur McIntyre.

Ils étaient ici, et lui était ici. Il était un ours, un grizzly, *Ursus arctos horribilis*. Il était au-dessus de Flora, il la reniflait, et Flora était son amie, celle qu'il aimait. Elle était une jeune fille, *Homo sapiens sapiens*. Lui aussi, autrefois. Lui aussi?

Il avait été un bipède, dans une autre existence. Ou dans la même. Puis, Ben était mort, et il était devenu un ours. Non, ce n'était pas ainsi. Ben était déjà mort quand il avait rencontré Flora et le professeur, et il n'était pas un ours, pas encore. Pourtant, il se revoyait au-dessus de Ben, le reniflant, comme maintenant, guettant comme maintenant le moindre souffle de vie.

Que s'était-il passé?

Il recula de quelques pas, les regarda.

La voix du bipède «professeur» continuait de parler. Les mots répétaient encore le nom de Flora, et son prénom à lui: Timothy. Il était Timothy, un ours, *Homo sapiens sapiens*. Cela n'avait aucun sens. Les *sapiens* sont des bipèdes.

Un parfum fade mais entêtant, l'odeur de la mort, envahit son espace sensoriel. Il se retourna, vit un corps sanguinolent, derrière lui, dans un coin de la pièce de béton. De cela aussi, il avait le souvenir – il avait tué ce bipède, mais il ne se souvenait pas de son nom. Ni pourquoi. Pourquoi tuait-il? Pourquoi avait-il tué?

La voix du chaman disait:

— Vous avez voulu lui sauver la vie, Timothy. Vous êtes Timothy, et vous êtes un grizzly. Vous avez voulu sauver Flora, et vous les avez tués. Ceux qui voulaient chasser Flora. Ceux qui voulaient vous chasser. Mais maintenant, Flora ne risque plus rien. Vous lui avez sauvé la vie,

Timothy, vous l'avez sauvée des chasseurs. Mais vous êtes un humain, Timothy, un humain, et Flora est votre amie.

Le chaman mentait. Flora n'était pas sauvée, il se souvenait, maintenant. Le bipède qu'il avait mis en pièces n'était pas le seul. Il y en avait deux, non, trois autres, dans la pièce d'à côté. La pièce qui devait garder sa porte ouverte, parce que, après, il allait…

Ses yeux s'étrécirent, ses oreilles se couchèrent. Tout lui revint, tout son plan. Il était un grizzly. Il était Tim. Et il devait sauver Flora. Il n'avait pas fini.

Il grogna, s'ébroua, puis en trois bonds il s'élança par la porte blindée grande ouverte, vers l'escalier qui montait à l'étage – jusqu'aux chasseurs.

# 67.

## MÊME JOUR, 7H10 – TUYAUTERIE

Tim, c'était Tim, le gibier... Il avait entendu de nouveau les cris du gardien, puis les hurlements. Puis le silence, un long silence, et ensuite, notre-maître-à-tous avait commencé de parler. Puis, maintenant, il n'y avait plus d'autres voix assourdies que celles du professeur et de Flora.

Que disaient-elles? Savaient-ils qu'il était là-dessous? L'avertissaient-ils qu'il y avait encore un danger, une présence dans la cellule, un gardien?

Shariff ne comprenait rien à la situation, mais il savait une chose: il ne découvrirait la vérité que s'il remontait. Prendre ce risque. Il s'engagea, de toute la force de ses dix pattes, dans la montée de la bonde d'évacuation.

Ce qu'il rencontra, très vite, n'était pas prévu.

Le tuyau était muré.

# 68

## MÊME JOUR, 7H10 – BUNKER

Il était en chasse. Il était un ours, il sentait mille pistes en courant dans le noir profond de la grande galerie. Il était Tim, il savait ce qu'il devait faire : il restait six chasseurs, sans doute. Le professeur avait dit qu'ils étaient une dizaine. Savaient-ils que leurs compagnons étaient morts ? L'attendaient-ils avec des armes, quelque part, pour une chasse ?

Il l'ignorerait, jusqu'à ce qu'il tombe sur eux. Mais il n'y avait pas d'alternative, il le savait depuis le début de son plan.

Flora et le professeur étaient attachés, et il ne pouvait les libérer, devenu grizzly. Il n'avait donc d'autres solutions que de tuer tous les chasseurs, pour qu'aucun ne puisse se venger, ensuite, sur eux ; pour que ceux de l'Institut puissent entrer dans le bunker, ouvrir les anneaux et les chaînes ; pour qu'ils vivent.

Flora. Le professeur.

Flora.

Il courait, il sentait toute sa fauve puissance. Si les assassins l'attendaient, ce serait pour eux la chasse la plus prestigieuse et la plus dangereuse qu'ils vivraient ; et certains en mourraient. S'ils ne l'attendaient pas, ils allaient tous mourir.

Une odeur soudain l'arrêta. Il entendit des bruits de respiration dans la pièce à droite, à trois mètres devant lui, dont la porte était entrouverte. Il voyait cet entrebâillement, malgré les ténèbres. Les respirations étaient bruyantes mais paisibles. Deux hommes, deux, qui respiraient, qui dormaient.

Ses babines se relevèrent d'instinct. Ne pas rugir, entrer dans la pièce, tuer, froidement, posément, sans colère, comme aucun ours ne sait tuer. Comme seul peut le décider un humain, animé par une raison impérieuse.

Ne pas rugir, pour ne pas prévenir les autres ; ne pas laisser vivant un seul d'entre eux. Tuer. Mais garder la maîtrise.

# 69.

Ils n'avaient d'autre choix que d'attendre la suite, le dénouement, dans cette cellule. Les clés des bracelets d'acier qui les gardaient prisonniers étaient tombées au sol, dans le sas. La longueur de leurs chaînes ne leur permettait pas de les atteindre. Le professeur avait été jusqu'à fouiller les pauvres restes du vérolé, espérant trouver un autre trousseau, ou n'importe quel outil qui leur aurait permis de quitter cette cellule. Rien. Ils n'avaient d'autre choix que de parler, parler encore. Pour comprendre. Pour conjurer l'angoisse.

— J'en suis certain, Flora... Je l'ai vu reculer, lorsqu'il a enfin entendu, dans son esprit, votre nom. Il vous a regardée, puis moi, et il a reculé encore. Il s'est souvenu, je crois, de ce qu'il devait faire... Il s'est retourné vers ce pauvre type, là-bas, puis il vous a regardée de nouveau, et il a quitté la pièce.

— Mais pourquoi ? Où est-il ?

— Il tue les autres. Tous les autres. C'était son plan, Flora, le seul possible. C'est la raison pour laquelle il s'est efforcé de laisser deux portes ouvertes, celle du sas et la nôtre. C'est aussi la raison pour laquelle il ne m'avait pas parlé de son plan, je suppose. Jamais je n'aurais accepté qu'il devienne un assassin, même pour vous.

— Pour moi?

— Oui. Il le fait pour vous. Vous n'avez pas entendu que je citais votre nom, seulement votre nom, et toutes les deux phrases, Flora?

— Vous… Vous l'hypnotisiez?

— Pas du tout, au contraire. Je le réveillais. Je lui rappelais qui vous étiez, Flora, parce que vous seule le ramenez à ce qu'il a de meilleur. Mais également, désormais, au plus sombre de lui-même. Flora, vous devez comprendre qu'il fait cela par amour. Pour vous. Même si cela vous horrifie.

Elle ne sut ce qu'elle devait répondre. Tim l'aimait, c'était une évidence, nouvelle et irréfutable – crue, à nu. Mais elle avait vu ce qu'il était de pire. Elle l'avait entendu, là, derrière le sas… Et les yeux fermés… Elle avait entendu les supplications, la peur des *blackmen*.

Elle dit:

— Je crois qu'il a tué son frère Ben, la nuit de sa première métamorphose. Je crois que les flics de Missoula ont trouvé des preuves d'une attaque mortelle de l'ours, lorsqu'ils ont autopsié les corps de sa famille. Devrai-je le lui dire, si l'on s'en tire?

# 70.
## MÊME JOUR, 7H35 – TUYAUTERIE

Du ciment, c'était du ciment. Shariff l'entamait à chaque coup de pince, mais sur combien d'épaisseur y en avait-il ? Il entendait Flora et le professeur au-dessus de lui, qui parlaient sans discontinuer. Ils semblaient chuchoter, il ne saisissait pas leurs propos. Il n'y avait plus d'autres voix, ni celles des gardiens, ni cris animaux. Tim était-il mort ? L'avaient-ils… ?

Ou alors, la chasse se déroulait ailleurs. Dans une autre partie du bunker. Pouvait-il faire quelque chose ?

Pour l'instant, il fallait qu'il détruise le ciment, puis il…

Soudain, il ressentit quelque chose dans son corps. Un début d'appel. Une sorte de reflux… La marée. La marée l'avertissait. Elle était basse, presque étale. Dans quelques dizaines de minutes, elle allait remonter, et lui allait…

Combien de temps – une demi-heure, quarante minutes ? Il avait perdu la maîtrise. Il n'avait pas mentalement estimé le temps, concentré qu'il était sur son orientation, puis sur l'angoisse de ne pas comprendre les cris, de devoir décider.

Combien de temps?

Maintenant, il devait sortir. Coûte que coûte. Il n'avait pas le temps de revenir en arrière, de trouver une issue. Il fallait forcer le ciment avant la métamorphose. Sinon, il allait mourir dans ce conduit.

# 71.

## MÊME JOUR, 7 H 38 – BUNKER

Il n'avait pas réussi à tuer sans bruit, il avait lâché prise, comptant sur l'instinct pour assassiner sans avoir à y songer; il avait hurlé, toutes portes ouvertes, et sa deuxième victime avait eu le temps de hurler, elle aussi.

Le chasseur qui avait accouru pour secourir les deux dormeurs était maintenant entre ses griffes. Mort, la colonne sectionnée en deux ou trois endroits. Quatre plus trois, sept. Il entendit une course sur le béton, tourna la tête. Là, au bout de la galerie, il y en avait deux autres. Des hommes en noir, sans armes, réveillés en pleine nuit. Des chasseurs, des proies.

Ils le virent, eux aussi, et rebroussèrent chemin.

Il s'élança à leur poursuite.

—

Ils savaient qu'il était là, dehors, et ils s'étaient enfermés. À clé. Pas moyen de forcer leur serrure. Toutes les portes étaient faites du même blindage d'acier.

Que faire? Les attendre?

Il les entendait chuchoter entre eux – finalement, il perçut le déclic qu'il attendait, le glissement de la culasse, métal contre le métal. Il était un ours, il pouvait entendre cela. Il était un humain, il savait l'interpréter ; reconnaître le bruit d'un magasin qu'on arme. Ils avaient des armes à feu, dans leur chambre, et ils se préparaient à s'en servir.

Contre deux hommes avertis, entraînés, armés et prêts à tirer, il n'avait pas une chance sur dix de s'en sortir. Il fallait d'abord trouver les autres, tous les autres, s'il en restait, puis il reviendrait ici affronter ceux-là, et mourir.

Mais d'abord, trouver leur chef. Le Taxidermiste.

# 72.

## MÊME JOUR, 7H52 – TUYAUTERIE

La marée... Elle était au plus bas... La lune commandait... Elle disait que les eaux devaient remonter, maintenant, et que tous les êtres devaient lui obéir... Sa nature.

Le ciment. Faire céder le ciment, putain. Il en avait entamé seulement quelques centimètres, il n'avait plus le temps, il allait...

# 73.

Elle méditait depuis quelques minutes ce que le professeur venait de lui dire : elle et Tim. Ce qu'elle savait de lui. Ce qu'il avait fait pour elle, les risques qu'il avait pris, pour son âme et son esprit, et qu'il faudrait panser, réparer. La dette que cela créait à Flora auprès de lui, mais qu'elle n'avait pas choisi de contracter elle-même, dont elle devait pourtant se sentir libre.

Soudain, il lui sembla entendre un grattement, un bruit étrange. Comme un rongeur qui grignotait, là-bas, dans le fond de la pièce – là où les *blackmen* avaient cimenté la bonde.

Elle se leva d'un bond.

— Shariff ? Shariff, c'est toi ?

— Shariff ? Réponds-moi, c'est toi ? Tu m'entends… Tape trois fois, si tu m'entends ?

Il y eut trois coups, nets, sous la bonde comblée.

— C'est lui, c'est lui… Il faut percer le ciment, il faut le faire sortir !

Le professeur allait déjà d'un pas égal vers le corps du gardien tué. Il se pencha, fouilla les vêtements en lambeaux, décrocha la matraque de sa ceinture.

— Tenez, Flora... dites-lui de s'écarter...
Voulez-vous que je...

— Non, laissez-moi faire... Shariff, je suis là...
Je vais percer le ciment... Écarte-toi, mon grand,
redescends...

Elle se mit à marteler le trou rebouché avec la
matraque plombée, dans le ciment qui éclatait.

# 74.

## MÊME JOUR, 8 H 05 – BUNKER

Il avait parcouru toute la galerie circulaire du rez-de-chaussée, replongée dans le noir ; pas de traces du Taxidermiste. À moins que ce ne soit l'un des deux enfermés ? Ou qu'il se trouve quelque part au sous-sol ?

Il retourna sur ses pas, revint jusqu'à la chambre où il avait tué les deux dormeurs. Sa septième victime, jouet disloqué, gisait dans le couloir.

Il s'arrêtait devant chaque porte, écoutait, sollicitait son flair... Où étaient les autres, leur chef ? Il repassa devant la porte blindée derrière laquelle les deux chasseurs attendaient toujours, barricadés. N'étaient-ils que deux, vraiment ? Il les entendit parler entre eux. Il sentit leur sueur et leur peur sous la porte. Des tueurs lâches, des hommes de main, des seconds couteaux. Des proies. Quand allaient-ils se décider à sortir ?

Il repartit, fouillant une fois encore le noir de la galerie circulaire.

Enfin, il trouva le petit corridor qui menait au poste de commandement, dans un angle mort du couloir devant lequel il était passé deux fois, à l'extrême opposé du bunker. Cette galerie-là, étroite, était plongée dans l'obscurité, elle aussi; mais pas la pièce au fond, dont la porte entrebâillée découpait un rai de lumière. Il avança, aussi silencieusement qu'un ours en est capable… Là-dedans, des bruits, étranges, de manipulation, qu'il ne connaissait pas. On raclait quelque chose.

Il leva la truffe, huma profondément. Il y avait un être humain, ici, un humain vivant; un «bipède»; il sentait son odeur. Celui-là n'avait pas peur.

D'autres odeurs, répugnantes, se mêlèrent à celle qu'il venait d'isoler; des parfums de mort divers, animaux et humains. Du sang séché depuis long-temps.

Il avait trouvé leur chef.

En pénétrant dans la pièce, assez vaste, qui avait servi de PC aux officiers français, naguère, il repoussa de son corps lourd la porte, qui grinça.

— Un problème, Zaroff? Que vous a dit le jeune homme? Il a parlé spontanément, ou avez-vous dû utiliser la torture?

Son interlocuteur lui tournait le dos. Il était ins-tallé sur un siège à roulettes, pivotant, à gauche de l'entrée, devant une table en bois couverte d'ou-tils, d'instruments en acier trempé, violemment éclairée par un spot d'architecte – la seule source de lumière de tout le poste de commandement. Il ne s'était pas retourné, et continuait de gratter quelque chose. Tim voyait son coude droit faire un mouvement de va-et-vient, comme avec un rabot. Mais le corps du petit homme lui cachait l'objet de son activité.

Petit, oui. Celui qui venait de parler était de constitution rachitique, même, la pointe de ses pieds touchait à peine le sol. Presque un nain. Ses épaules tombaient, ce qu'il voyait de son crâne dévoilait une calvitie de vieux. La voix, elle, était celle d'un homme mûr, mais pas encore âgé – elle était cependant étrangement fluette, en accord avec sa maigreur.

Autour de l'homme attablé et de dos, c'était une sorte de capharnaüm, des mannequins de couturier, sans tête, des cages en bois pour enfermer les oiseaux, mais vides ; tout un cabinet de curiosités qui semblait n'avoir pour but que de constituer un décor de brocanteur.

— J'espère que vous n'êtes pas venu m'annoncer qu'il refuse de donner les informations. Et je souhaite pour vous que vous soyez au moins capable de faire parler un adolescent, Zaroff… Parce que je vous ai dit clairement qu'il était hors de question de libérer la fille.

L'humain malingre, aux allures de cordonnier ou de couturier, sous sa lampe, ne se retournait toujours pas. Il continuait son ouvrage, tout en discourant. Tim l'abandonna des yeux un instant, pour fouiller l'obscurité du reste de la pièce, d'autant plus profonde par contraste. Alors, il vit.

Il vit les dizaines de têtes qu'on avait récemment accrochées aux murs, trophées d'animaux.

Sanglier. Chien. Loup. Hyène. Oryx.

Comme dans un cauchemar, son cauchemar. Les odeurs fades, fanées même, qu'un ours n'aurait su comprendre – mais il était aussi un *sapiens*.

Loups encore. Martre. Cerf de dix cors. Girafe. Porc.

Il pouvait superposer un visage d'homme, de femme, sur chaque trophée. Il avait visionné la scène *réelle*, la réalité voilée de ce qu'on lui montrait maintenant, dans son cauchemar – des têtes humaines accrochées aux murs.

Varan. Daim. Quelques minuscules têtes d'oiseaux, fichées dans un cadre…

Puis, plus loin, et elle aussi suspendue au mur, la collection de chevelures.

Des scalps.

Des dizaines de scalps humains, accrochés dans le fond de la pièce, au cœur de l'obscurité. Des cheveux frisés ou crépus, courts ou longs, accrochés sur une corde. Ceux qui étaient morts trop tôt, ceux qu'on n'avait pas réussi à blesser mortellement, dont on n'avait pas pu prendre la tête, mais dont on gardait tout de même une trace, chaque mort ; comme le tueur coche un trait de plus sur sa carabine. Tim le sut, le comprit. Et il tourna la tête vers le Taxidermiste, qui venait de pivoter sur son siège, cette fois :

— Zaroff ?

Le petit homme qui le fixait maintenant, incrédule, portait des demi-lunettes, perchées, incertaines, sur le bout de son nez, accrochées par un cordon noir. Il avait un visage maigre, presque maladif, des rides sur le front. Il ressemblait à un bon grand-père. Il tenait dans la main droite un racloir à tanner, et dans la gauche une chevelure blonde, longue, une chevelure de jeune femme qui rappelait le doré des épis.

Tim comprit ce qu'était en train de préparer le chétif couturier. Le Taxidermiste comprit quant à lui, et sans doute à la même seconde, qu'il était face à sa mort. Sa peau avait grisé, puis sa mâchoire tomba, sa bouche s'ouvrit.

L'homme ne cria même pas. Tim ne gronda pas davantage, ne montra pas les crocs.

Il laissa le silence se prolonger, cette suspension du temps. Il laissa au Taxidermiste le loisir d'imaginer *tout* ce qui allait advenir, chaque détail que racontaient les griffes, les crocs, son corps énorme. Celui-là devait savoir comment il allait mourir et ce qui resterait de sa dépouille, et qui allait lui infliger le châtiment. Lorsque la pure terreur remplaça la stupeur, dans les yeux de l'ennemi, lorsque les pupilles semblèrent noyer enfin l'iris et qu'il vit, dans ce regard sombre, la lueur blanche de ceux qui savent, alors, alors seulement, Tim se redressa, pour dominer son gibier de la tête, des épaules, et plus encore.

# 75.

## MÊME JOUR, 8H12 – TUYAUTERIE

Il vit la main de Flora plonger, dans la pluie de ciment et de poussière qui aveuglait le conduit. Comment devina-t-elle que c'était une question de secondes ? Shariff sentit qu'elle l'empoignait et l'extrayait du tuyau, fermement, sans se soucier des tranchants et des arêtes de la carapace, des pinces et des pattes aiguisées.

L'instant d'après, elle le tenait encore avec la même fermeté, mais ne le portait plus. Sa main était sur les reins d'un garçon à la peau couverte de poussière, aux cheveux poudrés de ciment blanc.

— De deux choses l'une, ma belle... Si tu veux continuer de jouer collé-serré avec un garçon de douze ans entièrement nu, il va falloir que tu te déshabilles aussi... Ou alors tu me lâches ?

Stupéfaite, Flora ouvrit la main et éclata de rire.

— Pffff, mon grand, c'était moins une, on dirait.

— Ouaip. « Si Dieu cessait de pardonner une seconde, notre Terre volerait en éclats », Julien Green. Bon, si ça n'ennuie personne, je vais peut-être me rhabiller.

Instinctivement, il promena son regard autour de la cellule pour voir si on y avait laissé ses vêtements quelque part. Ce qu'il aperçut, au pied du mur opposé, lui donna le sentiment que son sang quittait son corps. Une suée glaciale, dans son dos.

— C'est… C'est Tim ?

— Non. Un des gardiens. Mais c'est Tim qui l'a mis dans cet état, oui.

Il sentit une nausée remonter le long de son œsophage et le submerger. Il n'eut même pas le temps de mettre la main devant la bouche, se pencha simplement en avant et vomit une bile verte.

— Il va falloir que vous vous armiez de courage, Shariff.

Le professeur avait jeté sur lui sa veste, pendant qu'il se relevait péniblement, après deux autres attaques de nausées, acides. Son mentor le soutenait maintenant de la main droite, dans son dos.

— Dans la pièce voisine, il y a également trois corps… Dans le même sinistre état, je le crains.

— Tim les a… ?

— Oui. Tous les trois. Mais nous avons besoin que vous y entriez, pour ramasser le trousseau de clés et revenir nous libérer.

Il leva les poignets, encerclés par des anneaux de fer, pour lui montrer qu'ils étaient enchaînés.

— Aussi vite que vous le pourrez… Nous ne savons pas s'il reste des gardiens, ni quand ils vont revenir, et nous devons…

— Des gardiens? Ils chassent Tim?

— Non, Shariff. C'est lui qui les chasse. Pour nous.

Flora avait parlé avec une sorte de tension exaltée, convaincue – ou qui se voulait convaincante:

— C'est pour nous qu'il l'a choisi, Shariff. Pour nous sauver. Comme toi, tu as choisi de...

Avait-elle réussi à se persuader que réduire un homme en lambeaux était une noble action, un acte d'héroïsme?

— Attendez, Flora. Pas maintenant.

Le professeur venait d'interrompre la jeune fille avant qu'elle n'ose une comparaison qui, quelle qu'elle fût, n'aurait pas eu de sens. Rien, dans l'existence de Shariff, et pas seulement au cours des derniers jours, ne se comparait à ce que Tim venait d'infliger. Fût-ce pour le salut de ses amis. Notre-maître-à-tous continuait, la voix chaleureuse:

— Profitez-en, Shariff. Il me semble avoir vu dans le sas une ou deux de leurs vestes noires, accrochées à un portemanteau. Elles pourront vous servir. Essayez de fixer votre attention sur les clés et sur ces vestes, c'est tout; et ne vous attardez pas sur la contemplation de... enfin, de tout le reste.

— Tu te sens de le faire, mon grand? dit Flora, brutalement calmée. Maintenant?

Shariff hocha la tête en avalant sa salive, qui lui parut élastique et métallique à la fois. Sa bouche était plus sèche qu'un reg avant la saison des pluies. Il avança à pas minuscules vers le sas, dont la porte blindée sommairement repoussée lui cachait pour l'instant le spectacle.

—

Shariff revint un quart d'heure plus tard dans la cellule. Il portait une des vestes noires, dont il avait dû avoir un mal fou à remonter la fermeture éclair tant ses mains tremblaient; elle lui tombait maintenant presque aux genoux, comme une robe un peu ridicule, courte et beaucoup trop large. Il avait l'air plus maigrelet, enfantin encore, là-dedans. Son visage était trempé de larmes, ses yeux perdus dans le lointain. Il serrait son poing droit agité de spasmes sur le trousseau de clés. Il le tendit sans un mot vers le professeur, mais ne le lâcha pas quand l'homme aux yeux d'acier tendit la main.

Il fallut que Flora l'étreigne dans ses bras, comme s'il était un tout petit garçon, pendant que McIntyre dépliait un à un les doigts serrés à s'en blesser. Elle sentait les sanglots qui le secouaient, entièrement, l'horreur sans nom, sans mots; elle s'assit, le prit contre elle, tenta de l'apaiser, lui passant la main dans les cheveux.

— Là… Là…

— Il les a… tous… ils sont…

— Oui. Je sais. J'ai vu.

— Même à des tueurs… des ennemis… On ne peut pas… des humains…

— Oui…

— Quand même… des êtres… humains…

Il repartit dans une quinte de sanglots irrépressibles, sans plus de nerfs. Elle lui passait la paume sur la joue, et lui cachait les yeux de la main, alternativement, pour faire le noir, laver la vision qu'il avait eue. Elle entendit les bracelets de McIntyre tomber sur le béton. Elle pouvait garder les siens encore quelques minutes, s'il le fallait. Elle se découvrait des gestes maternels, d'instinct, elle avait un petit frère à consoler.

Quand le coup de feu éclata, quelque part assez loin, sembla-t-il, dans le dédale obscur du bunker, et cependant aisément identifiable, Flora releva la tête, brusquement. La détonation se répercuta pendant plusieurs secondes, écho rebondissant le long des galeries.

— Tim !

McIntyre, assis à ses côtés et qui parlait doucement à Shariff pendant qu'elle l'étreignait, sauta sur ses pieds.

— Suivez-moi… Prenez des armes sur les morts. Il y va de vos vies.

Il se ruait déjà vers l'escalier.

# 76.

## 18 AOÛT, 8H40 – SALLE DES TROPHÉES (AU CŒUR DES TÉNÈBRES)

La lumière s'alluma dans le corridor qui menait à la pièce toujours faiblement éclairée. Les bipèdes venaient ici…

Il les avait entendus, de loin. Il était en train de marcher lourdement, gauchement, décrivant des huit de plus en plus lents au milieu des restes de celui qu'il venait de mettre en pièces, le museau encore poisseux du sang, les derniers cris aux oreilles, le goût de la mort dans la bouche. Il sentait l'adrénaline pure quitter ses veines. D'où lui était venue cette colère ? Il se souvenait de la rage, mais pas de son origine. Sa victime l'avait-elle agressé ? Défié ? Il n'était pas dans son espace personnel, il ne reconnaissait pas cet endroit.

Maintenant, il entendait les autres bipèdes arriver. Devait-il les craindre ? Attaquer, fuir ?

Où était-il, où étaient les issues ?

Il lui semblait qu'il avait humé leurs odeurs, auparavant, mais où ?

En trois bonds étonnamment souples pour un animal d'une telle corpulence, il fut dans la partie sombre de la pièce, au cœur des ténèbres.

Les bipèdes ne voient rien dans la nuit, son instinct le savait. Il s'aplatit sur le sol. Ses oreilles se redressèrent. Autour de lui, les têtes d'animaux, à l'étrange odeur de mort ancienne, ne bougeaient pas. Lui non plus. Voir sans être vu.

Les deux bipèdes émettaient ce son singulier qui sort de leurs bouches comme un caquètement. Aucun autre animal n'en produit d'approchant.

Ils avaient des bâtons qui fument, tous les deux. Ainsi munis, ils étaient des prédateurs, dangereux, trop pour lui, c'était un savoir immémorial. Ne pas bouger, voir, ne pas être vu.

Il n'y avait pas d'autre issue dans cette pièce que la porte, devant laquelle les deux bipèdes se trouvaient. Attendre. Les laisser caqueter, puis repartir. Que cherchaient-ils? Pourquoi s'attardaient-ils?

Ils se penchèrent sur les restes de celui qu'il avait démembré. Ils ne l'avaient pas vu. Ils ignoraient qu'il les épiait. Ils fouillaient sur la table, soulevaient des piles, des objets, les jetaient par terre, par paquets. Que cherchaient-ils? Il aurait l'avantage de la surprise, s'il décidait de lancer l'attaque. Allaient-ils lâcher leurs bâtons?

Ils ne chuchotaient plus, ils se méfiaient toutefois, l'un d'eux continuait de regarder nerveusement par la porte, vers le corridor, en serrant son bâton, pendant que l'autre renversait les objets…

Cet autre avait posé son arme pour avoir les pattes antérieures libres – il n'était plus un prédateur.

Un filet de bave suinta entre ses babines. Non, attendre. Ils n'étaient pas un danger immédiat, ils étaient des proies trop dangereuses, la prudence lui disait de…

«Il ne reste que nous»… « Où sont ces putains de disques?»

Le caquètement lui parvenait, des bribes retenaient son ouïe, lui faisaient dresser l'oreille – des bribes qu'il *entendait*.

— Et Zaroff, il l'a eu aussi?

— Pas le temps de fouiller, il faut sortir, maintenant…

— Putain, tu déconnes! Ils valent 500 000 dollars…

Il comprenait les mots, leurs paroles, les intonations. Comme si leur sens était inscrit, ailleurs, dans une autre mémoire, ancestrale elle aussi – comme s'il était des leurs. De leur espèce.

— Il faut sortir… Utiliser les prisonniers qui restent, la fille et le gamin, ou le vieux, en boucliers… Sortir d'ici maintenant…

La fille. Quelqu'un, qui avait trouvé refuge dans les plis de son esprit, lui souffla qu'elle s'appelait Flora. «Flo-ra.» Un nœud de son cortex, une synapse oubliée, lui projeta l'image mentale de la jeune bipède qu'il avait longuement reniflée, avant que le chaman lui dise de…

Le chaman. Flora. Des choses lui revenaient. Des souvenirs. Des intentions. Des constructions compliquées, une architecture, une... stratégie... un «plan»?

Il ne se souvenait pas qui, ni pourquoi. Mais il se souvenait qu'il devait faire quelque chose pour la «fille Flora». Il *devait* les tuer tous. Même s'ils avaient des bâtons, des «armes». Des «fusils». Et même s'ils le tuaient.

Tim plissa les yeux, douloureusement, une tempête se jouait dans son crâne arktanthrope – comme une pluie de météorites, les mots, les nouveaux mots, dans la langue des bipèdes, tombaient dru.

Un «plan».

—

Il lança son attaque en quatre bonds, les trois premiers dans un élan silencieux; le dernier, terrifiant, au-dessus du bric-à-brac, sur la table qui craqua en s'effondrant sous son poids. Une demi-tonne de force, de puissance, de rage, surgie du néant et de l'ombre, une demi-tonne de maîtrise meurtrière.

Tuer les bipèdes, tous les bipèdes en noir, les... «chasseurs». La voix parlait à l'intérieur de lui. Celui qui fouillait dans les objets éparpillés sur la table s'effondra au premier coup de griffes, sans un cri, sans avoir probablement compris ce qui lui arrivait.

Crocs ouverts, babines retroussées, noires, gueule béante.

L'autre bipède l'avait dévisagé, avait tiré en l'air, en déséquilibre sur les talons ; puis, lâchement, il avait pris la fuite. Malgré son bâton. Tim l'entendit : il courait dans le corridor, il courait comme poursuivi par la mort. Oui, c'était cela : il était « poursuivi par la mort ». Il allait les tuer tous. Pour la « fille Flora » – pourquoi ?

Quelqu'un cherchait à se frayer un chemin dans son esprit, un habitant, ou un démon, à l'intérieur de son âme d'ours.

Il renifla la première victime de son attaque, sut qu'elle ne vivrait plus qu'un instant, des poignées de secondes. Il ne devait pas la mordre, la goûter, il ne devait pas la lécher et la mutiler comme les précédentes, disait l'esprit à l'intérieur de son esprit. Il n'avait pas le temps. L'Autre en lui disait qu'il devait tuer le dernier, maintenant, tout de suite, sans plaisir ni colère, sans faim, sans raison ; exécuter le dernier des chasseurs.

Il secoua deux fois sa grosse tête carrée, grogna et s'élança derrière sa proie dans la galerie étroite.

—

L'homme l'attendait, dans la grande galerie circulaire qui faisait le tour du bunker et distribuait les chambres. Elle était éclairée, plein jour. L'homme se tenait à une trentaine de mètres, et il tenait son bâton sur l'épaule. Le chasseur le « tenait en joue ». Il utilisait une « carabine de précision à verrou », de « très gros calibre ». Une « arme de guerre ».

Les mots revinrent, tous ceux qui lui manquaient encore, en rafales. Puis l'esprit. Puis la pensée raisonnée. Puis tout, la mémoire, le savoir, la science. L'âme.

Il s'appelait Timothy Blackhills. Il avait perdu sa famille le 2 juillet de cette année, ses parents Geneva et John, son frère Benjamin, Ben, dans un accident de voiture. Qu'il n'avait pas provoqué. Il avait été recueilli à l'Institut, il s'initiait sous la direction du professeur McIntyre, il protégeait Shariff. Il aimait Flora.

Il était dans un bunker, otage d'hommes qui chassaient les anthropes comme lui. Il était libre, évadé. Il était redevenu ours, et tueur, pour sauver Flora, enchaînée.

Il avait tué neuf chasseurs, neuf êtres humains, frères en humanité ; de façon atroce. C'étaient des assassins, mais lui aussi désormais en était un. Le pire d'entre eux. Tous les détails du carnage lui revenaient, dix images mentales par seconde. Ce qu'il avait commis. Ce qu'il avait profané.

Cette dignité humaine, cette pitié élémentaire, cet interdit majeur – le sang d'autrui, versé, répandu… Consommé.

Folie, il était fou, un tueur. Pour Flora.

Pour Flora, il aurait dû tuer tous les chasseurs, jusqu'au dernier. Mais le dernier, à trente mètres de lui, le tenait dans sa ligne de mire. Il entendit le chien du fusil qui se relève, ferma les yeux. Privilège des humains, il sut qu'il allait mourir quelques secondes avant l'impact. Il se demanda si, malgré tout, son âme serait sauvée.

Il fut presque reconnaissant à l'idée de la mort – il l'aurait été parfaitement, s'il avait été certain que Flora vivrait.

Il entendit le bruit assourdissant que fit l'explosion de la poudre, juste avant que la cartouche de calibre .50 BMG quitte le canon rayé du fusil de précision.

# ÉPILOGUE

# 77.

## FLORA ARGENTO

— J'ai abattu le chasseur au dernier moment, Flora. Une balle en pleine tête, par bonheur. Ensuite, Timothy m'a regardé quelques instants, avant de s'élancer vers la sortie. Je pense qu'il a compris que nous étions sauvés. Et je pense qu'il fuyait.

— Nous ?

— Non. Lui-même. La honte qu'il a, devant ce qu'il a dû commettre. L'horreur d'être devenu un monstre, fût-ce pour nous. Il ne veut pas que vous le voyiez, que nous le voyions ainsi.

Flora avait pris du retard, pour soutenir Shariff, traverser le sas avec lui. Elle avait entendu le coup de feu.

— Il a levé la tête quand il vous a entendue m'appeler depuis l'escalier. Vous, Flora. Et c'est à ce moment-là qu'il a fait demi-tour.

Elle n'avait aperçu que l'ombre de l'ours, au bout de la grande galerie circulaire. Au dernier instant.

— Venez, maintenant, tous les deux… Je crois qu'il n'y a plus de chasseurs, mais je n'en suis pas sûr. Vous devez sortir, et moi, je vais aller…

— Nous venons avec vous, McIntyre.

Dans le PC des officiers plongé dans la pénombre, il y avait deux cadavres. Deux autres tristes victimes de Tim. Une fois de plus, elle se raidit. McIntyre fouillait déjà le *blackman* presque intact, trouva sur lui une lampe torche.

— Celui-là était le Taxidermiste, dit-il, comme distraitement, en désignant l'autre cadavre beaucoup moins préservé.

McIntyre cherchait quelque chose. Il ouvrit une cache secrète, dissimulée dans le mur d'acier du PC.

— C'est là qu'il les avait posés devant moi... Les disques.

Il les sortit du coffre, puis en retira un ordinateur portable, plat, fin. Alors, de manière très inattendue, il défit la boucle de sa ceinture, glissa l'ordinateur dans son dos, sous sa chemise, puis remit ensuite le pan dans son pantalon. Enfin il resserra la boucle.

Ils le regardaient, sans une question.

— Écoutez-moi, Flora... Il faut que vous oubliiez quelque chose que vous avez entendu. Que vous l'oubliiez complètement, et n'en parliez à personne, dehors... Et vous aussi, Shariff, même si je vous l'apprends en même temps que je vous demande de l'ignorer.

Il avait penché la tête légèrement sur le côté,

comme chaque fois qu'il sollicitait la confiance absolue de son auditeur.

— Zaroff a parlé de commanditaires, pour les disques. Je dois les retrouver, mais je ne veux pas que quiconque l'apprenne. Je veux que Paul Hugo et tous les autres pensent que la menace est entièrement éradiquée, vous comprenez ?

Elle ne comprenait pas, mais elle opina. McIntyre était venu se livrer à leurs côtés. McIntyre l'avait sauvée en « éveillant » Tim le grizzly. McIntyre avait sauvé la vie de Tim, en tuant le dernier des *blackmen*.

— Maintenant, nous allons sortir. Ensemble. Les mains bien haut… L'un d'entre vous aurait-il un linge blanc que nous pourrions agiter ?

# 78.

## TIMOTHY BLACKHILLS

Il courait vers le nord. Il avait parcouru en grandes foulées, pataudes seulement en apparence, le glacis d'herbes. Et maintenant il allait vers le nord, la forêt qui couvrait tout le contrefort. C'est ici que tout avait commencé, ici qu'ils avaient guetté avec Flora et Shariff, ici qu'ils avaient vu le professeur arriver, les chasseurs descendre, encadrant Véronique.

Véronique était morte, il avait vu son scalp dans les mains du monstre ; mais Flora était vivante, libre. Il l'avait entendue, elle appelait le professeur, dans la galerie. Il avait entendu sa voix. Vivante grâce à lui, libre, il ignorait comment.

Il courait dans la forêt, goûtant l'appel de la sauvagerie, l'air, le vent – loin des galeries confinées. Les résines des conifères chauffées par le matin, l'eau fraîche qui coulait sous les mousses, la terre que la pluie avait mouillée voici peu. Des champignons odorants poussaient quelque part, il le sentait.

Toute sa nature plantigrade, sa nature fauve, exultait de cette liberté. Il aurait voulu s'y abandonner, lâcher prise, ne plus être qu'instinct, sensations d'ivresse, de victoire – triomphe. Liberté reconquise. *Ursus*, grizzly, seigneur sur ses terres, maître de son territoire personnel, débarrassé de ses ennemis.

Mais il y avait les images. Parfaitement nettes. Cadrées en très gros plan, couleurs saturées, dans son esprit. Déroulant leur film implacable. Les neuf hommes. Les uns après les autres. Les neuf meurtres. Leurs cris, leurs appels à la pitié.

Il y avait cette pensée, aussi, conçue pile au moment où il attendait la balle chemisée de métal : maintenant, il pouvait mourir, il le devait. Si Flora était vivante. À cause de ce qu'il avait fait, pour qu'elle reste vivante.

Le grand ours carnivore d'Amérique du Nord s'arrêta finalement près d'un buisson de myrtilles assez épais, à deux ou trois kilomètres au-dessus de l'arête du contrefort. Les baies, d'un bleu sombre, étaient presque mûres, gorgées de soleil.

Il lapa deux ou trois fois le ruisseau qui coulait, celui sans doute dans lequel Shariff, l'enfant-homard, avait essayé de survivre, voici quatre jours. L'eau claire eut un goût de cristal en coulant dans sa gorge. Puis il entreprit de se laver, à coups de pattes et de langue, du sang qui avait coagulé sur sa fourrure épaisse.

# 79.

## SHARIFF

— Et les chasseurs ?

— Tous morts… Et j'ai fait ça tout seul.

Matthew, encore assez loin, et qui venait de leur poser la question en criant, les regardait monter tous les trois d'un air incrédule. La réponse que Shariff venait de lancer ne pouvait pas le convaincre. Il avait vu dans ses jumelles le homard entrer dans la tuyauterie. Huit heures plus tard, Shariff ressortait, avec le professeur et Flora libres, sans chasseurs. Et une trentaine de minutes avant eux, Matthew avait également vu surgir un grizzly – Timothy… Comment comprendre ?

Ils arrivaient enfin sur le sommet du contrefort, après vingt minutes de montée. Lorsqu'ils furent à portée de voix et de regards, Shariff estima la situation. Il eut un sourire malicieux : Bjorn, Marco et Ines avaient les poignets ligotés, ils étaient tenus en joue par Kate.

— Tiens, tiens, ici aussi on dirait que les gentils gagnent. «Celui qui se tient paisible, ayant abandonné toute idée de victoire ou de défaite, se maintient heureux», dit le Bouddha.

— Détachez-les, Matthew. Ce ne sont pas des ennemis.

L'ordre du professeur, ferme, sec, avait claqué; la reconnaissance qu'on pouvait lire sur son visage démentait cette sécheresse. En chemin, le garçon-homard lui avait résumé la scission au sein de l'Institut, la rébellion du labo et de Matthew. Et notre-maître-à-tous savait qu'il allait falloir maintenant rassembler les fidèles de saint Paul et les siens, réconcilier l'irréconciliable, si cela était encore possible.

— Que... Que s'est-il *vraiment* passé?

— Shariff vous l'a dit. Il a tué tous les chasseurs à grands coups de pinces, puis il a cisaillé nos chaînes. Et nous voilà...

Le professeur se tourna vers Bjorn et ses deux tireurs.

— Prévenez votre équipe, Bjorn... Il y a dix cadavres là-dedans, dont certains effroyablement mutilés, qu'il convient d'inhumer décemment. Puis vous ferez disparaître toute trace d'eux, de leurs armes, de leurs affaires. Ils n'ont jamais existé...

Le responsable de la sécurité se raidit légèrement, comme un militaire de nouveau aux ordres.

— Et ne cherchez pas les disques auxquels vous et mon ami Paul tenez tant...

Il les sortit d'une musette qu'il avait prise dans le repaire du Taxidermiste.

— ... Je les ai ici. Intacts et inviolés.

«Et vous avez aussi un ordinateur planqué dans le dos, maître shaolin», songea Shariff.

—

Il rejoignit Flora qui s'était assise dans l'herbe, légèrement à l'écart. Elle regardait vers la forêt de conifères, sombre, noire malgré le soleil d'été – là où Matthew avait dit qu'il avait vu l'ours disparaître.

— Alors?

— Alors quoi? Tu nous as sauvé la vie. C'est toi le héros, Shariff.

— Tu parles... Sans toi et Tim... Et le professeur...

— Si tu n'étais pas entré dans le tuyau, Tim serait un ours mort, une balle entre les yeux. Et nous, nous aurions été abattus par le dernier chasseur, ou nous serions en train de lui servir de bouclier humain.

— Ah ouais... Vu comme ça...

— Et toi, qu'est-ce que tu vas faire, ma belle?

— Y aller... Je pense qu'il m'attend.

Sur le visage de son amie, sa grande sœur, il lut une gravité lumineuse, résolution heureuse et inquiète. Le vent d'altitude jouait avec les cheveux noirs de la jeune fille. Elle portait les stigmates de la fatigue, de l'horreur aussi, de tout ce qu'ils avaient vu, traversé; mais son regard noir était clair.

— Tu as assisté à ce qu'il a fait, en bas...

— Oui. Je sais. C'est un ours, un grizzly. Mais dans...

Elle consulta sa montre.

— ... Dans vingt-quatre heures, au plus, je suis une chatte. Et je veux qu'il entende, avant de revenir à l'état d'homme, que je l'aime. Comme il est. Avec tout ce qu'il a commis, ce qu'il a fait pour nous.

La voix baissa jusqu'au murmure.

— Et même avec ce fauve en lui...

## AVERTISSEMENT, PRÉCISIONS, REMERCIEMENTS

Les noms de lieux que comporte cet ouvrage sont pour la plupart faux: j'ai utilisé des toponymies de mon immédiat voisinage, dans cette partie nord de la Haute-Savoie où je vis, pour les travestir.

L'Institut de Lycanthropie ne se situe pas dans ce département, pas davantage que le bunker des Chasseurs. Ils sont ailleurs, dans les Alpes françaises.

Je n'ai cité aucune des dénominations exactes de cols, pics, refuges, sommets, ceci afin que demeure confidentielle la localisation de l'Institut, comme les fondateurs l'ont souhaité eux-mêmes. Il est donc inutile d'espérer retrouver des preuves matérielles du Grand Secret à travers ces lignes.

Les titres, auteurs, extraits d'ouvrages de la Grande Bibliothèque sont en revanche exacts, même si des traductions différentes, parfois effectuées par les anthropes, peuvent induire de légères variantes dans les citations de Shariff.

La contribution à ce récit des écrivains, sages, musiciens, poètes cités au fil des pages est inestimable. Ils révèlent la vérité dissimulée sous les apparences.

Ce récit ne serait pas entre vos mains sans mes éditrices : Céline Charvet, la première, a su que la métamorphanthropie existait ; Eva Grynszpan m'a guidé depuis le premier synopsis jusqu'à la dernière correction, par sa rigueur éclairée et enthousiaste. Qu'elles en soient chaleureusement remerciées, toutes deux, ainsi que tous ceux qui, chez Nathan, ont contribué à faire vivre ce livre.

Je tiens également à exprimer toute ma gratitude à Sarah Malherbe, qui m'accompagne depuis mes premiers romans, et continue par ses conseils au long cours d'empêcher que je m'y égare.

Bien entendu, ma dernière dette est la plus conséquente : *Instinct* n'aurait pas vu le jour sans Juliette, ma compagne, sans Théophile et Madeleine, mes deux aînés, qui tous trois ont lu, corrigé, amendé ce récit dans toutes ses versions. Non seulement ils ont permis que ce roman soit ce qu'il est, avec ses défauts et ses bonnes pages, mais ils m'ont quotidiennement accompagné de leur confiance, de leur patience et de leur bienveillance. Sans eux trois, sans également Sarah et Louanne, trop jeunes encore pour lire, mais dont la joie permet de balayer le doute ou la fatigue, je ne serais sans doute pas arrivé à la dernière ligne.

Enfin, je tiens à remercier Shariff, Flora et Tim, pour le bout de chemin, et pour la suite.